Catatau

Paulo Leminski

CATATAU

um romance-ideia

"... usque consumatio doloris legendi!"

(p.167)

ILUMI//URAS

Copyright ©
Alice Ruiz Scheronk, Aurea Alice Leminski e Estrela Ruiz Leminski

Copyright © *desta edição*
Editora Iluminuras Ltda.

Capa
Eder Cardoso / Iluminuras
sobre capa da primeira edição, de Paulo Leminski, executada por Miran.
Imagem: *Cenas de luta na sala de uma tumba em Beni Hasan*
(Egito, c. 2000 a.C., anônimo).

Revisão
Tatiana Faria

CIP-BRASIL. CATALOGAÇÃO-NA-FONTE
SINDICATO NACIONAL DOS EDITORES DE LIVROS, RJ

L571c

Leminski, Paulo, 1944-1989
    Catatau : um romance-ideia / Paulo Leminski. - São Paulo :
Iluminuras, 2010 (5. reimpressão, 2015).

ISBN 978-85-7321-336-2

1. Romance brasileiro. I. Título.

10-4996.   CDD: 869.93
                          CDU: 821.134.3(81)-3

30.09.10 08.10.10   021917

ILUMI//URAS
desde 1987
Rua Salvador Corrêa, 119 | Aclimação | São Paulo/SP | Brasil
04109-070 | Telefone: 55 11 3031-6161
iluminuras@iluminuras.com.br
www.iluminuras.com.br

SUMÁRIO

CATATAU, 15

APÊNDICES

Descordenadas artesianas, 211
Quinze pontos nos iis, 215

ALGUMA FORTUNA CRÍTICA, 219

à glória de Paulo Leminski o Velho
pelas mensagens em código
pelo sangue de Krzysztof Arciszewski (1592-1656)

para Alice
pelo Saber, Querer, Ousar e Calar

para Augusto de Campos
        Décio Pignatari
        Haroldo de Campos

REPUGNATIO BENEVOLENTIAE

Me nego a ministrar clareiras para a inteligência deste catatau que, por oito anos, agora[1], passou muito bem sem mapas. Virem-se.

---

[1] Vide *Jornal do Escritor* (n. 6, nov. 1969, Rio de Janeiro), onde tiveram lugar o lançamento oficial da ideia, entrecho e amostragem das primeiras porções do *Catatau*.

"Do tamanho de um pinto nascido recentemente, tinha cabeça de ganso um pouco mais pontuda, na parte superior, o bico largo como o do ganso, mas a extremidade da parte superior inclinada para baixo; os olhos eram pequenos, o pescoço, curto. As asas eram pequenas, sitas perto das primeiras penas (estas eram em número de quatro). Não tinha peito; em lugar dele, acharam-se duas pernas, das quais a parte superior media três quartos de dedo e a inferior um quarto; cada uma das pernas tinha quatro dedos semelhantes aos da galinha. As duas pernas posteriores, do mesmo tamanho e figura que as anteriores, estavam colocadas de um modo curioso, isto é, a esquerda era natural mas a direita, na sua origem a esquerda, era uma proeminência da esquerda, como que voltada para cima, como se houvesse duas pernas esquerdas e uma direita emendada na esquerda, no lugar, de sua origem. Não havia, por isso, o uropígio, porquanto não havia intervalo entre essas pernas posteriores; em lugar da cauda, estavam anexos à perna esquerda uns pelos um tanto longos de cor branca. Os pés eram semelhantes aos da galinha e os dedos dispostos do mesmo modo; cada um, porém, era disposto em ordem inversa, de sorte que a parte inferior se achava na superior e vice-versa; as unhas também eram voltadas para cima. A cabeça, pescoço, ventre, asas, dorso e parte superior das pernas não eram cobertas de penas mas de pelos pretos de meio dedo de comprimento, um pouco claros debaixo do ventre e garganta; em resumo, um pinto totalmente monstruoso. A parte inferior das pernas e os pés eram de cor fusca e bem assim o bico; as vísceras eram como as da galinha porém dispostas desordenadamente; o coração era grande; vivia quando nasceu."

(Marcgravf, *Historia Naturalis*; História das Aves, Lib. V, Cap. XV.)

"O universo, reduzido a uma pura multiplicidade fenomenal, não tem mais consistência para se afirmar em si, como um objeto distinto do sujeito que conhece. Ele evapora, por assim dizer, em puras aparências, engendradas misteriosamente a partir das virtualidades do sujeito."

(Nicolas d'Autrecourt)

"Após alguns meses de ócio elegante com sua família, em Rennes, onde se ocupa de equitação e esgrima (redigiu um tratado de esgrima hoje perdido), voltamos a encontrar Descartes na Holanda alistado no exército do príncipe Mauricio de Nassau. Mas é um estranho oficial que recusa qualquer soldo, mantém seu equipamento militar às próprias custas e se deseja mais 'espectador' que 'ator': mais assistente livre de uma escola de guerra do que militar de verdade. Na Holanda, ocupa-se principalmente com matemática, na companhia de Isaac Beeckman. Data desta época (ele vai fazer 23 anos) seu misterioso lema, 'Larvatus prodeo' (em latim: 'Avanço, com uma máscara no rosto')."

(*Histoire des Philosophes*, de Vergez e Huisman).

"A obscuridade das distinções e dos princípios de que se servem é a causa de poderem falar de todas as coisas como se as soubessem e de sustentarem o que dizem contra os capazes e os mais sutis, sem que se tenham meios de os convencer. Por isso, tornam-se comparáveis a um cego que, para lutar sem desvantagens contra alguém que não é cego, levasse o adversário para o fundo de um subterrâneo muito escuro."

(René Descartes)

ergo sum, aliás, Ego sum Renatus Cartesius, cá perdido, aqui
presente, neste labirinto de enganos deleitáveis, — vejo o mar,
vejo a baía e vejo as naus. Vejo mais. Já lá vão anos III me destaquei
de Europa e a gente civil, lá morituro. Isso de "barbarus — non
intellegor ulli" — dos exercícios de exílio de Ovídio é comigo.
Do parque do príncipe, a lentes de luneta, CONTEMPLO A
CONSIDERAR O CAIS, O MAR, AS NUVENS, OS ENIGMAS
E OS PRODÍGIOS DE BRASÍLIA. Desde verdes anos, via de
regra, medito horizontal manhã cedo, só vindo à luz já sol meiodia.
Estar, mister de deuses, na atual circunstância, presença no estanque
dessa Vrijburg,[1] gaza de mapas, taba rasa de humores, orto e zoo,
oca de feras e casa de flores. Plantas sarcófagas e carnívoras
atrapalham-se, um lugar ao sol e um tempo na sombra. Chacoalham,
cintila a água gota a gota, efêmeros chocam enxames. Cocos
fecham-se em copas, mamas ampliam: MAMÕES. O vapor
umedece o bolor, abafa o mofo, asfixia e fermenta fragmentos de
fragrâncias. Cheiro um palmo à frente do nariz, mim, imenso e
imerso, bom. Bestas, feras entre flores festas circulam em jaula
tripla — as piores, dupla as maiores; em gaiolas, as menores, à
ventura — as melhores. Animais anormais engendra o equinócio,
desleixo no eixo da terra, desvio das linhas de fato. Pouco mais
que o nome o toupinambaoults[2] lhes signou, suspensos apenas pelo
nó do apelo. De longe, três pontos... Em foco, Tatu, esferas rolando
de outras eras, escarafuncham mundos e fundos. Saem da mãe com
setenta e um dentes, dos quais dez caem aí mesmo, vinte e cinco
ao primeiro bocado de terra, vinte o vento leva, quatorze a água,
e um desaparece num acidente. Um, na algaravia geral, por nome
Tamanduá, esparrama língua no pó de incerto inseto, fica de pé,
zarolho de tão perto, cara a cara, ali, aí, esdrúxula num acúmulo
e se desfaz eclipsado em formigas. Pela ou na rama, você mettalica
longisonans, a araponga malha ferro frio, bem-te-vi no
mal-me-quer-bem-me-quer. A dois lances de pedra daqui, volta
e meia, dois giros; meia volta, vultos a três por dois. De onde

[1] Em holandês, "Freiburg", a cidade livre, a Olinda batava, onde, em Pernambuco (Paranimabuca, em tupi),
Nassau organizou o primeiro zoo e horto botânico só com plantas e animais tropicais (1642).
[2] "Tououpinambaoults", "toupinambauts", os primeiros cronistas franceses no Brasil, Thévet e Léry,
grafaram de maneira fantasista o nome dos índios tupinambás, os senhores da costa brasileira.
Incorporei a fantasia ortográfica, como índice de estranheza.

em onde, vão e vêm; de quando em vez, veem o que tem. Perante
o segundo elemento, a manada anda e desanda, papa e bebe, mama
e baba. Depois da laguna, enchem a anterior lacuna. Anta, nunca
a vi tão gorda. Nuvens que o gambá fede empalidecem o nariz
das pacas. Capivara, estômago a sair pelas órbitas, ou, porque fartas
se estatelam arrotando capinzais ou, como são sabem senão comer,
jogam o gargalo para o alto, arreganhando a dentadura, tiriricas
de estar sem fome. Ensy, joão chamado bobo, não tuge nem muge,
não foge tiro, brilho nem barulho — gálbula, brachyptera,
insectívora, taciturna, non scansoria, stupida —, para jogar sério
a esmo. Monos se penteando espelham-se no banho das piranhas,
cara quase rosto no quasequase das águas: agulhas fazem boa boca,
botam mau olhado anulando-lhes a estampa, símios para sempre.
Na aguada, o corpanzil réptil entretece lagartos e lagostas. Monstros
da natura desvairada nestes ares, à tona, boquiaberta, à toa,
cabisbaixa, o mesmo nenhum afã. Tira pestana ao sol uma jiboia
que é só borboletas. Tucanos atrás dos canos, máscara sefardim,
arcanos no tutano. Jiboia, no local do crime, desamarram espirais
englobando cabras, ovelhas, bois. Chifres da boca para fora —
esfinges bucefálicas entre aspas — decompõem pelos mangues
o conteúdo: cospem cornos o dobro. Exorbitantes, duram contos
de séculos, estabelece Marcgravf, na qualidade de profeta. Vegetam
eternidades. Crias? Mudas? Cruzam e descruzam entre si? Não,
esse pensamento, não, — é sístole dos climas e sintoma do calor
em minha cabeça. Penso mas não compensa: a sibila me belisca,
a pitonisa me hipnotiza, me obelisco, essa python medusa e visa,
eu paro, viro paupau, pedrapedra. Dédalos de espelho de Elísio,
torre babéu, hortus urbis diaboli, furores de Thule, delícias de
Menrod, curral do pasmo, cada bicho silencia e seleciona
andamentos e paramentos. Bichos bichando, comigo que se passa?
Abrir meu coração a Artyczewski[3]. Virá Artyczewski. Nossas

---

[3] Articzewski aut Artixevski vel Artixeffski sive Arstixoff scilicet Articzewski et Artixevski ac Artixeffski atque Arstixoff Artizewsque e outras grafias da época. Krzysztof Arciszewski, nobre polaco, matemático, artilheiro e poeta em latim, exilado por convicções luteranas, foi, talvez, o primeiro personagem polonês da história do Brasil. Importante cabo de guerra de Nassau, como tantos, mercenário na folha de pagamentos da Companhia das Índias Ocidentais, era militar de vocação, muito experimentado coronel de um regimento de infantaria. Veio para o Brasil à frente de oito navios e sete companhias militares. Homem de confiança da Companhia, recebeu a intendência geral do armamento batavo no Brasil, coisa que lhe gerou atritos com a autoridade de Nassau que o despediu e remeteu de volta à Europa.

manhãs de fala me faltam. Um papagaio pegou meu pensamento, amola palavras em polaco, imitando Articzewski (Cartepanie! Cartepanie!). Bestas geradas no mais aceso do fogo do dia... Comer esses animais há de perturbar singularmente as coisas do pensar. Palmilho os dias entre essas bestas estranhas, meus sonhos se populam da estranha fauna e flora: o estalo de coisas, o estalido dos bichos, o estar interessante: a flora fagulha e a fauna floresce... Singulares excessos... In primis cogitationibus circa generationem animalium, de his omnibus non cogitavi. Na boca da espera, Articzewski demora como se o parisse, possesso desta erva de negros que me ministrou, — riamba, pemba, gingongó, chibaba, jererê, monofa, charula, ou pango, tabaqueação de toupinambaoults, gês e negros minas, segundo Marcgravf. Aspirar estes fumos de ervas, encher os peitos nos hálitos deste mato, a essência, a cabeça quieta, ofício de ofídio. Cresce de salto o sol na árvore vhebehasu, que pode ser enviroçu, embiraçu, imbiroçu, aberaçu, aberraçu, inversu, inveraçu, inverossy, conforme as incertezas da fala destas plagas onde podres as palavras perdem sons, caindo em pedaços pelas bocas dos bugres, fala que fermenta. Carregam pesos nos beiços, pedras, paus, penas, mor de não poder falar: trazem bichos vivos na boca. Olho, penso esse bicho, o bicho me pisa na cabeça, o ventre pesa a carne, carcomido. O movimento dos animais é augusto e lento, todos se olhando de jaula para jaula e para mim. O silêncio eterno desses seres tortos e loucos me apavora. A árvore vhebehasu espreguiça à luz das suas moléstias venéreas a carne esponjosa, descascando verrugas na pedra-pomes; bafejando halos de pólen, espirais elásticas desgrudam membranas, pingando ranho, o pus ao gosto das sanguessugas, carunchando o fole dos favos em ogivas e meandros, fonte donde cipós passam a saliva que abastece o mercado dos cupins; a lepra mucosa das parasitas contagia o húmus com o entusiasmo das gosmas pelo pacto de vida e morte entre o reino de Alhos com o império de Bugalhos; nas mal traçadas, uma fênix esquenta o côncavo das garras perante um fogo-fátuo; por ela, um basilisco põe a mão incombustível no fogo, a maneja e manja, suscitando manifestações de desagrado por parte de um arco íris, rendido em bolhas e flocos de pó — as folhas, orelhas, aplaudem brotos — olhosclitóris, cuja coceira deu em mel muito procurado por suas virtudes ainda insuficientemente esclarecidas; um látex se responsabiliza pela animação hidráulica dos poros furos das formigas; a partir dos galhos, tufos subsidiários frutos tumores ninhos de marimbondos, onde toupinambaoults com febre vêm caçar maracanãs. Comeu os quatro comissionados a trazê-la do infinito bravio. Da boca à sopa, as águas sobem. Sobem. SOBEM. Folias, a boca aberta por dentro do chão, bebendo rios e a substância das pedras, narina marinha, vejo baleias: o mar de Atlas limita-me pelas tribos cetáceas e o lado poente pelos desertos de ouro, donde sopra o vento oriundo do reino dos incas. Ali na praia, vomitam âmbar. Vejo coisas: coisa vejo? Plantas comem carne. Besteiras dessas bestas cheias de bosta, vítimas das formas em que se manifestam, tal qual lobriguei tal dentro das entranhas de bichos de meios com mais recursos. E os aparelhos óticos, aparatos para meus disparates? Este mundo é feito da substância que brilha nas estremas lindezas da matéria. No realce de um relance, sito no centro de um círculo, uma oitiva diminuta descreve uma dízima do período de pontos de vista definitivos. Vigiando, evidenciar-nos-emos. Em meados do percurso, o circuito assume um novo ciclo, sumindo com estes olhos que a terra quer comer mas, com os meus, antes que os coma, vejo a terra: nuovo artifizio dun occhiale cavato dalle più recondite speculazioni di prospettiva disse Galileu se move inaugurando a santidade da contemplação cristal onde cada coisa vem perfazer seu ser. Contém o próximo e o mantém longe, o verrekyker[4]. Ponho mais lentes na luneta, tiro algumas: regulo, aumento a mancha, diminuo, reduzo a marcha, melhoro a marca. O olho cresce lentes sobre coisas, o mundo despreparado para essa aparição do olho, onde passeia não cresce mais luz, onde faz o deserto chamam paz. Um nome escrito no céu — isolo, contemporizo, alarme na espessura, multiplico explicações, complicando o implícito. Trago o mundo mais para perto ou o mando desaparecer além do meu pensamento: árvores, sete, um enforcado, uma vela acesa em pleno dia! Escolho recantos selecionando firmamentos, distribuo olhares de calibre variado na distância de vário calado. Parto espaços entre um aumento e um afastamento em cujos limites cai como uma luva minha vertigem. O Pensamento desmantela a Extensão descontínua. Excentricidade focal, uma curva em tantas rupturas que a soma das distâncias de cada um de seus pontos com inúmeros diâmetros fixos no trajeto da queda guarde constante desigualdade a uma longitude qualquer. Imprimindo prosseguimento à análise, um olhar sem pensamento dentro, olhos vidrados, pupilas dilatadas, afunda no vidro, mergulha nessa água, pedra cercada de rodas: o mundo inchando, o olho

---

[4] "Luneta", em holandês seiscentista.

cresce. O olho cheio sobe no ar, o globo dágua arrebentando,
Narciso contempla narciso, no olho mesmo da água. Perdido em
si, só para aí se dirige. Reflete e fica a vastidão, vidro de pé perante
vidro, espelho ante espelho, nada a nada, ninguém olhando-se a
vácuo. Pensamento é espelho diante do deserto de vidro da
Extensão. Esta lente me veda vendo, me vela, me desvenda, me
venda, me revela. Ver é uma fábula, — é para não ver que estou
vendo. Agora estou vendo onde fui parar. Eu vejo longe.
Pensamento me deu um susto, nó górdio na cabeça, que fome!
Uma arara habilita-se a todos os escândalos sem ser Artiszewski.
Jazo sob o galho onde o bicho preguiça está. Eis a presença de
ilustre representante da fauna local, cujo talento em não fazer nada
chega a ser proverbial, abrilhanta a áurea mediocridade vigente.
Requer uma eternidade, para ir dez palmos, esta alimária, imune
ao espaço, vive no tempo. Este mundo não se justifica, que perguntas
perguntar? Devo lazer. Esta bruta besta, temperando a corda ao
contrário dos ponteiros dum relógio, para nunca conduzir-se,
estacionou incógnita na reta. Aí no galho. Versar com as pessoas
é dividir o todo que somos em partes, para efeitos de análise, para
sermos compreendidos, mister lembrar Articsewski da desgraça da
preguiça que se abateu sobre mim. A fumaça acima não a demove
tão pouco de seus propósitos absenteístas. Este mundo é o lugar
do desvario, a justa razão aqui delira. Pinta tanto bicho quanto
anjo em ponta de agulha bisantina, a insistência irritante desses
sisteminhas nervosos em obstar uma Ideia! Nunca se acaba de
pasmar bastante, novo pânico põe fora de ação o pensamento. Bichos
se fazem reverência, camaleões aos salamaleques viram salomões
de doutos cromatismos, afinidades infinitas afinam e desafinam
espécies. Formigas da noite picam uma árvore com bandos de
papagaios e tudo, acabando de dormir para esticar o esqueleto.
Este calor acalma o silêncio onde o pensamento não entra, ingressa
e integra-se na massa. Sussurros clandestinos acusam a aproximação
de peregrinos. O senhor vai assim toda vida e termina a vida por
aí. Muito me admira mas admitir pouco, cada localidade ponha-se
no seu lugar. Não, esse pensamento recuso, refuto e repilo! Constato
crescerem em mim, contra o degas e em prol dessa joça. Sabe
de que está falando? Não? Estranho proceder! Nada aqui onde
apoies pensar, não é casa da sogra essa falta de estátuas nas tumbas,
sarcófagos nos palácios, epitáfios nos obeliscos, triunfos nos arcos,
estirpes nos nomes. Fico feito um sísifo, deixando insatisfeitas as
voltas automáticas das hipóteses. Coordenadas em ordem, a própria,

entregue à própria sorte. A linha é o menor ponto entre dois
caminhos: a bom, meia, a mais ou menos, uma. Este pensar
permanente prossegue pesando no presente momento. Artiksewski
me tirará pelo coração a tempo da via das minhas dúvidas. Unhas
e lentes dum mecanismo de passarinhos operam desde milagres
até metamorfoses. Omito. Pandorgas da China apreciam os
elementos das intempéries. Um dia, a selva desmorona em cima
de Mauritstadt[5] e a afunda na lama e no calor. Vai em cima.
Deu-lhe um golpe no calcanhar, mas como não contra Aquiles,
para sofrer como os burros ferrados que escoiceiam as fechaduras
como se fossem cascavéis descansando o cotovelo, aí consagrou
o resto. Não, esse pensamento, não, ainda credo num treco. Claro
que já não creio no que penso, o olho que emite uma lágrima
faz seu ninho nos tornozelos dos crocodilos beira Nilo. Duvido
se existo, quem sou eu se este tamanduá existe? Da verdade não
sai tamanduá, verdade trás, quero dizer: não se pensa, olhar lentes
supra o sumo do pensar! Dá para ouvir o cúmulo das excelências
falarem num búzio contigo, baixinho, que as escalas vão queimar
sua última oitava, de tal forma que ao dizer teu nome, silêncio
o faz. A cabeça furam de cáries. Um coco roído de formigas. Nestes
climas onde o bicho come os livros e o ar de mamão caruncha
os pensamentos, estas árvores ainda pingam águas do dilúvio. Penso
meu pensar feito um penso. Olho bem, o monstro[6]. O monstro
vem para cima de monstromim. Encontro-o. Não quer mais ficar
lá, é aquimonstro. Occam deixou uma história de mistérios
peripérsicos onde aconstrece isso monstro. Occam, acaba lá com
isso, não consigo entender o que digo, por mais que persigo.
Recomponho-me, aqui — o monstro. Occam está na Pérsia. Quod
erat demonstrandum, quid xisgaravix vixit. Eis isso. Isso é bom.
Isto revela boa apresentação. Assim foi feito isso. Algo fez isso
assim, isso ficou assim. Então era isso. Isso ficou assim e assaz
assado, o erro já está içado. Ficou algo, deu-se. Isso contra isto.
Isto mata isso. Isto. Histórias. Alguém cometeu algo? Ninguém
fez nada. Que faz isso aqui? Isso serve para ser observado. Só
para ser visto, só se passa isso. Aqui dá muito disso. Aqui é a
zona disso. Agora se alguém desconfiar, ninguém duvide. Isso muda
muito. Isso é assim mesmo. Os outros são alguns, uns são quaisquer.

[5] "Cidade de Maurício" em holandês seiscentista, como chamavam Olinda à época.
[6] Occam, o monstro textual: ver retrato verbal na página 212.

O osso do ofício no orifício disso. Histórias em torno disso. Eu nego isto, isto é, visto por esse monstro prisma. Quadrúpede, aí tem o bípede. Dentro do previsto, compareço. Só vou lá. Lá me recebem. Lá me curam. Lá me lambem. Sabem quem é que eu me lembro? Isso mesmo. Eu sou demais. Eu estou sobrando. Eu estou tentando sobreviver, busca meios de sobrevivência. Assim não vale. Eu não quero cair lá. Lá é silêncio. Lá — não. O que está por vir quer continuar sendo até não poder mais manter-se nesse estado. Nada substitui isso. Nunca viu isso aí e pensou que não era nada. Era isso, isso é problema seu. Nunca viram isso, pensam assim. É natural, isso é perfeitamente natural. Tudo o mais que sei não cabe no que digo, já não há mais o que eu havia dito, já há só o que nunca se soube. Os sintomas. Os sintomas de tudo, os sistemas totais. Uma hipótese, uma remota possibilidade arremata um lance, uma causa perdida, uma visão beatífica, uma audição angélica. A figura é figurada. Desvidro-me. Não representa o que apresenta. Em outras palavras, são outra coisa. A figura continua a mesma, ocorrem acidentes no seu plano mas ela confirma o que diz: os sintomas são esses, os sistemas são outros. O sigilo cai sobre o fato, armazém de armadilhas, fato nulo, ato nulo. Algomonstro está oculto atrás do ato nulo. O fato? Occam. O mapa é este. Não quero me precipitar, creio num abismo aí. Ele disse, ele se calou que só vendo, veio falando e foi desapercebendo. Um abismo, quem o mora? Nunca é demais voltar atrás, desde quando estamos caindo? Uma lei vai vigorar aqui. A lei é esta: assim não vale. A lei é estável. Qual o nome da lei? Um nome bem natural, a lei da máxima é múltipla. Faça o que te apetece, falte quando te fazem falta! Assim não vale. Ali está aquilo. Afastamento dos fatos, isolamento silencioso. Aqui é isso. Isso sai por uma porta e entra por outra, isso é uma raridade no dia de hoje. Uma coisa rara é coisa notável. Isso houve hoje. Um olhar de Janus aboliu a atualidade. Cara e coroa, cara e máscara. Aquilo está feito. Algo não andou bem, houve um negócio. O próprio. Uma manifestação monstro adentrou-se nas dobras do terreno e concentrou-se no óbvio. Passa o tempo, o monstro não se mostra, que demora para uma demonstração! Queriam colocar-me aí. Quero ficar aqui, me respeitem. Eu assumo várias formas, ou arrumo vários casos. Caí em mim e nos que me equivocam, arranjem um outro eu mesmo que eu não dou mais para ser o próprio. Ele mesmo reconhecendo isso, foi levado a efeito. Isso não serve, temos que apresentar exemplos. Acostume-se com isto. Conosco, conosco, eis Occam. O qual já vem aí ver no que deu. Sem se esforçar, faz-se jus à voz corrente. O verbo acende um fogo, o sujeito vem se aquecer, esse sou eu, como é? Daqui dá para ver o objeto muito bem, além — a terra de ninguém do silêncio. Aqui faz frio, peço desculpas por fazer tão frio, faz tanto tempo que sinto frio que já nem sinto frio, já nem sei se isso é frio. O Toupinambaoults de tanto farejar marofa virou farofa. Assim não vale. Fiquei idêntico, mesmo eu estou bem aqui refazendo os nós que desatastes e adesatastes: não há mais quem consiga desatar um nó, depois que o rei de Górdio invadiu a Pérsia. Occam ocultus, Occam vultus, Occam, o bruxo. Occam torceu a sinalização. Occam disfarçou as peripécias. Aonde vai com tanta pressa? Vou a toda Pérsia, vai depressa. Occam vê o óbvio. Deixa o óbvio ali. Pensa uma oração e o óbvio desaparece. Occam não pensa nada, se nadifica e falta. A análise começa em casa, palavra. Para limpar lágrimas, uma lápide. Passou por aqui um desconhecido. Assim é que se faz, viu? Aparece na hora. Faz assim, assim se faça. Não é viável que você esteja me vendo. Absolutamente. Consta, não; é exato. O óbvio vive aqui. É aqui-del-rei que ele mora, quanta demora — para um bota-fora. O óbvio está vivo. Escapou e saltou até lá. Lá saiu, lá ficou, lá vai ele. Lá é grande, grande lá. Ali e lá, algo vem sendo, eu sei o que é isso: é o óbvio. Era uma vez, ele ia. Era uma vez, eu dizia. Era uma luz, um dia. Eu via, era um som na minha vida, me ouvindo. Proponho uma testemunha, um teste. Esta é minha testemunha, dando testemunho para todos os lados. Eu me chamo Procurado, muitos me têm procurado, poucos me têm achado. Eu estarei à sua direita, fazendo sinal. Sou o facho que atrai todos os olhares na escuridão das frases. Eu crio seres. O óbvio, como não podia deixar de ser, pontificou. Estamos estarrecidos. Ficamos desaparecidos por um pedaço de tempo, por um compasso de espaço, o colapso passou de raspão. Cumpra-se o óbvio. O evidente previdente escondeu-se do vidente, a música, por um acinte do acaso, por um acidente esquisito, ocasionou esta sinopse. Originou esta delonga, refletiu este fluxo, repercutiu na pergunta. A solução é ineficaz para debelar o problema. O evidente acaba de ser visto. Entre monstrolusco e monstrofusco, entre o colosso e a esfinge, Occam fica como está. Fica como ficará, fica com quem cessou. O extravagante dá um passo avante devagar e fica perante: é o óbvio, e assim não vale. Estou ciente como se deve. Acontece que tudo que eu digo, acontece portanto. Isso, por exemplo, já está havendo há muito tempo.

Depois eu vou dizer tudo, não digam que eu não avisei. Eu já disse que isso acontece, está acontecendo aqui. Vai haver um mal entendido, fazendo as vezes de desentendimento. Os entes de razão estão indo caminho da execução, acontece algo daquilo que eu conto. Uns dizem coisas que a gente não sabe o que dizer. Dizem exemplos. Por exemplo, cada qual com seu igual. Os transeuntes batem em retirada, os batentes continuam itinerantes, alguém me disse, e eu me lembro que já ouvi isso, em algum lugar. Dado que isso já feito, dito que já deu fruto. Isso é coisa sob controle do passado remoto. Quase sempre que ia falando como ia pensando, cheguei a pensar, pensei. Não vou dar exemplos. Isso come solto, isso avança sobre o insólito. O espaço é só isso. Comporte-se como um espaço desses! Medito uma medida para as mudanças deste mundo, onças, pares, palmos e quintais, a entrarem por um vidro saindo pelo outro. Bem-te-vi deveras me viste mas não te vejo e te busco rolando lentes sem resultado por esses ramos. Ou é o vocal da consciência gritando: deserto? Ver tudo é bom? É ver? Ver, é fazer alguma coisa: ver tudo é coisíssima alguma. Por muito ver, cegaram mil, procurando-os na memória, encontro outras vítimas do esquecimento. Me praz lente fiel em olho sem libra, gasto pouco vasto faz grandes coisas. Ainda bem, porque vindo ver algumas, uma de nada me viu, diminuindo-me. Há coisas que não são para ver. A ver, vejamos. Não vou mais perto de medo, olho mais perto que o corpo chega mais forte que eu. Não posso entrar assim. Onde estava com a cabeça, até me vir tudo nela? A coisa arruína o olho, não volta mais à forma antiga, quantos vidros e lentes vai querer entre si e os seres? Um corpo é muito osso para um olho que quer crescer sem mãos para o confundir. Tem que ver como tem que ser, intervalos de ilusão de ótica para as evidências certas, — esta erva sempre dói, insetos insetívoros se coçam, ovo de cobra não gora: cai a fruta, sai a flecha, o ovo fica, siga em frente, aguente adredes e acintes. Maravilha é pensar este bicho, como o que se disser de tudo isso. Aqui se acorda ao primeiro chocalho de cobra e se dorme num canto coral, o bicho prosperando cobras e lagartos, duvido que Artyszewski possa. Epa, quem é que está balançando a canoa? Quem está me jogando areia no olho? Quem está sentado em minha cabeça? Quem estupra meu hímen? Que corda de enforcado me enforca? Quem é que está levando o mundo embora? Mitridates[7] pôs o corpo real sob

---

[7] Mitridates, rei do Ponto Euxino, temeroso de venenos, habituou-se a tomá-los todos em doses homeopáticas, sempre crescentes, até se tornar imune a qualquer peçonha.

o império dos venenos, — toxicus, a graecis videlicet sagiticus aut sagitarius, quasi sagitae venenum dicitur, — afeito a tê-los pelo sangue sem detrimento no viver, antes com estados nunca sidos. Alguma dúvida, ou fazemos uma concessão à má natura? Muito vagalume para ser olho de onça. Batavos não estão mais com a razão nestas zonas, casando conúbios danados com fêmeas toupinambaoults, praticam seu linguajar, que é como os sons dos estalos e zoos deste mundo. Duvido de Cristo em nhengatu. Falam nhengatu, flama flamenga em fala mulherenga. Cala o fanfarrão, fala o canzarrão. Por aquiles-del-raio-que-os-partitura, se bem o ouvi, melhor o faça, não há mais claridão para a algazarravia perdida na escuridade obsclara? Algures por achado, nenhures chamado, — dá para desconfiar: desconfie, melhor um cisco no rabisco do olho que um pisca-pisca desse petisco. Não te quero ver nem pintado de jenipapo pavoneando papos de tucano. Quando a noite estava entre o mais-pra-lá-do-que-pra-cá e o fica-aí-que-volto-já, era quando caça cão com gato quem não tem camaleão que é mato. Nome pode pôr aí: pseudônimo anônimo, alcunha — metade do nome mais o dobro, o nome de Guerra, Guerra. Dito tudo, falam uma hora a mais, tão cheios do apetite de dizer! Ouvistes dito aos antigos, ficando cada vez mais antigos. Aqui já não está quem falou. Aqui falam agora a dizer: faça-me um favor, pimenta do reino meu, nos olhos dos outros não dói, doeu? Que Cartepanie, o quê, — dá o rico pé, currupaco, salamanganico! Macacos, o outro papo, maduros, do primeiro ao último, a qualquer hora viram gente, só descuidar. Se a cara não ajuda, num instante, muda de repente máscara mais conveniente. O castigo a galope chega antes do tempo de bradar: água vai! Bendito o mau jeito, o que disse, faça, e feito. Cada qual dá o quê? Você aí, que é que acha? Não acho; me abaixo. Aboio de bicho busca apoio em outro berro, vice-vira-serva-volta, a conviceversa não vai longe; salvanor, com perdão da má palavra, — eu! Ondem? Acá. Ora essa, e esta, então? Logo não houve jamais algum dia tal, for? Não sei se está, se não sei, quem sabe lá, eu sei aqui: antes de ser, pague, ainda ouça que nem tudo é assinsenhor. Conosco ou com os outros, isso sim é que é isso mesmo; se assim for, isto é, por mim, nunca: de vez em quando é tanto quanto mais puder, também faz tanto tempo que agora é só isso, por exemplo, já? Este país cheio de brilho e os bichos dentro do brilho é constelação de olhos de fera. Outra cidade será citada para glória da freguesia: virgembugra, torres nos torrões tristes. Quando Uganda balanganda, palácios balançam.

Um bosquejo azulou nos azulejos de Viladiogo, saiu em Polvorosa,
foi parar em Pandarecos! Aperta o cinto naquelas ybyturas, o Poente
— a incógnita, — o Oceano contra a costa, Levante levado avante,
levantado de hora em diante, — Seryñeem e o rio no meio. Com
vossos próprios olhos, nenhum país como este, olho nele. Além
disso, corre que outro rio, batizado pelos que lhe bebem a água,
da Muda, assim que lhe tomarem gole, perdem forma e figura,
virando bicho. De duas, uma: ou as águas dão febre, cujos delírios
simulam a metamorfose, ou a mudança de veras sucede. Neste
caso, os problemas a resolver da ordem de toda a desordem entre
os seres abririam precedente a uma metamorfose de todo o nosso
pensar. A máquina do entendimento levava uma pancada na mola.
Em Górdio, não se ata nem desata. Dou com a língua nos dentes
e de noite a cabeça cheia de grilos e gritos tem pensamentos de
bicho. Esponjas, antenas, pinças, completam o círculo viscoso, —
a goma, a cola, o grude, a gota pegajosa. A araponga chama a
pedra para o pau e para o ferro — o fogo. Nisto se vê se bugre
é gente. Noorderreus, brul nog zoo boos, ik zal slapen als een
roos! Een puikkarbonkel vooraanschuur, klinkt! Knapt en kraakt!
Zels de maas waar hij bass, ik wed, dat de Aarde een groote
sneeuwbaal was... Aan een wonderwelgoegegloeiden totdat, haard,
zwom, okk daar hief op eens een tal trompetten... Hoe is zijn
naam? Verzuymt Brasilien[8], kruikoeken baaskaap
kjoekenmoedingen! Enkele keeren men okk nog, schlaapsken nooit
onder ieder een kruk! Zoo zullen zee, vor Zonne, zeere vallen
ze af! Droogoogs zoolang de se in zen blijft staan, virschersweeuw...
Ja, zei ik en ik wou dat ik er op zat. Ik oogde nog hat na en...
Geen denken aan goeie laat me dan gaan... De ze blijft jij vloog
zzoals, ach was ik hierem maar nootgekomen, — ik dank den
Hemel data ik kan, en een sjako ook rooie oplagen... O horror
da natureza que o vácuo tenta encher em vão... Resumus
populisque? Isaaktamente! Vlamsche zoo zong, de zonne, de man
klakke en palullen... Gaa in vree! Subiu debalde como numa oitava...
Que anda ao sabor dos sulcos do vulgo, quem deixará de honrar
com a mais alta categoria da sua certeza, sabendo que caso contrário
terão que segui-los na ponta dos pélagos até os desfiladeiros
tartéssios? Que é rápido, logo chega logo, — parte com pose de
certeza e volve, verte e volta, mancando de uma dúvida. Já faz
um temporal que passou a pé enxuto por onde muitos se afogaram.

---

[8] Verzuymt Brasilien, "Brasil perdido", em holandês seiscentista.

Mundo sujeira não me sai da lente do entendimento. Considero
o tempo e contemplo o astral, melhor deixar a constelação Descartes
para um aquijaz mais oportuno. Sabedores de amanhã,
concentrando reminiscências dos remanescentes, lerão letras junto
do meu corpo neutro, ensinando aos futuros coisas pósteras. Morte
vinda, um texto me garante a eternidade, a árvore me cresce o
nome na casca. Lá em cima, filhos, ficaremos em sangue ou em
estrelas? Ou passarei como passa bicho para dentro de outro bicho,
inscrito num organismo e um seguinte esperando a vez, círculos
concêntricos num ciclo sem fim, o bicho A contendo o bicho a,
contém o bicho b (cada bicho resulta da passagem de bichos infinitos
por um apetite estrategicamente instalado). — Um parafuso
arquimédico? A caspa dos carrapichos cai em cascatas na carapaça
dos caramujos, engasga no escarro, o bico dos bichos capricha
e passa um rabisco raspando no movimento do bispo pela crosta
dos arabescos, deglutem tudo num só umbigo, o rabinho, chispa
no ranho de um repuxo, fica o cochicho. Grugrugrugrudou!
Pacatatupijavaré! Faça-se conforme seu bel parecer, ó decadente
em cada dente, descendente desde todo o sempre! Se volatilizam
e nem um véu de veludo volúvel se sensibilisca. Os brutos, o bruto,
a besta, o bicho e o homem de barro, corpo é corpo, fico só
no toco, o coto do tronco, o coco, o coice, o coito, o couro,
o cóccix, o cu. Animália, gentalha, alimária, genitália. O ônus verga
o bicho: o fardo de fezes, os alforjes dos olhos nas peripécias
da vida se embaraçando nos ramos das árvores, as varas dos ossos
em tremenda malária verde, os cachos de músculo e um coração
esperneando a estrela mastigada na caixa do peito, caminha trôpego
para a cova onde se esconde de sol. O corpo pretendido
por mosquitos, onças e canibais. Toda vespa quer pôr sua agulha, toda
besta sua bosta, toda cobra sua peçonha, todo toupinambaoults
sua seta: calma, Messieurs, haverá para todos. Ora, senhora
preguiça, vai cagar assim na catapulta de Paris! Com que só então
nos acontece perceber que todas as coisas desta esfera sublunar
tendem a repousar no centro do seu peso. Tudo indica, chão! Minha
cabeça, onde é fácil, quer ver esterco na órbita dos astros
incorruptíveis... A esse aí[9], solto este aí! Que diferença faço eu
do círio que derrete? O próprio. O aí colabora com a iniciativa
fornecendo matéria para o símile. O dia em que merda for merenda,
pobre de mim que nasci sem cu! Sobre minha cabeça o preguiça

[9] Em tupi, "aí" quer dizer "bicho-preguiça".

caga geleias de molde a satisfazer o mais fino dos paladares, os mais selvagens dentre os sentidos, só sabendo de abacaxis, ad primum ergo, abacaxi, ad secundum, distinguo, substantialiter, abacater, abacate, formaliter abacaxi, sim, liquet, claro como o dia... Graças aí que estamos assim. O bicho me apruma pelas trajetórias que arruma. Não tente converter aquele que já virou todos os seus avessos e saiu desileso. A bom entendedor, em meados de palavra, estamos entendidos. Meio caminho andado. Desculpo-me das dissonâncias do que digo mas cada um fala o que tem na boca. Os Padres do Deserto não punham pedras na boca para aprender a calar? Pois houve quem aí as pusesse para aprender a falar! Falou pedra, está na pedra. Eu que entupo a boca e estufo o peito com fumaça, diga como eu falo mas não fale como eu faça! Fantasmas, miasmas, larvas, vapores e palavras, dão margem aos apetites de luxúria e gula. Pensando morreu o burro de Buridan de fome e sede perante o fogo e a água porque não dispunha de livre arbítrio e portanto morreria de qualquer maneira de fome e sede ante linfa e legume. Que catástrofe escolho? Inalo maus espíritos, a alma que anima tudo isso. Carece o fogo da água, sua antítese demótica, da terra, sua base, do ar, seu ambiente, para agir, seu ser, mas o estar da terra, água e ar para permiti-lo não valem o agir do fogo depois de prevalecido. Luz do fogo, o Maior dos elementos, ampara minha lâmpada, antepara meus antepasmados. Ora, major, está afim de quê? De? Não tem de quê? Vejá só, uma situação que não dá para entender, dá o que pensar um tempão, não pensa assim?A linha da frente como se um raio a fulminasse é conduzida como se o ímã a atraísse por um ponto de interrogação. Costurando uma linha de referência através da sua diagonal, conduzirei um raciocínio a outras séries de áreas, pastor ou impostor. O pastor vive tanto tempo com as ovelhas que já sente os primeiros resquícios de vagidos de balir a lhe roerem tudo por dentro: de cada três pelos que se arrepiam debaixo da roupa de pele de cabra, um se ergue, se passa os olhos, coça-os e faz força para esquecer que está um pelo de cabra sem tirar nem pôr nem deixar de acenar como tantos outros iguais a si se fazem no interior daquela escova. O pastor aprende ali parado a serenidade que é susto sem jaça por baixo. A constância de sua frequência entre ovelhas leva um dia a só voltarem ovelhas para casa. Primeiro: o pastor fita, enxerga e se lhe antolham as ovelhas como a uma outra coisa distinta de si, despreza-as em seguida; esse desprezo então o isola e dana. No meio das ovelhas que pastam

calmas entre as pernas pelos, cabelos e sobrancelhas, decide-se descer
ao chão e pasta, pastor e pascente, — constituído em pura pecuária,
— descoberta sua natureza pastoril, id est, de ovelha, — pastor
em uníssono no coro de ovelhas. O pastor carrega suas ovelhas
por dentro, interioriza o rebanho, assimila a páscoa e desaparecem
pastor e rebanho, pascer, pastar e pasto, — o zelo de ir a zero.
Ou não é assim? Só digo besteiras. Isso é pensar? Um gênio maligno
impele seu rebanho de ovelhas negras, de pensamentos tortos nos
campos do meu discernimento, é o xisgaraviz, um azougue. Pague
meus despêsames! E pretendo pensar, como passar sem? Cabeça
vazia, oficina do diabo. Como impedir esse peso suspenso sobre
a cabeça de se agravar? O labor de pensar onera e não me compensa:
modulo lentes, esta melodia ouço no olho, canto o entendimento
canção. Desloca o globo, fico sísifo até o fim. Como viver na
flauta entre as canas de Brasília? Em que pese o vazio, nem vão,
nem silêncio; entupida de açúcar no ponto de cortar. E se me
cai essa preguiça aí do galho, — desmorona esta mental Arcádia
que elaboro. Do alto deste olimpo, esta tebaida me entibia...
Acompanhar a preguiça dos bichos, apanhar sereno esperando
Artyscewski cansa e fumar isto dá uma fome! As cristalinas esferas
celestes articulam as pitagóricas harmonias e os platônicos silêncios,
me modelando esta luneta. O só pensar esse bicho basta para passar
a noite em claro e o dia em trevas. Como entrou esse câncer em
minha máquina? Aqui me falta tudo e nada me afasta daí, já vi
tudo. Um mosteiro ali, uma aleia lá, uma torre em cima desse
morro, pessoas em lugar dessas peças, qualquer outro em vez deste
descarte, ah!, Brasília, foras exata e não foras! Oxalá teus troncos
cilindros, tuas urbes partituras de cantochão, as ruas pautas, teus
rios, — sicut et in Batavia: o mundo saiu da cabeça de Deus
geometria vista sob a água, começou a ficar torto e eu a ficar tonto.
E Artyzchewski por aí com esse sodomita e hematófago Antony
Guarawassaway... Nada posso contra fatos. É a araponga ou é
o ferreiro de brasílicos ou quilombolas batendo catanas na canícula?
Cabeceio um pensamento levantando a culpa de todos os pesos.
A que mundo da lua aspira Atlas que sustenta uma cabeça à guisa
de mundo? Feliz Batista a quem fizeram o obséquio de cortá-la!
Um ângulo inscrito num plano saboreia a quadratura do círculo.
Mosteiro comigo às costas, o caramujo cara de monge. Mal posso
com meus grilos, como fazer sala a jiboias, tatus e preguiças? Não
tenho filhos dessa espécie. Onde é que nós estamos que o demo
com tais artes, nos ubicumque vult fert? Pastoreia estas bestas

estranhas quem queria compreendê-las. Os antigos abriam bois para
ver futuro em estrutura de tripa: exércitos em fuga, granizo, rios
na cheia, gente sangrando, espadas fora das bainhas, colheitas,
cidades incendiadas. Mais recente, separei em pedaços para me
admitirem nos círculos mais chegados às intimidades da vida. Ciência
é isso, chegou ali, parou: facas foram precisas. Já dissequei muito:
a lâmina cortou onde a cabeça devia entender, dividi em miúdos
para me dar por satisfeito. Adianto que não há bicho que eu entenda.
Maior o olho, mais denso fica, o tamanduá se tamanduíza com
toda a força: querendo captar sua verdade num piscar de olho e
num cambiar de lente, apanhá-lo na primeira. Talvez, porém, não
vale a pena. Nenhum vale um quadrado, um círculo, um zero.
E a mim, que me interessa? Daqui ao infinitamente grande ou
ao infinitamente pequeno, a distância é a mesma, tanto faz, pouco
me importuna. Ali canta a máquina-pássaro, ali pasta
a máquina-anta: ali caga a máquina-bicho. Não sou máquina, não
sou bicho, sou René Descartes, com a graça de Deus. Ao inteirar-me
disso, estarei inteiro. Fui eu que fiz esse mato: saiam dele, pontes,
fontes e melhoramentos, périplos bugres e povoados batavos. Eu
expendo Pensamentos e eu extendo a Extensão! Pretendo a Extensão
pura, sem a escória de vossos corações, sem o mênstruo desses
monstros, sem as fezes dessas reses, sem a besteira dessas teses,
sem as bostas dessas bestas. Abaixo as metamorfoses desses bichos,
— camaleões roubando a cor da pedra! Polvos no seco: no ovo,
quem deu antes no outro, uma asa na linha do galho ou um pulo
em busca de agasalho? Não sabem o que fazer de si, insetos pegam
a forma da folha; mimeses. E a forma? Coisas da vida! Vinde a
mim, geometrias, figuras perfeitas, — Platão, abri o curral de
arquétipos e protótipos; Formas geométricas, investi com vossas
arestas únicas, ângulos impossíveis, fios invisíveis a olho nu, contra
a besteira dessas bestas, seus queixos barbados, corpos retorcidos,
bicos embaraçosos de explicar, chifres atrapalhados por mutações,
olhos em rodela de cebola! Vinde círculos contra tamanduás,
quadrados por tucanos, losangos verso tatus, bem-vindos! Meu
engenho contra esses engenhos! A sede que some fede que fome!
Falta-me realidade. Lá cavalga preguiça quem se parece mais comigo,
mais não pôde a argila humana. Apenas alguém que sabe dizer
não. Desde verdes anos, tentaram-me o eclipse e a economia dos
esquemas. Exímio dos mais hábeis nos manejos de ausências,
busquei apoio nos últimos redutos do zero. Foi a época que mais
prestigiei o silêncio, o jejum e o não. A geometria. Quase não

pensar. Quadrado é quase nada. Um círculo praticamente falta, traçar uma linha beira o ócio: pensar um problema de geometria é desviar dum voo sem dar um nulo pio. Quando geômetra, ser se reduz ao que há de mais nada. Quem sou eu para mudá-lo? Essa aranha geometrifica seus caprichos na Ideia dessa teia: emaranha a máquina de linhas e está esperando que lhe caia às cegas um bicho dentro: aí trabalha, aí ceia, aí folga. Caminha no ar, sustenta-se a éter, obra de nada: não vacila, não duvida, não erra. Organiza o vazio avante, apalpa, papa e palpita, resplandecente no nada onde se engasta e agarra-se pela alfaia em que pena, deserto de retas onde a geometria não corre riscos mas se caga. Esta desolação do verde neste deserto cheio está se prevalecendo de meus feitos de armas e pensamentos. Sabe com quem está falando? Cultivei meu ser, fiz-me pouco a pouco: constituí-me. Letras me nutriram desde a infância, mamei nos compêndios e me abeberei das noções das nações. Compulsei índices e consultei episódios. Desatei o nó das atas, manuseei manuais e vasculhei tomos. Olho no turno e diurno, palmilhei as letras em estradas: tropecei nas vírgulas, caí no abismo das reticências, jazi nos cárceres dos parênteses, rolei a mó das maiúsculas, emagreci o nó górdio das interrogações, o florete das exclamações me transpassou, enchi de calos a mão fidalga torcendo páginas. Em decifrar enigmas, fui Édipo; em rolar cogitações, Sísito; em multiplicar folhas pelo ar, outono. Frequentei guerras e arraiais; assíduo no adro das basílicas, cruzei mares, pisei o pau dos navios, o mármore dos paços e a cabeça das cobras. Estou com Parmênides, fluo com Heráclito, transcendo com Platão, gozo com Epicuro, privo-me estoicamente, duvido com Pirro e creio em Tertuliano, porque é mais absurdo. Lanterna à mão, bati à porta dos volumes mendigando-lhes o senso. E na noite escura das bibliotecas iluminava-me o céu a luz dos asteriscos. Matei um a um os bichos da bíblia. Me dixit magister quod ipsi magistri dixerunt: Thyphus degli Odassi, Whilem Van der Overthuisen, Bassano di Alione, Ercole Bolognetti, Constantin Huyghens, Bernardino Baldi, Cosmas Indicopleustes, Robert Grosseteste et ceteri. Estou em latim como esses bichos na casa de feras, bato a cabeça nas paredes, caminho de muro a muro, somando milhas. Diviso. Sentei-me à mesa dos notáveis, particularizei a companhia de varões insignes, isso tal eu mesmo, nato e feito. Um homem feito de armas e pensamentos. Minhas virtudes, álibis, imunidades e potências: a náutica, a cinegética, a haliêutica, a poliorcética, a patrística, a didascália, o pancrácio, a exegese, a heurística, a ascese, a ótica, a cabala, a bucólica, a casuística, a propedêutica, fábulas, apoteoses, partenogêneses, exorcismos, solilóquios, panaceias, metempsicoses, hieróglifos, palimpsestos, incunábulos, labirintos, bestiários e fenômenos. Cerimônias me curvaram ante reis e damas. A pedra dos templos feriu-me o joelho direito, horas minhas no ouro de relógios perfeitos. Debrucei-me sobre livros a ver passar rios de palavras. Todos os ramos do saber humano me enforcaram, sebastião flechado pelas dúvidas dos autores. Naveguei com sucesso entre a higiene e o batismo, entre o catecismo e o ceticismo, a idolatria e a iconoclastia, o ecletismo e o fanatismo, o pelagianismo e o quietismo, entre o heroísmo e o egoísmo, entre a apatia e o nervosismo, e saí incólume para o sol nascente da doutrina boa, entre a aba e o abismo. Mal emerso dos brincos em que consome puerícia seus dias, dei-me ao florete, os exercícios da espada absorviam-me inteiro. Mestres suguei escolados na arte. Meu pensamento laborava lâminas dia e noite, posturas e maneios, desgarrado numa selva de estoques, florete colhendo as flores do ar. Habitei os diversos aposentos das moradas do palácio da espada. O primeiro florete que te cai na mão exibe o peso de todas as confusões, o ônus de um ovo, estertores de bicho e uma lógica que cinco dedos adivinham. Nos florilégios de posturas das primeiras práticas, Vossa Mercê é bom. A espada se dá, sua mão floresce naturalmente em florete, primavera à flor da pele. Todavia de repente o florete vira e te morde na mão. Não há mais acerto; Vossmercê não se acha mais naquele labirinto de posições, talhos, estocadas, altabaixos, pontos e formas. Passa-se a onde o menos que acontece é o dar-se meiavolta e lançar de si o florete: abre-se um precipício entre a mão e a espada. Agora convém firmeza. Muitos desandam, poucos perseveram. Vencido este lanço, a prática verdadeira começa. É a segunda morada do palácio: muitos trabalhos, pouca consolação. Aí o florete já é instrumento. Longo dura. Um dia, longe da espada, a mão se contorce no seu entender e pega a primeira ponta do fio, a Lógica. Vosmecê já é de casa, acesso à quarta morada. A conversação com o estilete é sem reservas. O próprio desta morada é o minguado pensar: uma geometria, o mínimo de discurso. Tem a mão a espada como a um ovo, os dedos tão frouxos que o não quebrem e tão firmes que não caia. De que o mesmo destino contempla vosmecê e a espada — você se inteira: inteiro está agora. Aqui se multiplicam corredores, quod vitae sectabor iter? No concernente a minha pessoa, escolhi errado: dei em pensar que eu era espada e desvairar em não precisar dela.

As luzes do entendimento bruxuleavam. Não estava longe a
medicina dos meus males. Compus o papel de esgrima em que
meti a palavreado o resultante de minha indústria passada. O texto
escrito, não mais me entendi naquela artimanha. Em idade de milícia
pus então minha espada a serviço de príncipes, — estes gêmeos
e os Heeren XIX[10] da Companhia das Índias. Larguei de floretes
para pegar na pena, e porfiam discretos se a flor ou a pluma nos
autorizam mais às eternidades da memória. Hoje, já não florescem
em minha mão. Meti números no corpo e era esgrima, números
nas coisas e era ciência, números no verbo e era poesia. Ancorei
a cabeça cheia de fumaça no mar deste mundo de fumos onde
morrerei de tanto olhar. Julgar dói? Arapongas batam ferros no
calor, no presente, já não há mais guerra, que assim mal chamo
a esses préstimos de mercenários cuja bravura se compra a dez
tostões e dez tostões vale. Nem a essa cópia cada vez maior de
gente que vencendo combates mais pelo número que pelo denodo
ou altos cometimentos — chamarei guerreiro. Esse concurso todo
de bombardas por ventura não borrou as linhas dos brasões,
insígnias e divisas, num báratro de estrépitos onde se embaralham
pessoas, qualidades e estados? Folgo em lembrar um caso digno
de porvir que convém a pena e a tinta arrebatem-no dos azares
da memória para a carta, sítio mais seguro. Bom combate combati
na Hungria, indo aos tumultos da sucessão do Palatinado. Um
corpo de fidalgos, todos do maior mérito e nascimento, topou
conosco no abrir da planície magiar. De nossa parte, CCCXIII,
tudo de pró. Mediríamos armas, estipulando o uso tão só de brancas.
Primores de proezas se fizeram aí. Muito tenho escrito desde então,
e se por muita pena se virasse pássaro já há muito teria voado
embora minha mão direita. As letras do escrito murchando as flores
vivas do pensar, o alfabeto lapida os estertores das arestas dos
sentidos: a arte gráfica cristaliza o manuscrito em arquitetura de
signos, pensamento em superfície mensurável, raciocínio
ponderável, assim morrendo em degraus, dos esplendores agônicos
do pensar vivo até as obras completas. Máquinas vi incríveis: o
espelho ustator, a eolipila de Athanasius Kircher. A luz de círios
e candeias um cone capta a incidir num círculo de vidro com
desenhos à maneira de zodíaco, o feixe de luz desenrolando a imagem
por sobre uma parede branca: Padre Athanasius aciona a roda para

---

[10] Nassau era do signo de Gêmeos. Os Heeren XIX eram a suprema assembleia da Companhia das Índias
Ocidentais.

dar vida ao movimento, almas agitam braços frenéticos entre as chamas do inferno ou os eleitos giram em torno do Pai, — lanterna mágina a coar sombras na caverna platônica. Que dizer da engenhoca daquele tal de Pascal, cuja só menção é maravilha e pasmo das gentes? A pedido da Academia de Ciências, submeti e submeti o labirinto de peças e miuçalhas que dedilhadas calculam, a todos os rigores do escrutínio: experimentei-lhe a eficácia todo um dia e não se enganou uma só vez. Bizarros tempos estes em que uma fábrica pouco maior que caixinha de música faz o ofício do entendimento humano! O relógio de Lanfranco Fontana está entre os dédalos máximos os intelectos dessa era, quimerizando, puderam arquitetar: não contente em mostrar e soar as horas, acusa o movimento dos planetas e adivinha eclipses. Lidei com a obstinação da agulha magnética contra o Norte, perseguindo um meridiano. Outras calo para não alarmar o mundo das várias que temo um dia nos cerquem. Máquina considerado este corpo, Leonardo aquele engenho tão agudo quanto artífice sutilíssimo não compôs um autômato semovente à maneira de humano? Dia virá em que se ponham altares a um deus-máquina, — Deus, a máquina de uma só peça. Estas bestas fazem qualquer coisa das máquinas de que falo: qual a finalidade destas arquiteturas tortas? Provocar-me pasmo, maravilha ou riso? Perdido procura a pessoa perdida anos atrás, sê-lo-ás? Como era mesmo o nome daquele rio de quem diziam horrores da amnésia que dava na hora da senha, bebida sua água? Não brinca... Mesmo? Que bom, mamãe, olha, estou órfão! Quem vai embora, não embolora. Para trás, deixo um ser perfeito no desafio da cara desses bichos: repto. Não interpresto meus monstros por nenhum ouro deste mundo: coloco-os numa letargia analgésica raramente interrompida por acessos de fúria assassina. Se manifrustram das colunas de Hércules às colinas de Miércoles, só procurar bem nos ortos dos espiridiões! Aqui não tem meios de repugnância. A Veneza, quando lhe dá na vendeta, por bem ou por mal — fazeja. A China mura a aldeia. Coreias certas no ritmo interfuturo, trazendo aos olhos o temor da treva. Surjo e já me corrijo: supero o frêmito batismal. Tenho o sono leve, leve o único sonho que tenho. Me livra e me alivia e me leva no meio da melhor hora da festa, jogo em curso e ludo na carreira, uma varíola de cores pesa e levita, ferimento leve, pondo maneiro. O campeão do usucapião venceu o uso de abismos pelo cansaço e pelo abuso de cismas. Mau sinal quando a cabeça pensa o que o dono não quer! Alguém para se medir comigo? Não se mexa quem não foi chamado a que se meta! Um olho só lhe basta ao que vê tanto. Qual daqui furar-mo-ia? Estas zonas fazem o calor que acaba no interior das baleias. Isso é canto de cigarras ou de sirenas? Me tiram do fico deste dia de sombras que me combatem lágrimas nos olhos e cera nos ouvidos. O corpo me arca com dor, odor, som e lume, me debatendo sob uma penumbra de perfume, a ponto de os abarcar numa só conferência. Roga-se aos internos interessar-se pelo achado. Próprio do alimento corporal é, em alimentando, ir-se-lhe o sabor da boca mas os frutos desta terra são o caju, maracujá e ananás, não passam pelo goto, carcomem a úvula e engatam no gargomilo. De saporibus et de coloribus em minha imaginação... As coisas rolam, transformam-se sem sair do lugar: o peso, rigoroso com os outros, complacente com os seus, a si se permitindo leviandades de todos os quilates. O pesadíssimo pedaço calcou toda sua pesada tara e tarefa no pedágio de um não só mais leve que o ar, mais que isso, ouro levíssimo! Lugar nenhum contém o peso de tudo, físico, mecânico, porque nenhuma variedade se poderia introduzir ali: contínuo desgaste até o colapso que desemprobocaria o orbe sabe lá onde. Esse lugar existe, nada mais posso adiantar sobre o que me leva a dianteira em gravidez. Está tão pesado que eu não o posso levar, fique mais leve, leve, mais, que eu vou levando. Calor e mosquitos me ruminam o pensamento. A merda do chão é que é filtrada pela flor dos perfumes no ar, fragrância de flagrante. Meu pensar apodrece entre mamões, caixas de açúcar e flores de ipê, mudanças rapidíssimas, absurdos instantâneos, lapsos relapsos, trepidações relâmpago monstro, mais rente a sua excelência recentíssima, tão recente que é quase presente e, sempre não o sendo, irá além, porque vai indo com mais ímpeto, pupilos na puela dos olhos do seu ministro.A cabeça dorme num teorema comendo abacaxi, acordo a boca cheia de formigas. Quando a assombração já é começo de eternidade, receita uma erva, — recita e ressuscita um fantasma a atormentar a duração que lhe é devida. O pensamento se extravia na órbita dessa canícula cancelada por um câncer. Aqui a substância humana nada pensante, pesando sei lá o que de pênsil! Lá na torre Marcgravf, Goethuisen, Usselincx, Barleus, Post, Grauswinkel, Japikse, Rovlox, Eckhout[11] colecionam e corralecionam as vitrines de vidro dos bichos e flores deste mundo. Mas não advertem que deviam

---

[11] Sábios e artistas que vieram com Nassau. A Torre era um misto de museu e observatório astronômico, onde Marcgravf acompanhou o primeiro eclipse solar visto no Brasil.

pôr o Brasil inteiro num alfinete sob o vidro? Posso me enganar,
o que ninguém pode é se enganar por mim. Reúne-se o Conselho
Secreto de Mauritius: conspiram negros, avançam quilombolas,
atacam gês, investem brasílicos, cai o preço do açúcar, ou o quê?
O gê? O xis? Não.Discutem espécies e espécimes da flora e fauna,
jeitos avanhãem de dizer, posições de astros. Dois pesos entram
por um olho: zero absoluto e imaculada conceição, — duas medidas
saem pelo outro: moto contínuo e destino. A base para as medidas
será, no que respeita às ponderações, a cinza que resulta da queima
de três galhos principais da árvore bungue, — encontrada no Ceilão
uma vez na vida e outra na morte, — colhidos no dia do trigésimo
aniversário da precipitação de sua sememte. Quanto ao critério
de principal, esperemo-lo definir-se nos imperscrutáveis desígnios
de uma assembleia de sábios em permanente iminência de fazê-lo.
No que se refere à extensão, tomem por unidade a distância que
separa os envolvidos na santíssima trindade. O tempo será dividido
pelas pausas entre o baque no coração e o ataque de um arqueiro
persa de vinteoito anos, veterano de todas as batalhas ainda por
vir, apanhado de surpresa por uma mão em massa que nunca faltou
ao encontro com seu improviso, caindo em peso no seu pelo,
invariavelmente dotada da velocidade que tem para ir, da segunda
janela do palácio de Maurício até a corola da tulipa de três luas,
a primeira pena que cai da cauda da ave qualcatua, que alguns
no entanto sustentam não passar de uma lenda impiedosa das ilhas
Macárias, motivo de zombaria em todos os arquipélagos
circunvizinhos. Uma parassanga são três mil palmos, cada palmo
— vinte dedos, cada dedo — seis unhas, cada uma — um cílio
em pé perante o empecilho, cada cílio — dois pelos de cilício,
cada silêncio — um ustensálio: uma paranga. Maiores detalhes na
portaria. Discute e argumenta Bizâncio, inimigo às portas! Quantos
anjos na ponta de uma agulha? Quem pôs a luz no cu do vagalume?
Quantos insetos numa caçarola? Quantas flechas no teu corpo?
Estão comentando nos circumpélagos, flactua em todo o curso do
fluxo. O recurso é voltar correndo, a conversa volta e se atrasa,
minhas condescendências a título de condolências! A velocidade
da lógica ultrapassa o limite da linguagem, atrás da linguagem,
na frente de quê? Tem tudo que ser igual ao eco... só falta equar!
Posso ser útil se me vendo claro mas entendo e entendendo me
fazendo de meu entendedor de meias colcheias e colmeias cheias.
Quem dá o que falar, não dá para fazer o mesmo? Num primeiro
afrouxo, algebra-se de cima abaixo. Seguidamente sucede

desconforme. Árvores aquáticas, viveiros ensolarados, uma mínima
aura, coisas fluxas e de pouco momento, números e leis dos dias.
Jaz perigando o destino do clã. Como eu sou, assim ficando, em
pedra está. Do tal que o fez, alhures adiante audiendos. Sucede
conforme o adrede. Isista sempre. Preserva-se do real numa turris
eburnea: o real vem aí, o real está para chegar, eis o advento!
Vrijburg defende-se, se defendam, vrijburgueses, o cerco aperta,
acerta perto, alerta, alarde, alarme, atalaia! Todo tiro é susto, todo
fumo — espanto, todo cuidado — pouco caso. Vem nos negros
dos quilombos, nas naus dos carcamanos, na cara desses bichos:
basiliscos brasílicos queimam a cana, entre as chamas passando
pendões. Cairás, torre de Vrijburg, de grande ruína. Passeio entre
cobras e escorpiões meu calcanhar de Aquino, caminhar de Aquiles.
E essa torre da Babel do orgulho de Marcgravf e Spix, pedra sobre
pedra não ficará, o mato virá sobre a pedra e a pedra à espera
da treva fica podre e vira hera a pedra que era...
A confusão das línguas não deixa margem para o rio das dúvidas
banhar a ouro e verde as esperanças dos planos de todos nós: as
tábuas de eclipses de Marcgravf não entram em acordo com as
de Grauswinkel; Japikse pensa que é macaco o aí que Rovlox diz
fruto dos coitos danados de toupinambaoults e tamanduás;
Grauswinkel, perito nas manhas dos corpos celestes, nas manchas
do sol e outras raridades urânicas é um lunático; Spix, cabeça de
selva, onde uma aiurupara está pousada em cada embuayembo,
uma aiurucuruca, um aiurucurau, uma aiurucatinga, um tuim, uma
tuipara, uma tuitirica, uma arara, uma araracá, uma araracã, um
araracanga, uma araraúna, em cada galho do catálogo de
caapomonga, caetimay, taioia, ibabiraba, ibiraobi! Viveiro? Isso
está tudo morto! Por eles, as árvores já nasciam com o nome em
latim na casca, os animais com o nome na testa dentro da moda
que a besta do apocalipse lançou com uma dízima periódica por
diadema, cada homem já nascia escrito em peito o epitáfio, os frutos
brotariam com o receituário de suas propriedades, virtudes e
contraindicações. Esse é emético, esse é diurético, esse é antisséptico,
laxante, dispéptico, adstringente, isso é letal. Abaris cantou a
viagem de Apolo ao país dos hiperbóreos, o deus lhe contemplando com
o tirocínio do vaticínio e flecha na qual voava. O relógio do sol
aqui é cera derretendo rejeitando a honra de marcar as horas, o
esterco do preguiça nos soterra na areia movediça... Até aqui,
Marcgravf; sed ego contra: Grauswinkel, Rovlox, Spix, vosso reino
não é deste mundo, vossa pátria não é Germânia nem Bavária.

Teu reino é o reino animal, rei — o leão; teu reino é o reino vegetal, rainha — a rosa; teu reino é o reino mineral, rei — o ouro! Despenca a torre com sua coroa de sextantes e astrolábios até o último burgo de casas. Era para continuar mas a ninguém liz fazer o que diz. Da multidão de povos um longo gemido se levanta confirmando o que diziam do sonho do rei — seus chefes. Por aqui não passou, se cair do chão não passa. Com quantos paus se fazem as canoas atlânticas! Se o seu léu casasse com a dona à toa, o descaso criava raízes remontando à mais alta antiguidade como um autóctone mas as línguas estilingues distribuíram exemplos e mantiveram as tábuas autênticas. Coisa é sucesso? Maior lampo do astro no zodíaco de Antyczewsky... Encare com naturalidade. A natura não deixa o gênio da chuva errar, molha grandes e pequenos, secos e molhados, molha o ex ato e o impreciso e, se duvidar muito, até este ponto. Agorinha mesmo, um xiximirim. Num universo impreciso, é preciso ser inexato, dizer sempre quase antes do dito: "quase morreu", para "enterra hoje"; "quase chove" para "après moi, le deluge", "quase tudo" para dizer que entrou inteiro. Miríades de sóis perseguem turbilhões de heliotrópios entrando a dentro dos cruzamentos das coisas: respiro nessa luz um ar parado, respiro e tendo respirado na roda desse giro, passo e reparo. Quando formos embora, o câncer de Brasília engolirá tudo ou o núcleo de ordem da geometria dessas jaulas prevalecerá aqui? Troia cairá, caiu Vrijburg. O real cheio de cáries vem aí. Coisa igual nunca se viu: nenhuma fraude o frustra. Nada obsta o projeto da primeira matéria, nenhuma carreira o barra nem tem barreira que o carregue! A vida daqui vira a via. Monstros adulteram as vias a poder de rasuras. Os bichos zombam dos sábios: montam uma peça mais perfeita que o laboratório da torre de cujas efemérides é a réplica em efígie. Tudo que o macaco tem a fazer é legitimar as duplicatas: a retentiva de um papagaio grava todos os percursos de um tatu examinando raízes nos convexos da terra, a língua do tamanduá absorve formigas que observam atentas todas as fases da operação. A cobra perscruta a calota das lupas. Para que fui pensar nisso? Logo essa arquitetura que não se justifica! A penumbra da preguiça pesa penedos nos pratos da balança do meu entendimento, dormir ao ruído do açúcar inchando nos caules das canas, acordar aos chocalhos de cobra sustenidos. Lampejos de fachos por entre as frutas explodem cachos de inseto e hérnia. Cada marca vez mais perto do perto do meu enfarte, o peso impulsiona o caso do óbice. A aranha leva daqui ali o tempo que

levei para conseguir o teor de semelhantes teoremas. Dou por
perdido aquele instante, pedra preciosa no tesouro das cronologias.
De fumar a boca se enche de terra e a cabeça de uma água quieta.
Nenhuma sombra de dúvida se retrata no ponto em branco de
meu mirabilis fundamentum que não seja indício da irrupção de
novas realidades. Que signos abriram as cortinas que separavam
meus métodos das tentações dos deuses destas paragens? Para
prová-los nessa pedra-de-toque, meu pensamento-de-choque bate
nessa pedra — e o eco é equação, mesmice e repeteco. Reflete,
devolve e confere: carniça de Narciso. Sabe o que pensei? Sei.
Vai tentar o que eu não consigo? Sigo. Garanto e não nego? Eco.
Como está patente, não se pode mais confiar nem neste subproduto
das ausências. As ninfas que seguem se obtêm através do mesmo
processo. A verdura coa membros nus não sei a quem atribua.
Parelha desgarrada de reses gês? Erro nos horrores da torre? Nada
se compara até aqui a essas luzes dos corpos aos rostos concorrentes
em corar com harmonias do estar a compostura do ir. Juntos
ninguém seria o par mais primo que jamais houve senão os próximos
dois cada vez mais justo, os corpos dando os pontos, mantelando
e desmantelando linhas no nó impecável dos abraços mais
complexos. Destilou a luz, perdeu a réstia. Já manducam de tirar
pedaço do fruto do lenho, Adão e Eva, primos patres nostros,
desfazendo a inteira unidade do jardim que só em fluir se consistia.
Envelhecem a olhos ver chorando, língua cospe sangue purgando
o travo do pomo. Captei o desvio do raio de antes do dilúvio,
— eu, Brasília e tudo, que foi isso? Um móvel de madeira bambo
parece que sacodem. Telecoteco de angola? Nau que flagra? Casa
em brasa? Abalo nos alicerces, obra dum resvalo de pensamentos?
Desinteiraram o todo, tudo está subjecto a tal sentença:
desfalcarem-nos a coesão do fluxo do ser, o núcleo libera e nivela
os corpúsculos do mal. O toupinambaoults manja mais um conviva
e lembra-lhe que acepipe é e, em escabeche, toda araruta tem seu
dia de minguante; serpentes menos os seus pertences, o conjunto
pelo total, conquendevosco repartiria? Aos que digam, dividem,
anátemas nas antenas! Maldição e fogo eterno aos subtraidores!
Quando até o filtro se conspurca, quem o desimunda? Que batismo
foi esse que não se derramam águas bastante para lavar minhas
sífilis. Sinto em mim as forças e formas deste mundo, crescem-me
hastes sobre os olhos, o pelo se multiplica, garras ganham a ponta
dos dedos, dentes enchem-me a boca, tenho assomos de fera, renato
fui. Se papai me visse agora, se mamãe olhar para cá! Ao rei dos

animais convém que animal seja. Preencho as condições: pleiteio. Exijo nas presentes as homenagens que os circunstantes devem a seu centro de atenções. Quero a palavra. Hoogh moogh-Heereri[12], solicito-a. Faltando quem queira ou, ressalvadas as susceptibilidades, saiba fazer dela objeto dos usos de sua razão, pega-lhe o fio eu que tenho um negócio para tratar com ela, e o tanto que pretendo não diz a vós menos respeito. Muitos não e outrossim depois, reivindico para minha pessoa o regimento desta república de alimárias, significado por uma coroa de dentes de tatu, um cetro de chifre procurando vivo ou morto em cada cabeça de burro e um manto de papos de tucano. Quia nominor Denominante, primeiro e único, em pleno primeiro decreto de uma série de dez com tantos adendos de permeio quantos forem acrescendos. Feira de bichos. Pregão! Vende-se um tamanduá!, bicho útil nos dias inúteis que correm: língua ferina, bandeira na cauda e terror de formigas. Quem leva um bicho ganha um beliche. Comprou o tamanduá, recebe um tamanduísta para explicar-lhe o funcionamento. Quando fecha a boca assim, está se referindo a mim. Comprou o preguiça, pode me levar que estou entregue às ostras até a raiz, na dependência de uma matéria pênsil na perpendicular da diagonal, à mostra dos monstros até o nariz. Enfim que digo senão hipóteses desprovidas de qualquer credibilidade? Alguém está pensando no meu entendimento ou já criei bicho na memória? Eu sei, não sabe? Mas as coisas me foram adversas, como se depreende desta lista de preços traçada às pressas sobre este mapa ensanguentado. Para entender a fábula, bondade de examinar o mapa anatômico de uma ova. Ou é de alguma carne, alguma rês que comi? O ser é espesso definitivo. Precário. Ou uma erva, o clima de uma região e um zoo podem mais que seus reflexos no espelho imortal da minha alma? Salvá-la-ei? O de Ausônio "quod vitae sectabor iter" perguntaram-me verdes anos. E agora entre toupinambaoults, com quanto fico? Com qual cara vou ter que ficar? Amiúde a terra pulsa um coração; ou será o meu? De quem será este arrepio que não para de passar? Que pensam os índices sobre isso tudo? Índio pensa? Gê é gente? Aqui há dez anos, Artyczewsky mo dirá. Ocorre-me o seu pensa ainda... E não pensando mais? Com aquelas tatuagens todas, pensa ainda? Homem escrito pensa? Esse pensamento, por exemplo, recuso, refuto, repilo, deserdo, rasuro, desisto. Índios comem gente. Pensamento,

[12] "Meus Altos Senhores", em batavo arcaico.

aqui, é susto. Estes conceitos — eu os quero perpetuar, perpétuos em minha memória — estes sucessos. Demasias. Este mundo. Este mato. Alvejaram-me com flechas do armazém de Zenão. Comem gente, como será? Sepultarem-nos nome e coração — um corpo, e me vem de súbito a fome de vorar Artyczewsky. Chegarei a tempo de ter seus pensamentos? Sentirei seus males, sofrerei suas dores, o que é que faço de seus saberes e fazeres? Estes conceitos — eu os quero desprezar. Artyczewsky não alcançará notícias deles, não se pensa ,mais nisso. Índio pensa? Índio come quem pensa — isso sim. Índio me chupando, pensará estes meus pensares, ou pesará de todo este meu peso, instantâneo parado momento, comendo sem comentário Um índio manda nos peitos a perna olhando cara a cara, olho a olho, com nossa cabeça caveirada. Eu vi com esses olhos de terra comestíveis e este discernimento que o Senhor de todos os raciocínios há de recolher entre os círculos dos justos. Em Górdio, falam por nós. No Perigórdio, ouvem as batidas do meu miocárdio. Este nó? Embora responsável, sou apenas um curioso. A que época atribuir nossos tempos, em que heras incluí-los, quanto de nós por horas, a idade omitiu. Num arrepio de arrependimento, o que ia ser já era. O acompanha e o abocanha. Cumpriu com seu dever de ser devorado. Ou os sucessos seguem por outras séries de trilhas? Ah, como penso mal! Elefantíase do meu cogito!... Basuyne des oorloghs!!![13]. Uma fumaça sobe aos ares. Leviatã se levanta. Queimam campos? Ou é a guerra? Toupinambaoults ad portas! Artycxewsky enfrenta os basiliscos brasílicos de Parinambouc? Os urubus comedores de olho se defrontam com o sol e se assanham nas pupilas. A fumaça assume as dores do parto das formas de um cogumelo, — incêndio de um chibabal e o fumo me envolve... Mundo fica ouro, precipita-se o metal dos incas no verde dessas plantas, só que esse ouro mata um socó de um soco de sol! Senão é a flecha de Zenão, a que faz que vai mas não, não sei a quem acomenta esse germe a errar como um cometa! Isca Aquiles para pescar preguiça. Flecha não pode ter nenhum senão. O zumbido me dá sumiço no ouvido a um ronco de açúcar subindo no caule das canas. Não, chega, não há guerra, tudo é paz, sempre é sossego, só essa angústia se assusta: a ocasião reage à razão, com o comandante da região não se discute! Morto o assunto e sepulto, mergulho no assunto e me ergo enxergando tudo. Um ovo. Um ego. Um isso de Occam.

---

[13] "Trombeta da Guerra", em holandês seiscentista.

Agonias do espetáculo, o sumo do saber. Ninguém sai daqui sem dizer sim, da sopa à boca um sum vai num upa. Laboro brevis, obscurus fio, fiar six! Minto, aliás. Dispense. No centro da controvérsia, quanto mais se diz persa, tanto faz a mesma festa perder a melhor fase que atravessa. Isto é penso? Alhures se alinhavam melhores que as que aninho. Muito? Está se deixando levar demais por questões de somenos dias, semanas o mundo levou, quintas aumentadas de quantas feiras, sextas vibrando por quantos anos-som, movendo quantos momentos até o sábado do descanso eterno, a suprema inércia é a interpretação correta da máxima energia. Calcule vagamente quanto se cogita. Atente para sempre nas irremediáveis imediações, o monstro as adultera nas visagens vigentes. Visto, qual o escopo? Pouco e repouco... O pensamento lábil passa por uma ponte pênsil de pesadelos: penso mas não compensa, disperso tudo aquilo que dispondo. Pendo: peno, peso, penso. O fulgor e o fedor em redor, e eu, — zonzo às voltas com tantos números, heautontimorúmenos! Zunem. Eivam. Urram. Bubem. Zumbem. Coaxam. Sibilam. Palram. Grasnam. Guincham. Incham. Sussurram. Miam. E se micham! Vozes, vocês. Estarei e estourei, saturei, triumpe, triumpe! Estou saturado! A quintessência acontecendo! Sublime Porta! O aí, evoé! Touché! Chalassa, chalassa! O Ente, o ente! Zenão, Zenão, o zênite: o zumsum! Ó eons, mónadas, o ens! Raia um arco-íris, um corno no Ser, outro corno em mim! Agora sei: agora sim... O sol leva em círculo a sombra do aí e eu sou... Renatus Cartesius, ah, Articzewski, Cartesiewski, esperado e coberto! Quanto mais monge cada vez mais deserto, quanto mais longe! E não saberás. Que sei eu? Que fez que não saiba? Virás para que te mate, verdade ficando nova de tão antiga... Aponto a luneta e partem naus. Erguem velas gente suando de saudade. Partem mas não vão. Em parte vão, e em parte não. E a âncora que içam vem viva, caranguejo corta cordas e jugulares. Naquela água de abacate, nada navega, nada se locomove. Bússola, relógio próximo... E o pensar estelar destes bichos, antenas azuis? É o meu? Não é o meu, que sou de repartir e apartar briga. Ai, ai, ai, como era eu cristo ao dar seu pão, corpo em biscoito, partido em pequeninos! Sinto muito o pisar dos bichos e o pesar dos peixes nessas águas onde boiam mamões. Nada que mereça o bronze ou a bela linguagem. O olho do sol pisca. Este mundo azedou, pirou, gorou: meu bolor contra esse coalho. Artischefski para cair sobre meu pejo, primavera do chegar de Artischefski. A preguiça não come. Incha de estar ali.

No ponto exato: isto é, qualquer. Vulnerável à dúvida, ao dente
e ao olhar, meu corposó podia ter o tamanho que tem, susceptível
a lâminas, flechas, arcabuzes — e a cabeça pensando a clava de
Carapeba esmaga. Não há duplica. Ói como dói essa constatelação
da úlcera metodicamente terçã da dúvida! Método duvidoso desses
bichos: nem-te-vi! Matar para garantir o método: aquele olhar te
olhando é pensamento e isso arde. Pisando até esmigalhar aquela
cabeça, o ar se limpa: apaga essa fogueira do pensar. Afasta,
Parinambouc, espaço de pensar-te e, em te pensando, de danação
salvar meu pensamento, varre dentro! Sylva intumuere aestu
aphylla, falar por falar: coisa que nunca fez mal. Posso provar,
tenho aprovação própria. Provo até o que digo. Fique o que penso,
não diga que não provo. Comprova a dita. Introduzo meu destino.
Fiz as primeiras, fiquei nas mesmas, estou nas últimas elemósinas.
É a repetição, tragédia rida, comida comédia. Adventuras não há
igual às alimentícias, entra novidade no insistema. Grande novidade,
trabalho neutro. Faz o mesmo ou sengo, o qual se refaz e se
reproduzenta em recursos e perculsos. Escalas reclusas, de dentro
para durante, idêntico ao espelho, estilo: mantendo-se, empírico
em físico ou em espírito. Latim é repetitivo, sempre duas maneiras
de dizer o óbvio, sempre uma solução. Ignarro o que não conosco,
convenscorto! Cultivo, sobretudo, o latim. Sem latim, isso não
dá certo, o gesto não tem mais rejeito. Recito, bis dat qui cito
citat: data venenia, facta venial Mundo fazendo fidusca, faço figa:
a coisa toma jeito passada em latim, à milanesa. Latim, tudo, que
sei? Poucos falam latim, reis falam. Dizem: ita. Ita. Sic, sic. É
ita e sic, Latim domina os elementos, denomine os elementos do
latim. Pensa que é o que de mim? O que é que eu não disse,
nisso? Heléboro, cura loucos. Véu, veste nus. Morte, visita os
enfermos. Ficou louco de falar latim em Thule, alter non datur.
É para quem pode, para quem quer — não há mais mérito nem
remédio: alhures dizem a realidade, latim fala a verdade. Pura
expressão do vocábulo. Faço o possível para falar um latim plausível:
plaudite, a posteriori. O jogo prossegue sozinho, consegue
continuar, persegue-se. Segue, chega. A fonte emite lucis auras
in aquis com exatidão e pontualismo até a mais insubstituível
exaustão, após a qual se fazem mais lacônicos os intermitentes
inter-locutores: diabo de aquático! Altisevicus, Artisclavis! Com
quem tenho a honra de falar a sós consigo? Forasteiro nenhum
obsta a nossos intentos, de que infiro pleno gozo e usufruto da
razão! Conosco, cognosco, condiciono um jeito. Encontro

resistência nos lugares respectivos. Não querendo perturbar vossa
senhoria, quero ficar de silêncio. O silêncio magno, o silêncio contra
o latim. O silêncio bárbaro: marcos parcos, a marcha marca passo.
Fala em latim ao teu próximo, assim como a ti mesmo se refere.
Isso não dá para dizer, idem. Olho, não é de ninguém. O que
não se há de dizer depois! O que não vão dizer os outros. Quiserem
fazer isso, pode que lhes suceda o que ao outro, de quem disseram
que o afobado come cru: para mim, tem que ter que ver. Os
intérpretes de fábulas costumam comer frutas podres, iguarias frias,
matérias em adiantado estado de solução: afobado come cru. Hanc
rem amarem, hunc quod orarem. Periréculi oculocorum, piedrade,
ao contrás, intrans paraferente, coram per aequalis: deus lhe deu
em dúbio tudo que lucubro. Simpleximus quod hic, hunc nunc,
o que está presentemente neste ser aqui: já foi visto, indo. De
que se trata. A criância redundança: repede, não nega, pede, repete.
Difúcil: dizer exatamente o que a gente disser. Inventando de novo
o que sempre houve, o hipócrita desvenda a investigação, para
mais ampla a exatidão que se deve a cotejo de tamanho momento.
É passagem em falso, pedaço de mau pensamento, rústia gente
nas urbstâncias, o substício denenuncia. De pane syrico. O assunto
seguinte segue a conseguinte assunção. O que não queira dizer
mais do que isso. Ambos iguais, ambos ambos. Sengos — ambos,
sempre — todos! In dubio pro rerum duplex... Não se engalane
com o óbvio, não penetre no neutro. Não estou dizendo?
Exemplares bastam os que aliguei, não me simplifiquem demais
a vida. No pé que estava, estava por um fio. Tudo é um tris.
Juro que eu disse isso. Caí num escândalo. Deu crise nesta área,
um erro crasso. A grosso modo, solutio erga aenigma. Suponha
que isso. Pergunte, respondão. Responsa, percontador. Descerá
ainda sem ser. Quererá saber, ainda que desconhecido; desce sem
errar, perder substância. Desceu na descrição, descera acontecendo
em coisas, para desagravo dos contrapesos que se apregoam
injustiçados pelo equilibrista! Objetos do Egito, o servo observa
o objeto: conserva um jeito de quem preserva um preceito, sou
um sujeito de sorte. Estou sujeito a isso. Solus ego natus in Europa,
modus ergo renatus in Brasília. Difícil dizer o que mais
custa ou dura, o mesmo digo eu: movimento signo do vazio.
Universi cursus, discursus controversiae — nuliversi percursus.
Versus excursus, unicursus adversus concursus vultus. Relata
reffero, differentias confero. Complexus in sensu, consensus
reflexus, fluxus. Subspecie aeternitatis, in spatio aenigmatum.

Sensatus consulta, ciente depilato. Responsus pilato, scilicet, quid vero veritas, quid sciunt? Não vejo inconveniente, não conheço convenças: para bem dos incautos, instituiu-se a persuasão universal de que tudo vai bem quando ninguém se queixa de que lhe proíbam a boca de abrir-se a ofícios que não os prestados pelo paladar. O entendimento instruído atenta nisso sem sequelas palpáveis: a plateia reunida em assembleia triunfante resplandece em aplausos, — coisas indiferentes ou igualmente elegíveis, grande fundamento de todas. Tudo, exceto, quiçá, uma exceção sequer. A trátrica desta dimensura emergue-se em êxterim. Sou propenso ao silêncio: disciplina observationis, observatio disciplinarum. Interpreto e sou interpretado, trínseco. Verbas, deem verbas! Tantas as medidas a tomar, não terei mãos a medi-las de cabo a pavio: substancto, abraquadrada! Agulhas passadas em ponto russo não movem o aquilão, mapa não é terreiro: mapeio uma zona, euntes hiantes em Clox, ápice da elipse e colapso de lince, clima ypsilon e clímax de eclipse! Espetáculo, inspectáculo: estábula. Casa d'Averno indica pirâmide, sursumpresa! Soube da sua existência por um desses acasos de memória, de que não me lembro o nome. Occam sabe, uma vesícula só, um invesúvio! Afastante uns apêndices, cada cadastro no seu cabresto, cada catástrofe em sua catedrástica. Pensando bem, é isso. Não vou muito com essas coisas. De monogotariis. Disse tudo e disse mais. Isto é uma história. Não é muito. Muitas começam assim. Era só haver uma vez e lá vinha de novo a mesma história. Era uma vez aquela história. Só uma vez. Esta história perdeu-se. Vamos dizer outra vez, em melhor ocasião. Isso é outra história. Que de víveres, de haveres, de prazeres! Um lapso cardíaco é o livre alvitre, algema de alma gêmea, álguerra. Mágnico, míxmo. A causa surte efeito, o que é para ser já nasce feito. O mal entendido foi repetido por extensão de um erro elemental, a saber, sabe-se. O cuidado está bem avindo com a distração. Estamos bem mas não é muito. Estamos conversados, mas qual é o assunto? Hipótese me sufraga as suspeitas, o pescador vai dando alcance ao outro extremo seu! Vinde a mim os especulas da miúda a quem ensino a reconhecer uma equação pela maneira de distinguir-se das demais! No epinício, é o pior negócio do mundo, não se pode falar do silêncio sob pena de quebrá-lo. Assim não vale. Depois, cai como luva no coto: conto, vigário dos fatos; roto, falando do farroupilha. Há os que fazem, fazendo assim. A respeito disso, tenho a dizer o que venho dizendo aqui. A despeito disso, tenho que dizer o que tenho dito, isso. Quanto mais conforme, tanto menos confirme.

segundo ouvi, primeiro — os permeios: ênfase do minotauro, enfártica
esfera. Cada César com seu cídio, cada causa com seu juízo: encolheço
disciplínio. Sursum cursus curvus conculsus, versus vultus discursus:
audácia de ouvir, campana biblioteca, signatrix! Ars Problemáthica —
axis problematis. Quer fazer uma apóstula? Emenda merenda.
Quando a dúvida dividir o entendimento entre um enigma
e um signo, algo diz duas coisas de cada vez. Cito dat, quid
bis in idem datur. Digo cada vez mais os silêncios do futuro.
A crise cruza com um signo. Mxcxitl! In hoc signo — Occam,
mero inspírito, puro explícito, espião. Pequena pecúnia, calada
calúnia, coluna. Alea jacta non abolenda fata: ictus actus,
liquida liquent. Res pictas pingo, res fictas fingo, gesta facta
gero, indigna signa. Aenigmata in insignia. Disto muito dista:
museu em chamas, nunca mais ao léu. Sabe de memória os
sinais do museu, os signos do zodíaco, as coisas de alhures.
Tempus agi mecum sine me non nisi triste gaudia mihi!
Percipícios, aenigma aegiptiacum. Quid est — avis, palma,
panis, vultur, et quaedam alia signa indiscernibilia. A persona
de Perséfone, a estrela constelada. Coisa late esconsa por aqui,
desapareceu num parecer parecido com o de Occam, o qual
transcorre de imediato. Desenvolve-se contradição no seio do
equilíbrio, o invariável torna-se viável: diálogo. O verdadeiro
lugar comum é realmente notável. Recurso para acuar Occam,
coloca-se o arqueiro em posição de óbvia distração. O lugar
maior era espelho das coisas por vir, lugar tenente: mostra-se
no posto, senhor indiscutível da grande área, adentra-se pelo
centro, rolando de rodízio. Impedido: Occam é anulado, isso!
Tristis unitas, unica Trinitas. Aquele que não se diz — não
volta mais. Nolite turbarecirculos medios. Resta o monstro.
O bicho prejudica o juízo, me prevarica a iniciativa. Uma
palavra vai aboli-lo em algum encontro fortuito, está com
a vida contada. O estado inspira cuidados, isso com descuidos?
Cuida da coisa. Quem diria antes tempo que o monstro
declarava a independência do óbvio em regime ambíguo? Um
senhor locutor, tão cumulado de bênçãos no respeitante às
manhas do dizer, donatário de estrelas, camaleão
estelionatário, digno de todas as confidências, poço de
segredos, fonte de saber, alguém enfim em quem depositamos
o tesouro de todas as nossas esperanças de ver dita
algum dia — a verdade! Diversa é a opinião numa só
ocasião. O que não quer dizer — o que eu digo, digo

assim mesmo. Aqui mesmo, por exemplo, não estou isento de
erros sem exagero. Exerço ofício por fazer. Ambos são todos. Qui
alter dicit, idem dicit: id est natura, quasi cantilena rhetorica. Quero
saber o que quer dizer o que digo. Estranho encontro, comentações.
In dubio — pro rebus. O ambigual não dá para entender:
coincide-se. Em geral, quando estou dizendo uma coisa,
particularmente, — estou falando diferente: nunca disse isso, o
tom é outro. O sentido é neutro. Nunca disse a mesma coisa,
essas são outras que não disse. Responda, não adianta. Não crie
casos. Não creia em crises. Outra coisa: nem tudo vem ao caso,
há casos aparentes. Pouca coisa se diz com pouco esforço. Outro
caso: se eu ficasse omisso, perderia tudo o que já disse. Então
repito negando. Tomo uma indecisão. Não, não sou disso, direi
depois o que vier. Mantenho a dizer o que faço. Não preciso dizer
nada, basta o que eu já disse. Cá estou, vivendo e aprendendo.
Estou aprendendo o que estou dizendo. Não estou dizendo? Já
deu no mesmo, de novo. Falando é que a gente procede. Me entendo.
Acumulo dados, fiquei dispondo de tudo. Quanto mais presto
atenção, mais presto. Seja feita a vontade, desfeita à vontade.
Inverteu. Agora deu. Agora nem tudo vale o que parece. Vale,
assim será avaliado. Como pode ser dito o que nunca é o mesmo,
mudando um aspecto por uma circunstância, mutatandis? Nada
é tão ambíguo, a ponto de não ter sentido ou à força de dizer
sentenças: cada coisa no seu dividido lugar, dois por dois, unem-se.
E dizer que pensei que tinha entendido outra coisa. Que é que
estou pensando? A ambiguidade está entre quem fala e quem pensa
em tudo, a divergência produz um silêncio. Sói mais uma pergunta:
quem não sabe o que está falando, só porque ninguém entendeu?
Óbvio que nem tudo é ambíguo. Eu é que perdi os sentidos. Os
cinco vêm diversos, num mesmo universo: nuliverso — contrassenso.
Perdi os duplos sentidos, diem perdidi, idem pertitit. Quem diz
o que não falou, o que não disse — eu falei. O dito está falado.
A ouvidos de Mercator, Deus dá vozes de pasmar. Só se vê o
que se diz, é pena que voa, pau que quebra, estalo que soa em
pedaços, o som vem e é-se-o! Não se procure os cornos da lua,
o rabo preso nas cifras oficiais do diabo, contabiles operationes
Societatis Indiae Ocidentalis. Papagaio irreal, é de Portugal! Trato
é farrapo de trapaça: carro afrente dos bois! Falou o boi e disse
bé! Pontos nos eixos: este boi é ba. Lérias, a alenga desempenha
renga nenhuma nessa lengalengagem: despedracei a cáscara, de lascar
— e nácar! Estarrecer de meu estar e ser, apaga o fogo do eu!

Falo o que até se fala o que se diz por aí, dizem por aí, não
é mesmo? Acaso se fala nessas paragens melhor fuligem, sem dar
um psiu, no toma Alá, cada qual da cá, o quê? A catalunhas das
arábias, negócios da China: mundos que já passou. Dá-se-lhes o
pé e tomam a mãe, caso evidente de estrabismo que doutores ilustres
diagnosticaram. Bem carece deixar claro, ó noite: filosofal é o cálculo
na pálpebra! Ascensão, muita assunção, diretantes e dilatores!
Admilágrel! Admilágrel! Admilágrel!!! A Deus nada difícil; difícil
ser Deus. Corpo de mim! A esse maganão meu mais estreito
e magno não! Digo palavras que não são — para achar o que sou.
Com perda de uma palavra — não! A cigarratriz multiplifanta,
o linjaguar comprovoca o pesadédalo. Escafeder — isso escafendem,
escafender — isso esconfundem... Gargantalhadas chapinhafurdam
momentoluscos, paralelodédalos a seu babelprazer. Occam, o
antitantã, no puro acáusaso, alísios no promontório alto, —
ácaros, e no azul do nadir, Occam! Atento no lance, vasculha as
gamas: o desenlace daquele desempenho no desenho desse espelho,
testemunho deste desespero. Ondem? Acá. Quanso?
Pleknuzultra... Inveniveritas: é o desenlastro daquele emplastro
abstrato, a pista do lance pela pinta do astro. Ninguém se mexa,
esgotem os recursos! Que querela é aquela? Amaripoulas
espanturram os blegos dos goiões, vult... de raspassagem! De
calhambota, de saporfície em sepultígie, — o obsaluto! E que não
só desencadeia casualinas mesmoriavilhadas! Os filhos em fila
indiana! O parasita galgueja olhos esbugralhados, talvez enquanto
faz, nem mesmo tanto fez. Nada, aspereço que dar com
deslumbrança de deslembramentos o devido destoque das
brincadências destes acontecenários. Só um molóide será doido em
doído virado. Contraclaro aventrajo-me e, membrião sendo,
esperoremos que, e repinto, vesperoremos que mal restassem
perante fransplantárticas! Apelassem, exiit! Muito, senhores, muito
engrandeci, questriúnfulas não competem aos levados da
abracabrequacóccix! Esterturas, onde as não houve quando jamais?
Morte, mate essa pantedra! Com quem estamos, meus senhores,
as coisas, com que estamos, meu! Qual o motim? Como assim
seja como for? O despaitério crucidado num sacrufilho, crux
interpretum! Contexempla o olho vesguertino a esguelha, alto lá!
Aqui, falemos abaixo! Olhos, espelhos d'alma, Narciso está? Não
sei se está, se não sei, quem sabe lá, eu sei aqui: saiba daqui,
Sibilisterralewis! Antes de ser, pague, sisifíssimo senhor! Esbangalhe
as fantasmagonias de bibelonhas, valha-me, Baal! Assim é:

macaquinismos em acontechego, triunfanias e suas iniguarias em
bom brocardo! Agora, sim! Mesmo que nem por isso tenha que
estar o que te dizia então, aí é que são elas, o perigo! Eis que
arre minha regra na via de ver, nem era preciso de vez que de
mais a mais tal e qual mais vale um não-sei-o-quê que dois para
o que der e for. Isso a troco de que coisa é que se faça? Faz
diferença se era uma vez melhor ignorar, faltar e morrer que
deus-me-livre de você é que sabe, eu que o diga, que vá? Nesta
estratagédia de despercídio, quem escapafede? Occam, é lamentável.
Esvazie um enxame de consfiência, dê-me uma volta de
conscidência, acrediste em retritos, qual não admira astromissão!
Só não me vem de trela e letra, que minha estrela não é maneira,
controle? Meu mais alto estigma de consideralação, sondagens
cardíacas! Se, passe a hipótese, não houvesse mau gosto, que seria
da queda de Francantartinobra, o que é, é o que seguiremos a
ver? Amor com amor se paga, que sai mais barato. Vão os anéis
e fiquem os dedos, fuçando o nariz, cutucando a mesma tecla,
unha na ferida. Deus só dá nozes para quem nogueira! A ralé
em geral com sua proverbial aptitude de fazer provérbios, de dizer
bobagem, de acreditar em deuses, de ver errado em linhas certas,
de cair na dança sem saber latim — o povo, digo, esse sim. Duma
nau em avante, — terra cega, quem tem ouvidos afinados na oitiva,
cale-se! A cavalo não se olha o dente do donatário, que dói!Em
fechada nunca entrou boca. E arquicentra a melésima coisa. Ora,
ui, fala como quem é, olha só quem o faz, compadre dum perro
com figa do demo! Ide, vinde, palavras e caminhos Roma levou.
Oh, dou ao decho aquele canzarrão de má ventura, razão ao
homenzarrão! Negra morte lhe dê. Tinha o pegue. Má sopa venha
por ti. Corpo de mim com a besta! Oxalá é deusnosacuda, eu
outro e nós mesmos! Latropídios que o monstro assassignou, quem
arrelatra em marasmorras? Benevidelicent! Abnominável, o
endemoninhado domina-se, a como? Para cita: palabracadabraxas!
Palavra que palavra de rei não volta atrás, ou volta: atrás volta
não palavra de rei, que palavra? Há ou bah? Cadáver, caro data
vermibus, papaver, caput carminibus: moluscofuscos, num lucus
a non lucendo! A pausa na pauta, despautérios tardabundos...
Patarata, resmunfo do mungo, funcho funcionando. Bem se deram
sempre sagita persa e calcanhar aquilino. Maré, boré, jacaréacarajé!
A laringelaranja arma a lesmória, espantanalho? Um ploma! O
interpretérito desembrenha o aconhecimento, a alucilâmina
apaziguezágua as cancramuscas. Oxaliás, o crifício não cancerne,

o perlume ciclusulca... Espiralâmides trextram moluscofusculaturas, amassacramassam as pilhérnias que carcomascam os duélagos do ursucapiau! Marsup! Aurifúlgido, argenticerúleo dentorrostro! Com a brecadabra! Lampadainha em litany, ou em nenhumgatu? Qualqual chor? Um nenhúnflar! Em Quizília, rubicundam o imesmo langaré! Quadrilátero foi ondeontem, o massacrifídio triunfotriu no princípio, testenenhuma na ocacasião, ocacasial! A palateia ignogra colibristas, e por talismanhã — apalpenas o muselau! Calhauculo: quantos andromedrontários desvenclavestram o ojerizante? Calverdáver, mecanículas onde contagotagiosas? Acoli. Inverneja o descascaso, e cleampulepatrás! Terrestrecelestrelestra, queroquerubim: contitactos, tautuagem... O colopso acasalha a armandíbula. Verdade que óculosculta, e inclusive, eis-me, achancelerado em tétalos, irreversando o que tem tido e vem sendo e, tendo o tempo todo para o ser, chegou cedo. E viva a voz! O queira tal quão o diz o velho anaxímenes, — Zenão, Zenão, sem zênite se caçoa do nadir? Mas também não tanto? Nem por isso senão, Zenão, não! O plantasma, ostra em claustro deseinvista às apalpebradelas contra Constamprimobra! Alvísceras! E daqui a pouco já é bem mais alhures que onteantem era outrora, e constantemente já! Diz que quem anda como quem não quer, se manda. Dir-te-ei, cansa? Minhas dansálias, quero ensandansar! Em matéria de líquen, falo látex ou fico sílex? Falante a seu talante, o trânsfuga se transfigura! Blasfo! Aldeia alheia, aldeia e aldeia e meia. Um rápido bosquejo para as apálgebras! Empíreo e império — primeiro, — depois, empório... Debuxos para aqualerolera, na ferraguesta entre guelra e goela — a palra! Desvenda-se à vista do exerxésito e, quer queira, quer não queira, logo, logo, o quê? Se bem que um paspaliativo não possa insuflantar a veneranda alfabábula, que malpatrilhada solsticidade catasepulta num confrostispicilégio, e é contra! Entrecontanto, e não obastante, oba bolas ou ora babolas, vocifre uma esferiência e se perda em cochícheros esféreis, sem demais a mais, embora bolas, ainda não. Se impossível for, muito menos que nunca uma soltice, deboxalá! Por mor e mal de meus deslizes de lesa-claridade, ando tendo umas e outras que palavra vou te contar coisas de outro mundo, inclusive embora de vez em quando me dá uma coisa aqui, daqui a pouco, me dá um que-será-será de outra mais aqui, bem assim mesmo; e de mais a somenos, para dar a dobra no cabo dessas, eu sei, ó meu cor de salteador! — não é qualquer que serve, não! — e eis a mais não poder disso, uma coisa estou certo; as coisas, bastante afinal, continuando assim, não sei não que eu me importe; causa me deu isso, justo tampouco aí sei lá; essa de quando e nunca é que é a coisa, verdade crua e mal temperada que eu podia, por motivo de viagem das dúvidas periódicas, deixar entregues à própria sorte, sem prejuízos irreparáveis, mas essa coisa sendo assim não comigo, né? Isso lá é coisa que se faça aqui: desde jamais se assim for, nada tem que ver navios com o pé em que as coisas vão de mal a pior! Tenho uma coisa, cá para nós, para todo o sempre nossa, para dizer coisas com dias, e é graça de coisa, entre porém te digo uma: coisa sei, átimo sim por étimo chim: aí tem coisa de dente para coelho implorar de joelho, — mas eu me acostumando, às milavrilhas. Faz de afinal de contas que nada é meio, nesse intestim, noite adentro em breve! Nihil obstante, Ninive, venivandalice! Tomara que não morrerei debabelde! Dez me livre dos noventa outros que querem me ver a caveira bem feito com escalpo, que dos paralipômenos me desincumbo, e se salvaram só os que puderam! O qual, — quão! Senhor não dá nada de mão bichada, só ao são a salvação! Devoraorante o louvadeus, seus louvores lhe caem como lupa. Quem me ver não viverá mais, pois assim inclusive quem pode viver ao léu do lero? Entre as nuvens de miasma das cloacas com o quiasmo quiliástico dos ermos, quimismos levados a termo? Identifiquei tantos que sei por nome, cor e salmo dia, e falo como por enquanto, sem pensar. Logo mais, um pensamento, — logo isso! Falar tem hora, e às cegas e mecas no meu método, estamos em quito, graças a São Salvo, ó arquipélagos dum arlequímpago! Parece, mas né? Pau põe frutos no ar, cutucões. A quanto mais derradeiras tanto tão nunca ouvidas as palavras quão impossivelmente iguais! O extremo dos extremos é arrevesso do lado externo, aí começa o espírito. Lepte, lepte, chegadinho de louco! De que ordem sois adrede, frade? Pertencemporcento à ordem da Ordem, fora não tem pinote, saindo, não há mundo; calcalcule só a área do xilindró, por Deus, se o há! Quer dizer que chove? Diz: chove, antes ou depois; antes, faz que venha, desdepois, conte para outros saberem e se ensaboarem, que é doce, é isso, não esconfundam! Onde mora o peixe, aí em angulústia reta o anzol pesca! Enerja! Imprimaverossímil, cecidict! Atitute apenaz: convesúvio de conserflúxios? Acralamps, — bistromilária, bóstia herbibovina! Dentro do plentemplo, o centro está totalmente por fora: parangaré! Não sou periquito na arte mas toco minhas musiquinhas... Dilatado corpo por distenso tempo alastra a duração que promove, e ora

explui. Que fazer do falecido cadáver dos mortos, se escondo,
vem escorrendo me assombrar o pensamento, se deixo, tisnam o
brilho da festa no cardápio! Arstixerxes não reflete a imagem no
espelho, nulo, satrapássara! A mundividência sofre melhoramentos
de natureza burocrática e administrativa. Fision, inflecte: mané,
chique, xeque-mote! O jogo do monjolo é tiro e queda em
Fulanocronstropa! Trato assíduo com vernáculos envilece o ânimo,
o vilipêndio dos postulados da prosódia duz direito à postergação
dos ditames da recta ratio! Erro de mestre, engano magistroso! Favor
fazer de conta corrente que posso proporcionar quantos quiseres
que cometa para agires de modo muito mais simplesmente só! Eis
o que é isso: cada eu tem jeito particular de se arranjar para não
dizer nada. Quem consegue defender o tesouro dos perversos contra
a perfídia da honradez? Gota, torture mais um pouco o pé; chama,
mais uma acha na fogueira de mim! Vive-se bem aí. Aí é bom.
Aí vive um, e bem. Depois veio mais um. E vive-se muito bem
cada um com cada um. Babaca é babilaca? Não se lhes consinta
desfrutes de um paladar a contentarem poucos pomos gordos, por
que não pode? As coisas lá se vivem como se curtindo o barato
da objetividade. Todas as águas são de humor lunático; trimegísticos
teólogos leem em tudo que se move os sinais do que não muda.
Dedukodedici. Todos conhecem adágios; a vida, por frases, se
regula. De codicis conditione. De cupiditia reprimenda.
Garganswer! Fortunas de Kartésio! O abano do leque abole a
saudade. Daps! Bicho da Hungria morre de fome mas não chia.
Amores de Narciso, preciso: sair do espelho. Narciso, o ausente
no lugar. De onde der, — o que sai, dá. Trato muda costumes.
A ventura através do sonho. Ecloga e isagoge, teatro de
comparações. Ea res depungo. Para ouvidor-mor, falador-mor,
labeão! Cego se necessário para dizer das coisas vistas, falo como
vos escuto; digo-o a mim e cale e calcule. À bacalúsia! O cúmulo,
o óbvio, o vedado. Depois disto... Diante disto... Não sei como
entender isto. Inultrapassável em esplendores, Brasília, alegria dos
mapas! Faxo sentiat me, na casa de torturas! A casa de torturas
é alta, iluminada e vazia. Faustus fatuus, nasci para a festa que
vou dar. Vireveres! Alviseverdes! Esfantachos! Socorro é sacrocorro
no sacrossanto coro, dengodenso. Que mono é esse? Que coto
é este? Leva a crer que tudo existe, tem Deus? Já vai, Deus já
vai, lá vai! Água vai, vai! Na guerra — o necessário, na festa —
o luxo nesse cenário. Acusaxis, eixo é o vazio, de quem é essa
guerra? Nem toda guerra importa, o que vem da festa não me

atinge. Apago a cara, amarro o bode: estendo a mão, por que
ficou noutra mão? Festa, guerranão! O descuido excluído.
Descensusascensus — sensus! Quam significans demonstratio est!
Parasitaizo, e o que der, dão! Flechas queimam na lupa, parasangue
e inchasonho! Desiderosidera, Cythera! Palpepalite. Veneno é
saber teu nome, teu nome me elimina, aprende comungocomigo! Eamus
ad me. Cadê, desde já sempre? Lembro do mapa, neste mapa falta
Troia mas Troia não faz falta. Bobo é quem não canta, fala é só
barulho. Sonho, maior que a memória. A cabeça sabe, a boca é
que não sabe dizer. Por exemplo, tudo que eu não digo os outros
concordam comigo. Façamos um trato, de que se trata? Se é do
mundo, deixe, que o mundo anda sozinho, azar e destino. A pele
sabe o que faz. A voz da gente quase abafa o mundo mas a voz
é do mundo, pensar bem e cantar para os outros verem. Saí de
casa cedo, o mundo era festa e havia guerra em minha casa. De
que vale fazer as coisas bem se ninguém está olhando? Quanto
mais estapafúrdio, mais latim fala o bicho, sed ego contra.
Experimente pôr teu nome numa sinuca, cite-se. Aqui me cito,
declino o nome, pendores, brilhos e volume. O que não mata
como guerra, engorda-o enquanto festa, gritos do mundo são
nomes. Quantos para falar de uma só coisa? Náufrago fala muito,
não ligue, ilha é assim mesmo. Como já dizia Lúcifer: não! Que
manda? Ponha na tua frente tudo que você tem, você diminui na
hora. É um fato. Os bichos berram dizendo o nome, exgurgitatio
rerum. Numa festa ou numa guerra, ninguém tem nome, nome
não orça, importa o desempenho, desespero também é bom, mas
dentro do desempenho. Nada mais me resta, elatro causas. O mar,
aberto e parado, vermelho. O dia não faz outra coisa, um hiato
afasta a hipótese, o silêncio tine uníssono, é quase nada, um isso,
— se não fosse a febre que sabe. De tudo sempre sabem todos:
afastado o alvitre de um lapso, vacilam os fundamentos. Um mar,
— só que ao contrário; um som que ninguém sabe donde, espelho
não erra. Observem exatamente: na Pérsia, isso é comum. As festas
persas giram em torno disso mesmo. Todo nome de boi começa
a guerra; incentivá-las, com festas por todos os lados! Meu nome
— nem a penapau! Guerra a ferro, e fogo na festa! Cangacanjica!
A flecha atinge Aquiles decerto mas na máscara, o que é outro
caso. O espelho reflete tanto a guerra como a festa, não tendo
estilo. Uma cobra dá um salto contra o espelho e cai no meio
da festa. De quem é, de quem não é, nisso — o exército persa
dança. Caso singular: ninguém na Pérsia sabe dançar embora dancem

da manhã à noite. Elamentabilis! No axiomanexim, a exegese: quem usa máscara descarece de espelho. O espelho prejudica a dança, olhe nos outros, neles se reflita. Dentro da dança persa, tem um gesto como um soco, um pulo de gato no escuro e um grito de socorro. Baccha bacchans! Ignora-se o autor mas devia ser muito velho a julgar porque é uma dança muito minuciosa em malícias. Próprio dos tigres: não fazer força, feder basta. Gansogingrivit! Que flecha é aquela no calcanhar daquilo? Picatacapau! Pela pena é persa, pela precisão do tiro — um mestre. Ora os mestres persas são sempre velhos. E mestre, persa e velho só pode ser Artaxerxes ou um irmão, ou um amigo, ou discípulo ou então simplesmente alguém que passava e atirou por despautério num momento gaudério de distração. Flecha se atira em movimento, ninguém está parado. Nem o cavalo, nem o cavaleiro; nem a mente, nem a mão; nem o arco, nem a flecha, e o alvo o vento leva: tiro certo. Dentiscalpium in oculo. Todo teu lado direito puxa a linha, todo o esquerdo segura a flecha. Spes! Tiro feito, volta-se à unidade perdida. Mas arcos atrás isso não é coisa que se diga, que se faça, arqueiro pouco diz. Cala-se, de hábito, porque ignora tudo na arte em que é exímio. Depois, velhos não são dados a festas. Lísbia sabatária — bazanz! Sabazii sabaia! Copaplena! Muito sabe, pouco ri. Enquanto muitos riem, os mestres a portas fechadas meditam sobre a guerra. O primeiro gole de vinho melhora o tiro, o segundo gole — só Zenão! Assim como o primeiro tiro aprimemora o segundo tiro, a segunda flecha corrige a receita. Eclipse entra no sol em frente duma flecha persa, o sol para e Xerxes o preenche a flechas. Como viver à luz de flechas? Da arte — não se vive; ver flor, calar. E calando a boca, de assunto mudo, vamos falar de flechas persas. O assunto me muda. O silêncio, próprio de alunos, instrui. Mas só os mestres sabem calar dizendo tudo. Tudo é ainda pouco. Na gata! Acertou na gata, paragate, parasangate! Tudo não tem detalhes. Na arte, detalhe é tudo, todo cuidado é pouco em se tratando dos mínimos detalhes que lhe derem na telha. Veja um mestre, por exemplo; como se move, como se levanta, como sabe fazer bem as coisas que todo mundo sabe. Mas há mestres e mestres. Nem todo mestre é próspero. Alguns cultivam artes sutilíssimas. Esses, às vezes, não têm apóstolos. São os últimos pioneiros. Livro não adianta. O dedo do mestre é sempre mais que o centro aonde aponta, ou não então? A cara dos mestres é o modelo das máscaras. Que cara alguém terá para erguer a máscara que jaz sobre a cara dos mestres? Tem uma palavra muito boa para dizer isso mas os mestres

não ensinam a falar, só a fazer. O que se pode dizer da arte nada
tem que ver com ela. O mestre é onde a arte já morreu; por isso,
mestres não lutam. Sempre há coisas que aprender: um pequeno
truque, um meneio mais rápido, um trejeito gaiato, um grito junto.
O que os mestres sabem é o que há para aprender. Dizer é mais
difícil. Bardesanes — parta! Flecha — parta! Para nunca — mais!
Creio que partícula do efeito se originou quase no fim do percurso,
o manuseio de bases serviu para o emprego do sucedâneo mas,
em seguida, o fim repetiu-se até o começo avançar de novo, puro
e simplesmente sino molhado pela chuva... Trajeculastória! Coisa
que se consome com o seu uso, com outra coisa se cura, bumerangue
sujo de sangue e ingratidão! Eloquenha para dizer: o estofo
aurialvicerúleoverde não se move, teu pensar é quem se move,
estamos nesta! Tumultilaplix! Leão tronitroca: coisíssima nenhuma
sai como coisa alguma. Estes dias tão últimos de todos os santos
de todos os dias, em muito maior auge, mínimo ínfimo! Ora
mas que cabeça: moringas não convém a conter o arcoíris... Às
direções da tábua de enigmas, emblemas. Como de quem a aprendeu
na escola dos olhos, retrata dentro o visto mas pensado por um
olho que sabe. Castiços veteranos adidos ao paládio dos ofícios
dizem não ao que não viram e louvam-se mutuamente as mal traçadas
entrelinhas! Fico, está certo, mas fico de olho. Desastre perder
pendão dizendo não: está-se nele dilatado em equinócio como num
rapto. Que gião é essa? Persaspectat. Esse é aquele?
Nem deixa de ser o oposto para depois de um outro. Já estoutro
é dos anteriores, portando traz ainda mostras de haver sido, mas
há muito tempo. Nenhum, nem outro são aqueles acolá, —
parecendo iguais: é vosso engano, lapsus linguae, colapsus lineae!
Dedo no gatilho, lá estou de novo atrás de mim, que um aplauso
como um relâmpago no espelho mudou o curso das coisas para
as coisas mesmo? O desinistro leva tempo sastrando, estruturas
se desincrustando, alterações se alternando, relações se referindo
religiosamente: as instituições do desaparecídio pedem paisagem.
O cisne ao primo canto, a cigarra a todo o pavor, esta morre
de tanto e o cisne ao soltar o primo pio da boca. Prumo e pluma,
brinham e trilham. Zonza na cinza, exibe o magnífico
corpo-espetáculo, cadáver de papa! A mente capta o suspto das
coisas. Desfruta do bichojapão pela alça de mira, senhor de um
livro sem destino. Monólogo dragonal, espadapedaçada!
Maniquário, labirinto. Ninfa, triunfa! Manifestação for, seja lógico,

dono de si e dos argumentos, das coisas onde a mente perde o
pé, o corpo ganha curso e invence! O que só se vê por trás das
pálpebras, a outra página, são pontos de bichinhos ferozes de
estarem ali, riscando fitas, num baralho; o que sabemos é pouco:
foi o que nos salvou. O que se diz por trás da orelha, segredos
entre Deus e a alma de polichinelo? Sábio fala fábula. Horto, muito
horto, Senhor do Escândalo Maior! O melhor da faca para o mais
delicado: quem pisca, enfiam agulha no olho. Pensar muito dá
sífilis. Cauim de toupinambaoults, mandioca mascam fêmeas e a
cospem num pote, uma polegada de gim batavo, pronto para beber.
Quem fez o mundo não tem tempo a pensar. Era simples como
o pão. Acordava galinhas com água de poço. Ninguém prezava
santos como. Orava tamanhos fervores que apafava incêndios a
grandes distâncias. Longa memória estica o arco da flecha que não
irá parar num alvo de nada ou nada de alvo! O que se diz é emblema,
sempre na moita das verdadeiras árvores. Aquém voo, boa com
vontade de uma ave de boa vontade! Nem vesúvios, nem vestígios!
Ovo de passarinho comendo cascavel engorda, o que é, está certo
e haja isso! Ele anda na chuva com raiva. Ele anda na chuva,
concentrando na água um olho de grego. Guerra exagera, festa
engasga. E era dentro do olho — velocidade só de inteligência
feita, a ordem, e esta ordem resplandecia na clareza que tornava
o simples — lapidar, e o complexo — uma rosácea. Isso? Aqui?
Já? Assim? O olho pega a agulha à unha e o que sai é um só:
o estouro certo! Emprega mais som! O nariz torce o xisgaraviz
para não dar o braço a torcer. Outrora de alhures, quem como
eu, comigo, diz de nós o que fomos? De duas, uma das duas,
ou mais uma: o feto fede a bucho, um bicho nasce feito lixo,
fedor e brilho fazendo barulho. Para que a noia nossa? O selo
da esfinge entre os olhos da cobra é joia ou incêndio de uma joia,
Inflanscendinorbe![14] Por fora, careta total, por dentro, carnaval
no palácio episcopal! Pegam fogo flores de afresco, o arcoíris quando
rasga os céus, curtindo o maior barato debaixo da barba dos trouxas!
Todos os que vivem estão contaminados, quem dança, perde o
lugar, quem canta, a flor da fala! —, sussurra, quem grita, gagueja,
quem sabe troveja, e o que tiver que ser ou haver, seja e haja,
haja o que houver, o que haverá, — será! Tomando conta de tamanho
corpo, tomando corpo, ganhando tempo, tamanho homem,

---

[14] O projeto francês de estabelecimento no Brasil chamou-se França Antártica, sob as variantes de
Inflanscendinorbe, aqui, misto de França Antártica com Constantinopla.

mamando, tamanho marmanjo, fumando a fruta das plantas, que
mancada, major, que dó, senhor de si! Audácia da audiência!
Comigo aprendem a ser gente, edarum rerux, quemquem? Todos
unânimes em concordar, oxalústio! Constato que consto, construo
contra. O altacolá! Dista quando? Dois baratos, três bodes. Ei-lo,
açucaraçu! Usaria de guerra guerreada, quem recua, quando
investido, e desembesta quando solto para frente, e livre para se
deixar prender na queda que é apenas o esplendor da vitória! Vá
em ladainha reta. Fico que a mais eloquente manifestação de apreço
a me fazer era permitir-me dizer sim a todos os vossos desejos.
Não, sério. T'arrenego me anuirem! Acrescento um. Macacos me
lambdam! Entusiasmo com calmas! Assim fica em mais ou menos
o que tinha para dizer tudo! Certos traços marcando certas
ausências, ascências às atravessas; — isso não é para todos, para
todos — só serve o dobro. Inútil embora, a reborda recobra o
decoro que ora se desencurva em mil meneios: quem tem filhos
está sujeito a acordar quando não quer. Ao longo da linfa, vai
o infante em pelo e em cesta, ao largo do fim do mundo findo,
construir a cidade: a mãe. Absterge, poxaliás! Inquietilíneas, umas
pedras, umes, ímãs, unas! Meça, mexa e meta. Acelebre as partes!
Repúgnia, Roma no romano, onde for! Consumiram-se tabas
inteiras de capim toupinambaoult, consumindo e pensando fumaça
sármata! Perolépero, querolero! A pépula pula num só pé,
cataítchimbun! Diz o que quer ouvir, ouve o que quer dizer! Nada
dá na mesma, óideóide! Sabe com quem se fala? Então não diga.
Cá entrenosco cale, pois não tanto? Tal qual estou prevendo, a
questão se reduz a mero vacilo, e muito mais prevenido vale que
vale depravado. Não se lhes consta que o dito fica, não pelo dito,
um soprode silêncio vem das ruínas das pedras, e era sonho, pelo
que vejo, a medida do possível, a passagem do arrepio, o pânico
está nos planos, Occam entrou em nós? Que, quem fez? Ora,
e eu nem sou de responder muito mais frase de pressa, bambolino
a rivo portato, convites a engrossar fileiras de outros cômputos!
Nós, quantos? Ser assim machuca quem? Não façamos pouco do
mundo: é o tal. Guardado a chaves sete, o segredo era lugar comum,
quase proverbial, lugarejo comuneiro, tão repetido e repensado
que era verdade que a verdade era ele, ou era a mentira duvidando
da certeza! Acaso por eixo e exemplo por sinal: a providência
ministra sustento para os ministros da obediência de seus mandatos
imperscrutáveis, vive desobrigado de molestos seres e pareceres!
Primeiro, — os meus na minha, por que é que vou entrar na tua

quando já estou com tudo que vai ter? Mil de bom, nós é que
somos isentos, viu? Aí, coisas que só as vendo, e eu com isso,
vendo coisas e sendo visto! Aquiles fala pelos calcanhares
e cotovelos. Feito era de mim! Peixe podre faz mal, Pedro. Teu
ver transfigura um cristo a andar sobre a água, o arcoíris grinalda
a perda da gravidade, crucifixo no lótus, entre quatro pregos
meditando. Quem diz sim, arrota, quem diz não, peida, quem
funga confunde a gargalhada com as palmas, palmas para as
escangalhadas! Cansei de festas, falando nelas. Máscara, nó na cara,
amarro, dou de ombros e cruzo os braços. Coço a cabeça a cata
de citas; na falta de melhor, menciono-me no que ainda não fez
menção. Mestres, digo, estragam a festa. Mas calo-me,
colocando-me em posição oblíqua... Balbucio o que lembro devagar,
lucubro: gaguejo o que cito depressa, — estou me citando pelo
que ouvi dizerem, ó glosa e glória de um endês sem endereço
certo nem direção determinada! Verão no auge, os mestres suavam
sob pesadas máscaras persas. Mas um discípulo, tido como incapaz,
tirou a máscara e abanou-se com ela, a muitos ventos abandonado,
— desafiatlux! A arte está sempre certa, porisso os mestres são
teimosos. Tudo feito, nada dito; estamos feitos. Me sou um que
arrota e toma nota, peida e respeita, tosse e se coça fungando os
sons de mim: muita voz diz os sons de além. Declamo mas não
declaro, não esclareço nem reclamo, proclamo as aclamações! A
cabeça muda de clima e já começa a mudar de figura, caça a prêmios!
Pensamento, fala ainda verde: o mongejaguar reza reto no coração
de Deus. Os velhos são confusos porque sabem fazer muitas coisas
que não se usa mais. Lhes mostro com quantos segredos se faz
um mistério! Isto é desfeita para o entendimento, e desfeito pelo
tal e não al, o mistério era melhor! Decomposto o equívoco, fica
assim de convosco. Não estou para quem campa de misterioso
em prol de molde dos mistérios que campeia; não desfarei equívocos
— e dia sem trocados, diem perdidido! Essa pergunta é uma mentira,
esse mistério está na cara, esse segredo é um lugar comum, essa
cita nunca foi dita, pensamento que é um gesto, pensando junto
que é um jeito, e não tem mais outro! Afirmo tudo. Onde não
há provas, grito palavras novas. Cada jade, claridade verde: heróis
chacinam mestres! O grito é sempre mais baixo que as coisas ou
mais alto que o pensamento, bandeira a longo pau, corcel num
cárcere! Periit victus odore rosae. Coisas que a gente faz tem nome;
coisas que a gente vê tem várias, há muito que ver, o que não
há é tempo nesse espaço de lapso. Mestres! — o que tenho para

dizer, não diga! Digamos, só? Convir-me! Sim? Isso! Não é não,
já. Damno! Damno! Poucos mestres já. Acabou o tempo dos
mestres, começa o tempo do mundo. Hic cecinit! Só trocar de
tanque, tranquilamente, com um outro truque. Como quem não
quer nada, o que as coisas quiserem — quero. Heroum triumphum,
pratrapobanana, espessaspásia! Quando sonho, o mau cheiro meu
me acorda na ressaca do barato da festa de ontem, a festa acaba
num sonho. Asa e âncora, pedra azul: frouxo despede acinte —
a flecha seguinte. Exalo o cheiro máximo de mim, carniça do sovaco
da cárie! Camarãocamelocão! O incenso acusa a presença dos
espectros, o cheiro, incensei! A média de vida da pedra de preço
é comum que não se faça ideia: memória germina e — supresa!
— Gêmeos! Mudam as coisas, depravam-se as palavras, palavras
depravadas falam certo de coisas erradas: me depompo, falando
errado. A jactura da flecha na fractura do dia, lapis jamjam lapsurus!
O que brilha faz sentido, faina! Fasfesta, que eu dou a guerra!
A guerra é santa, a festa é uma bosta mixuruca passando por xucra.
Guerragosta! Festa na sala vazia, alta e iluminada: guerra imóvel.
O tempo é santo, reze devagar, pensando depressa. Quem quiser
guerra, qualquer briga é o caso. Sacro jaz na festa, sem rir: oração
não tem graça, graça vem depois. Não sofre espelhos, o espelho
está vazio. Luz e água, guerra e festa, eu e tudo, santos! Não
peque à toa, perro dum quê? Não encha o sacro elegíaco! Que
é que vou fazer na festa com flecha persa no olho? A guerra e
festa, só se vai convidado: flechas provocando, fosse persa, — bem
eu ia. A bandadabarrota aplaudelaudat! Por achado, dou-me por
acaso? Nem achacado! Me rompotodo, perporém, me interrompo,
morrorombo! Calculopalpite agudo, tudo cálculo em Pérsia? Que
vai ser das flechas feitas sem a guerra persa? Que será das festas
dadas a portas fechadas? Tabefebife, tarefapita! A linfa inchaesguicha
infantes em açafates e ninfas pela alcatifa, escolha. O príncipe quer
ser santo, mendigo e flecheiro; só aceita a coroa sob torturas. O
novo rei foi coroado na casa das torturas, cabeça vazia sob a coroa,
rex nullus in rara urbe. O vazio vistoso: a flecha não tem pé porque
pura nem cabeça porque persa. Houve um rei, forte na guerra,
que retinha prisioneiros muitos reis para atores do seu teatro cômico.
O rei ria das graças dos reis, sérios os demais: só de reis a graça.
O eco sai do vaso, passa apenas por um espelho, o bastante para
ver-se reduzido a ovo: espalha vazio. O eco do berro dum bicho
é o berro de outro bicho: quero ser claro com eclipse e tudo!
Faça-se verdade a minha vontade, feito dizem! Cadê teu nome?

Faça-se ver, atue, Não disse? Bem que falei: mal acabo de fazê-lo e já estou falando de novo. Pagou com língua de palmo — dois dedos de papo! O preço de minha cabeça Brasília aumentou: cheguei valendo um precinho de pirata, a despesa subiu, o depósito deixou de ser conforme. Hoje, valho muito mais, aqui, como sou visto: uma verdadeira fortuna. Um ponto para coletá-la, um cento de anos para outra igual! Quando e qual virá porém fruto de que flor nenhuma permite, qual o que esperança de tomara que quem sabe, pudera? Mais para pôr no mapa que para frequentar-se! Para lá, olés além de acolá, — horizontes persas! Uns e outros, e quejandaia! Ao sentir necessidade de converter ermo em urbe, exímio no jogo de contrários, sambento chamou-a regula monachorum. Dá tosse, dá toque, dá passe: um cáctus, dois toques, cocos... Dei dez pontos do pomo de Adão ao umbigo de não sei quem. Boa verdade, meu caro. Como vai onde? Bem, então. Rua para todos, quanto dá ali? Ainda serve. Grande é este século, é sempre, é ou este nunca! Olho grego vê selva africana, e diz para orelha egípcia: ainda falta muito para ser selva grega. O egípcio responde: pois há dez mil anos é selva africana, e assim tem sido considerada por dezenas de gerações de girafas, macacos avestruzes. Verificação dos números de presença, escândalo das coisas ocultas! Cadástrofes, informação, lixo do ser. Joias animais dão coice no azul, e despencam fazendo coisas cheias de formas. Salão das laranjas de cristal, na bandeira, — a palavra: EXEMPLO. Um anel de pedra-ímã. Gabinete de Raridades. A sala da realidade. Detentora de parcela do paraíso, cada coisa toca reunir. Onde é o grande Onde, morrendo de sede, sol e deserto pensando? Ciência dos números das coisas: tira das coisas o número das relações, o mundo faz com que todos pensemos juntos. Cabeça perdi e cometi até pulo de pensamento, trato com as coisas e desastres com as relações. Quem vive repete o lance; quem morre, perde um Ponto de interrogação. Um deus supérfluo e um demônio necessário são inconvenientes. Vício, forma mais violenta de estar vivo: bom senso e boa sensação, — incopatíveis! A máquina do mundo sofre mudas, o corpo seca. Sou um para quem o exterior tenta existir à maneira do melhor dos mundos possíveis, — nemo repente fuit nepenthe! Coração de barriga cheia, cabeça vazia, coragem de ficar vendo isso: meu centro cede, meu antro direito bate a retirada. Situação excelente. Passo ao ataque. Ataques não espero da parte contrária, meus próximos se aproximam cada vez mais cativados por minha afabilidade. Fala som e sai senso, quer

senso e não soa com a voz; fazer barulho ou dar a entender? Eu
bebo e a paisagem fica bêbada? Moram na filosofia, comem à
tripaforra, dormem de touca. Eu comento hipóteses. Trabalho com
hipóteses. Fabrico hipóteses. Façamos uma hipótese, por exemplo,
este livro. Eu não estou ouvindo música, é outra coisa que está
acontecendo. Signos evidentes por si mesmos, por incrível que cresça
e apareça, multiplicai-vos! Creio em um sinal. Ei-lo. Não me lembro
bem. Distraio-me. Perco os sentidos, ganho os dados. Deus não
morreu. Perdeu os sentidos. Sempre que possível, o contemporâneo
já passou. Perdeu-se no fim. Aqui. Voltei. Disse que voltava pronto.
Cá estou. O resto, salário do silêncio, o mistério, — um segredo
óbvio. Eu, contemporâneo do meu fantasma, olho-me no espelho
e vejo nada. Submeto-me a isso. A percepção. Não voltarei aqui.
Me percebo. Triunfam. Tudo é claro, estou compreendendo.
Atenção. Quero a liberdade de minha linguagem. Vire-se.
Independência ou silêncio. As Núpcias da Essência e da existência.
Vir a ser é assim. Oração para chamar o minotauro, silogismo
para pegar no sono. Que tal a fala, que tal você falando? Dizendo
o que não sei, ouvindo o que estou cansado de saber? Quer ser
eu? Para quê? O que é que vai fazer comigo? Ficar assim? Comunico.
Vou embora. Tudo vai embora comigo. Tudo vai ficar sozinho.
Mudar de rumo no meio. Alteração permitida. De novo, o espelho.
A lei da atração dos espelhos me fixa aqui. Regra dos sólidos.
Não me procurem em Euclides. Um giro. Quero mudar. É uma
abstração. Pensar. Perguntar interrompe. Trago tudo comigo. Um
imperador morre de pé. Tudo é uma questão só. Fiquei sem graça
quando acordei dentro de um susto, o sonho foi-se. Só faço as
coisas que me deixam fazer. Por exemplo, eu fico. Eu não estou
mais adiante. Não adianta. Eu não passei por trás. Não me atraso.
Tudo tem muito que crescer ainda. Faz de conta que eu não conto.
Dobre a língua, deixe de ler. O que você está fazendo aí parado,
sei fazer melhor que você. Tenho o condão mesmo quando não
há nada para dizer. Melhor. Escreveremos à sombra sobre sombras,
sonhando. Lanço uma hipótese, uma pergunta eclipsada por uma
resposta. Crio contextos. Faço parte do que eu faço. Desenvolvo
uma lógica. O ritmo é a lógica, quando esta se extingue, ponho
um ponto final. É a música da carência. Ouvimos em direção ao
nada. Perder-se no nada. Abri a porta: nada. Nada dizia nada.
O nada no ar. O nada no som. A cidade não era nada. Eu não
era nada. Mas eus voltei do nada. Nada tenho a declarar. O nada
é o maior espetáculo da terra. Quase ouvir é melhor que ouvir.

Faço uma proposta, frase feita por via de uma dúvida: alguém pensou aqui, e não fui eu. O mundo não quer que eu me distraia; distraído, estou salvo. Essa necessidade não é só física: é a necessidade da verdade, a carência de informações, a pobreza dos dados. Não é agradável ser olhado por nós, sai da geografia por meio da história. Faz física e a nega quando filosofa. Aprende errando. Não são uma espécie. Eles não vieram lutar, vieram para sorrir, amar e povoar a terra. A ciência nasceu entre os ignorantes. A fé levantou os doentes. Quem ficará para trás numa corrida onde todos querem ser o primeiro? Provoco a e b a me provarem mais que um xis qualquer. Só o impossível é viável. Só vendo antes. Fabrico o impossível no interior disto, dou fundamentos ao inscrível, ilumino o subentendido, elimino os matrimônios indissolúveis entre som e senso. As estruturas são legais. Pensar não é legítimo, por isso é antídoto contra a profissão. De qualquer forma, já que eu não me salvo, pelo menos vou dar o máximo de oportunismos ao meu desespero. Pelos planos inclinados da torre, pelos papéis de Brasília, pelo amor de Deus, não! Por mim. Bicho presta muita atenção. Poderosas mentalidades apreciam cores. Em autópsia, achar este mundo entalado em minha garganta. Da África, sempre novícias; passado é coisa, futuro é que não vai ser. Cabeça vai a Roma, fica cheia de latim: bicho bate papão! Dou de cara com este mundo, cara na minha cara, fazendo careta, muito bonito para a minha cara. Vive de notícias, paga para ver, fica olhando. Faça longo um pensamento que ainda tem mais mundo. Tem de tudo esses mistérios da evidência: medir é apossar-se das coisas, falar das coisas é deixá-las ir sendo, passando de lá delas para nós. Sabendo do que estou falando, as coisas sabem que eu lhes faço bem deixarem-se-me por vir. Digamos: sendo. Saudade é muita sacanagem. Isso é mundo, e o que for está certo. Quem vive mais que uma pedra? Quem dá as bases? Incenso nas ideias! Virtude é questão de fraqueza, forma é questão de fraqueza, a forma é a arte dos fracos. O número já é menos. Narrar incentiva. Quero vê-lo ser. Deixe que seja. Querendo seja. Propicia bagunças para esconder o jogo. Começa por um sutil formigamento na parte posterior do crânio, e se generaliza. Na moringa, uma água fora do comum. Então, como é que é aquilo que é. Então foi assim que veio dar nisso? Quem diria o, que se diz? Dei de ser outro. Outro é bom mas é muito longe. Último suspiro, o zero da equação. Natura esconde o jogo. Deus, causa, raro aparece. O último que veio, foi o que se sabe. Virão mais. E serão fortes, totalmente.

O que não vale a pena dizer, canta-se. O mais importante, cala-se.
Matérias de todos os dias, fala-se e conta-se. O tempo passa em
cotejos de triunfo, pompas de febre fúnebre e viagens bem
apetrechadas. Lá vai o tempo mas eu já estava lá. Muralha de
madeira, muro das lamentações. Vista-se bem para ler os clássicos,
lave-se para a matemática, levante-se tendo um pensamento novo:
todo pensamento novo leva a fazer. Se não, não! Tigre sabe que
não erra. Fuma até tudo ficar vermelho. Quero febre: Brasília não
vai a Cartésio, vai Cartésio até Brasília. Indústria se degrada em
ócio. Zona assídua: prima em sustentar-se. Viver, ofício severo.
Nada de escândalos. Meus pensamentos leva-os e me deixa com
calor. Nada me lembra nada. Eloquência, e ninguém comigo. O
modo do jeito é o tipo da maneira que o método insiste em confundir
com as honras de estilo, espécie de hábito que a medida contraiu
num recurso de último caso. Velhas mentes sabiam que tinham
razão, pelo menos desde já, nuncadaqual! E desde então, nunca
senão o adrede! Defendo o meu lado, tiro o meu, dou a minha
e valha! E não vá valer para ver o quanto obsta... Um olho hasteia
símplices sem réstia à esquerda do vento, arrisco estar onde não
me reconhecem, arfo com um barrufo de pólen o fumo louco,
insto junto ao sujo do ar.Quem observa o que se passa acaba não
passando, observidão: esta história não é natural. Quaestio de Aqua
et Terra. As aparências enganam mas enfim aparecem, o que já
é alguma coisa comparado com outras que nem isso. Os maus
modos de ser das coisas tal trato deram à moringa que era sobejo
para lhe dar volta ao precioso líquido. Aqui mesmo, isso mesmo,
leva rumor! Corta o mal pela raiz cúnica, cale-se! Rascunho um
rango, jogo a pedra e escondo a mão, penso o que interessa e
tiro o corpo fora. Qual a tortura adequada para um rei? Um prego
de ouro no peito, assim será com sua Real e Sereníssima Majestade,
Elrei Nosso Senhor, Cristoff, cherchez-le! Perdão, guerra é guerra.
Rei vai na frente, sai para ver o sol e manda cobrir de flechas,
ora francamente, molequemaluco, malacopapeluco! Um dedo de
papo, outro de latim... O dedo aponta o papo; mundos e fundos
— coisas ao socalcavanco! Formas íncolas, aves solúveis, peixes
volúveis, algo é melhor que nada disso. Persa parece, de preferência.
Cada ocaso persa é caso à parte de aurora persa, furo na cabeça
por onde babel entra. A joga começou. Esconda o jogo, vilajogão,
gavilonhão! Peregrino? Não se meta em paramentos que pode lhe
suceda como ao pavão da fábula. A cabeça se perde em lemniscatas
instantâneas, e no pega e larga, deixa prenhe! Persignar-se, com

qual signo? Com seções canônicas? Latim perdido, a mesa era de coincidência. Não tenho autorização para viver por ti tua vida, o mais que posso é contá-lo melhor que puder, enquanto um conto de pardaus pede a Deus que chova água para seus biquinhos, secos como telha. O vício de sobreviver, vendo — é o teu! Vazio, sempre maior que as evasivas que o acontecem: cate isso, não consegue, não se aconteseixas! Cadadois sabe o que foi, faz que vais, ides máximos, e vades assim mesmo. Brasília, regi na substantiarum, quam sero te cognovi, sero medicina parasita est! Na lei da flecha, quem para, morre pagão: caí nessa inana, festa das substâncias, — olha o tamanho do ar! Uma flecha na memória. Candeia na gandaia, jangadas hasteiam bandeiras holandesas! Chama precisa parece uma gema, vamos acabar com esta guerrafesta que lá vem festaguerra. Deixado no lampadabúzio que está, o relaxo sob o domínio da festa dá peixes, cores das flores, coroadas do sucesso das rosas como ondas! A felicidade de um traço em apanhar o todo: Constantinopla me consta mas Pérsia me persegue. Quem me persegue, aprimora meus truques. Quimeramix! Letrado e malabarista, tece lendas em torno de si mesmo até mais não poder sair, babau! Raio cai em silêncio, — grito, e é só poeira que levanta. Durei, direi direito: serei impossível. Conheço bem os truques da Pérsia, sendo muitos. Diga um que eu faço? O da máscara? Não, máscara, não: máscara é só para usar na Pérsia, música com máscaras! Dão corda em vez e enforcarei um, dois, três, quatro, cinco, e daí para cem! Só para quem não sabe, arte representa; para quem sabe a arte é distração, lei livre, aleata. Afinal, o quem vim fazer aqui, proclamar os altos brados em que consistem os que existem? Paranga de garapa, graspa de bagana! Ora, onde é que nós estamos? Brasília, Thule, América dos Elísios, apenas um Atlântico entre a memória e a pele. Algodão nas orelhas, cessa. Onde já se viu? Nenhures. Como diz o outro, os outros é que o digam! Por mim passa a festa, num lapso: flautas, vinhos e risadas. Quem sabe pensar, é justo quem canta mais bonito, mas às vezes o canto sai meio baixo, quem está muito longe — não ouve; a longe — existe o eco. Quem trigo tem, água, vinho e azeite em casa de pedra, de nada precisa, precisar para que? A festa supre. Sugere luxo: teatro que nunca vi — não entendo; só entendo espetáculos que sei de cor... a resposta quem souber, apresente-se dos pés à cabeça para a tortura. Não se enfeitem de epitáfios, não se afastem, me ajudem nessa festa, me ajustem e me digam como estou indo, manifestem a festa, mintam teatros, acudam! Não condiz, digam, minta! Não erre, senão a verdade diz, não é, você? Cá entre nós outros tantos: fechando os olhos, o lado de dentro das pálpebras, o revés, não são lavarintos, arabescos a modo de estofo bordado em chamas? Não, coração trapezista, que monge é clandestino bastante para poder trazer delicícias em decidílias? Viver, efeito da luz. Era o dito, nem alguém responde o quê. Quando não é festa é guerra, quando não é guerra é festa, quem conserta os desmandos de viver? Repara bem no que não digo: cada algo tira tudo, exemplo de qual nada! Coisas pecado é fazer prestando atenção. Já existe. Tudo já existe. Só dá tudo. Algo não falta. Sempre é. Pouco é muito pouco. Dando, serve. Mundo? Mundo pode. Pensar é bom, com o inconveniente de não poder parar — grave! Quem falou em doença? Quem sustenta o jejum com primores de rigores? Estar é abundância. A saliva alimenta selva braba de sementes mascavas, e quando cuspo o ser vivo, o catarro pronto para manducar e parir... Esta história não é estável, não é bem assim. É um pouco diferente, talvez seja outra coisa: quem sabe uma outra natureza trabalhou nisso, com manhas e artes outras, e na continuação, seguramente nada tem que ver com o que já vimos, e no fundo é a mesma coisa, mas não confundam. Menina, quem te deixou prenhe foi um poeta que passou por aqui buscando uma etimologia... Foi ou não foi? Assine aqui; viva só para constar. Deste revertere, não voltarei; deste lugar não sobrará muito, talvez a cor local, e o cômputo das ruínas dos destritos, — o resto é o nome. Quem vê que donde se tira e não se põe por necessidade há de faltar, ponha mais uma que para os outros baste. Pródigo do seu e do alheio nunca será o pobre prodígio. Com nada, já dá para começar. Tudo não é muito. Ninguém sabe a qualquer hora o que acontecer. Em matéria de tamanho peso, pensamento leve faz como cabo de muitas tropas que, ostentando aparências de dama, mais tiraniza porque de um rigor sem vestígios. Todos os caminhos levam a ramerrão? Emaranhão per Bucco? Deu tudo isso: acorde que já é mundo! O pé, rico! — que eu lhos pincho no rio! Agora, e ninguém mais me esgana: quem é o emendachuva desta ataláxia, mais depredessa que a preguiça se anula com afinco, quem é que veremos depois dos eis, eis, eis? Quase outrora, daqui a pouco a pouco, já é mais embora que só vendo? Filobazófia, — inclusive desde quando nunca estou aqui de valde! Os velhos egípcios quando pintavam a morte escreviam um abutre. Os verdadeiros cristãos quando liam as escrituras coçavam a cabeça. Os grandes senhores quando encontram o servo preparam a espada.

As abundantes colheitas quando enchem o campo beneficiam os
pássaros. O fabuloso bichopreguiça quando move o corpo paralisa
a sombra. Muito baralhado esse negócio brasílico! Se é
xequematemático, porque os cônchavos? Se ignimigo fisgadal,
porque sofrequidão? Não somos os ossos de ovídio? Não se
resvaicarquiça com azpectlo de astereza? E se for eventualhas, qual
o abstratagema das ritorgias? E se for meninúcias, que será da
restórica da matamúndi? Ah, momarca, ai de ti, cerpentaura da
lesmória! Dai-lhe vós ao demo a pele! Que o ímpio se perderá
num brutilhão de mulheres nuas, cálices de vinho e colheres de
festa e o justo ficará dentro da justiça bebendo a pureza da água
e a lhaneza do pão pois a boca do justo só falará palavras justas
e simples e o ímpio dirá frases de loucura, imagens fabulosas e
expressões brilhantes mas tudo é mentira que a orelha do justo
recusa, o ímpio se perderá nas estradas do mundo mas da casa
do justo o justo não sairá. Todo o que se pavonera, será desbaratado:
a realidade dá o que falar, não dá para pensar, os rios vão dar
com a língua nos dentes, e a água nas pontes. A impossibilidade
de falar dá muito que fazer. Feras vociferam. Bem se quer que
passe o bentevi — desasfósforo! Fala cifra para quem se safa em
fila ou fala em solfa? O que constata, contamina: consta, controla.
Pensar-te causou espécie mas o motivo não apareceu, ou cá estamos.
Quomodo est? Hic sumus, hic sumus. Chega de chegar! Para as
sete partidas, vamos, parta! Teme mais o toque que o teco? Espere
para ver a trajetória dos projéteis jogados para evitar contacto,
— pedra de pêsames, pedra de não me toques, pedra cheia de
nove horas... Cá para conosco — nós na voz de cada um,
convoscada? Pedra-gozo, engordam os que tarde acordam e engolem
os que dormem! Sucata, sucatatassu! Uma reia de coisas. Ninguém
diz tanto pouco. Trata-se do que se prova. Há o que aprouve.
Uma manada de rios. Um enxame de consciência. No cárcere —
eu!, — soldado com horrores, erros no peito, cede o lado de dizer
presente e não há mais mundo que preste. Vai, câncer, trabalho
de erosão, deixe o doente sozinho para entender ele a moléstia,
bate no calcanhar aniquilíneo, parla. Por que esse medo de dizer
Troia, estória, destroyão? É porisso que se diz: a casa cai quando
o pai bebe. Quando Deus é servido, se a mesa não está a gosto,
escondegargarijo! É mais lenjo. Quonde? Loje. Quantéonde? Anté.
Ninqual, nemquem. Num talqualreal, quálculo? Ad Kalkulendas
gallicas. Ningo faz algo por nada. Bom pecadaço, um pouco mais
acim. Negro lá chegou, tiririca de frio, timbre de chancelaria,

carimbo de palmares, primeira persegunta: quem matou Jagunta,
quem tomou Numância, quem mandou Mogúncia se meter nas
bagunças dos Bragança? Bene, vero, licite! Veredito,
populusquefusque! Depresságio — os utílios de um só mil galolpes!
A caixagaláxia! Objito, desdom de nihilo, vidente, veniente, vicente!
Grassa suceder, praza viger. A urgência consta, a constância urge:
benzei! O anexim se imiscui: talante a seu falante, de que se trauteia?
Urutaus talatam vésperas: qual, qual, qual! Jacus e curiós arensam
sextas: quid, quid, quid! Mutucas e noitibós chacadaqualham noas:
cur? cur? cur? Guaratujas trinfam em completas, quantuluscumque!
Endoepigastromorfocarpófago, ururicapiraçuruma! Ulysses ipse
eclypsis apud Calypso calipsigiam invenenit, poxalá! Está de
obedença ou de licência? Come e viracoche? Vou acoxar mais um.
Moringa vai e vem à fonte e às vezes resulta muito fria e tem
que assar de novo as castanhas de caju da imaginação! Por estas
e por outras corrupções da verdade é que prefiro a realidade. A
causa recaiu sobre os dispositivos. Vejamos agora o que se deve
determinar para a confirmação de tudo que preferiu se furtar a
dar a impressão. Livro da Flor dos Pensamentos sobre a Substância
das Pedras. Pari passus est Christus, passe passim, Salvator
hominum, e por agora não mais ausentes antes de intentar
comprazer-se contra quantos resolveram constituir. E assim vamos
passando sem respirar onde vamos a parar: tiros pode haver mais
desvairados que estes, pois em vez de nós mesmos ao alvo nos
ferimos? De repente, me lembrei de mim, feito um só, aturdido
no transitório, — o que tenho: insete, insetecentos, insetemil! Feitas
as falas, é que vem o canto, e digam então se há aí canto que
se compare ao que eu canto! Senhor, meu penhor: melhor, nenhalá!
Tempestáculo em láuvores, venhice de quadráver: assassimbleia,
transgrans! Morf, escandalijo de um deseldjúcida! Sileng! A
domicílio na cirandadela, nefícios e benefas, — Levianta! Espapumas
em cativiveiro, dealbalde, o tropéu canhotofanhoso, regozijn! Sete
anos cara a cara com uma parede branca, em cholim, arruma e
desarruma o corpo, ludô: panadaruma, pareduma! Bronzé, bronzé!
Manif! Turco trucido, límpio, isrável! Inv! Esgrilágrima,
mistericórdia! Negok, refúlgio de malfo! Jeitojunt é blasfil! Crebram
ossilícios — os opresenhores! Sandedália no desvendaval, gínqua
sacrifúxia! Pévide na água, partich! lnanimal apax, mundo apax,
in pacem suam revertérix, apax, apax! Lúcido declina o nome,
Lúcifer, feroz sabedor, Prometeu precipitado em chama dos
empíreos, thatagathadamarunga! O serpresente — presentesempre!

Pisirinx desapa em malavenças. Tsuri, kake, fogo! Hipona!
Sanguessúcares, sanf! De justis belli causis apudindos. Gozo,
Domorra! Inihilterracorruptamente, quartela, tal qual aquela!
Obserbse, nem na Alegremanhã. A piramerramidão atualântlica
permaneirece em pleno acontesouro. Exercíceros multicoticores
prossossegam morcócegas. Na superstupefígie do estocôlmago,
esférias espalhaçam revológios, pontapex de planelta: in nihilo —
tempo... Era, erário. Barrigulho, contentáculo de um morso cego.
Pirilampirimp! Manjericó para guardanapolos em grudapanoramas,
um auxilindró: intervirin! Herói no orgulho, a assemplebeia vai
emboraboraba. O ambiente está sujo conosco. Ajudai-me, trôpetro!
O empreguiça se debruça na minha cabeça de nada, já não tolero
o escândalo didático da cósmica lorota, Artyxewsky spectorante!
Esteve pela boa Pérsia? Já passou. Perca as asperezas. Flecha:
Zenão!, — dois gumes depois, vaso e vazio — vistos os dois, um
como nenhum. Metempsicoses de meus solilóquios, metamorfoses
de umas hipóteses, tiro a miséria da barriga comentando pão
amassado a pau. Mudei muito. Dá para ver daí? Cuidado com
o que não muda. Aqui fiquemos. Aqui acontecem coisas. De quibus
tacere melius, diga-se desta passagem, no mínimo. Quem lá vem
falando com papagaios? Nem aios nem balaios. Ulo? Nulo!
Apresento Cartésio; o bactroperita. Não me pareço com o que
se aproxima? Tudo isso é bastante e será seu se me ouvires e me
calares, a verdade sem par nem pôr, mundo sem parar. Esse polaco,
cadê, desapareceu da minha impressão, pareço um homem sozinho.
Nunca abro a boca e quando abro é para falar com fumaça? Onde
mais o hei por mister meu, malovento! Cabo de esquadra, boca
de orquestra, imagênesis! Repetirei. É meu futuro, a vitória da
objetividade. Permissão de quem para a promissão entrar na terra
de juntar os pauzinhos? Quem é de ser, de mim? Falando latim.
Que é dele? Negado. O vele ou o vire. Occam virá a seu tempo
ser. Nem branca nuvem, nem França! Habito onde me pense um
bicho que nem digo qual. Não era para menos, pudera que o não
fora como a tomara! História, leros e lórias, sonho dos mortos,
porque vós e não undenós? Quem vos deu essas tiranias? Vivo
de tirar o chapéu, más línguas passando maus bocados, se a pança
não pensa, ora tenha a santa ignorância! A graça da morte só se
vê na piada da guerra. Piolho na garra, Catapulgacaixa! Coço o
saco, tiro o sarro, mas estou rouco. Pigarreio, roncofungo! Ou
alguém. Balanço, fanhoso. Assobio, oitentoito! Espirro tão bem
que tusso de entusiasmo, corrijo para um gargarejo a tempo de

pegar o arrepio em curso. Colabrincorinto circunta, orgranizo: mextra intrintro, tartareco adredevagarde, tomaxalá! Nada como um som nos cornos para levantar a moral da moringa. Dá-se uma ideia e querem a mão da obra, uma mão quer turgimão, perguntargum! Pelos bucaneiros de nosso senhor! Cada vez menos num passado longínquo, o atual dinâmico na vez. Chega demessias, cauimxiba, o cachimbo, impérigo em cadumdenós! A vida sobrenatural, superartificial, gente não fica muito tempo num aspecto. Lonquinquagésimo, espantagônio! Quem canta, curte o que a fala tem de melhor. Bândido candido, castigo contigo, não se arrependa, não vá se arrepender! Sobretudo não existe hesitar, e isso é vital: não pense. Pensar é para os que tem, prometa começar a pensar depois. Expimenta malaxaqueta, experimonta pressungo. Monolonge, um monjolo de esponja bate espuma. Esdruxúlias, quemquer: adjante Alemonje! A ninfa em pleno orgasmo mas sempre comendo a laranja. Pensar sempre acaba com alguma coisa, carrasco da imaginação, um mal danado de bom bocado, assemblemas. Grilado em copas, tecado em noas, nas vésperas de mim mesmo: mesmose, para no ingual e, ser feito de susto, no salto em que se sustenta se compraz. Estalo os dedos no ritmo do coração, bombombombomtom! Conto nos dedos, um, dois, três, quatro, pisco! Estalo a língua, a pança ronca, juro. Cruzo as pernas, aponto com o dedo uma ave passageira e faço bilublúblia, em nome do filho da mãe, e fico santo! Voo? Não sei nem nadar, mão na frente sei andar por exemplar de outra atrás! Sebastifeito? O pegador de arrepio pega arrependência a unha num corruptiéu! Fedo sangrando, lacrimo, durmo, acordo e desmaio. Mostro a língua como a diferença entre mim e esses tagarelas. Gênio recém-saído da claridade da casa das lâmpadas, mal me acostumo a ser livre embora em trevas, exalo-me em cheio. Não é um belo naco de carnegão, proferidor de pústulas quando não perebas? Dobre. Se um dente inflamar, apalpo-me, e estou aqui. O mundo me zanga com a pátria do aí. Se errei em balbuciar, queira aceitar quem melhor gagueja. Comparo o que ignoro com o que esqueci, e o que sei é que melhor do que digo, escarro na água e bebo. Canto o que posso, o resto é por conta corrente dos meus concorrentes. Dúvidas me deliram esse desânimo. Trapézio, quatro peças, topázio! Chibata! O mar é jônio, a baleia é criselefantina, e rios dos Amarizontes. Nepenthecostes, cosmasindicopleustes: língua de fogo da colomba no alto da cabeça, suma careca de neófitos! Tremenda chinfra, o dom das línguas doidas, o cego conversa com o epilético. o epilético se gaba da luz, o cego — da continuidade ininterrupta de sua lucidez. Vê na água os velhos vendo, os olhos veem mas são velhos, e sabe que sabe que velhos olhos aquelas águas sejam! Diana, passando, os teria estraçalhado de cachorros de alto a baixo. Da Medusa — só pedras. Já nasceu caindo, como é que vai cair? Chega de curtir, disse o anjo e mandou ao mundo aquela raça repentina e traiçoeira de abadadão! Wandisatã, zaporogos! Refração através de seus quadros vítreos, verdade, a polisinfônica! Este mundo conduz tudo rigorosamente a sua própria imperfeição, o que se afirma dos membros, afirma-se também da periferia. Não deixe o ritmo morrer, um ritmo que morre diminui o mundo. João Saqueia Mundo, aceita uma bagavadazita? É o que está mais perto do que está mais dentro do que está mais tempo, e mais. Ainda que mal pergunte: caiu em si e não voltou para o convívio alheio? Luz no último quarto da torre? Uma linha reta constando de um lado errado e um impulso apenso. Dorme de dia, perde o sol ganhando o sonho. Decida, adeinde, vos meceja, decline o nome, sua graça? Arqueiro no olho ou caranguejo? O escriba fala da múmia para estátuas dos mortos! Fale de mim. Mas fale pouco, não sou muito, apenas o filho da irmã de minha mulher de meu pai de meus sobrinhos de meus primos de meus avós de meus bisavós! Plaudite, posteri; laudate, a posteriori! Do pecado originalíssimo ao penúltimo juízo semifinal, — uma palma única procura a pena que a perpetue. Daqui mal vejo quão bem sou visto: um olá depois, oxalá viesse, visse, veneficiasse! Espelhopônjavo, que moto é esse, que coto resta? Navis superblumilonis, nobis hortus pensus, portus suspensus! Potus Vitae, aqua vitalis, et omnia Babel testamostra est! O que ouço não tem nome; pelos mesmos motivos, não o meu. Nome, silêncio pontilhado de espetáculos. O monjolo na cabeça do monge tritura os pensamentos do mundo, pó, e um vento dá um nó, careca, pedra limparimparinf! Os testemunhos da consciência da totalidade do real, invertebrados; a matéria da origem das coisas, inquebrável. Quem mede não vai longe, outros apetites tem quem come. Quero mais que dizer o que penso, quero pensar a mais não dizer poder. Corambo, quendo? Numba. Silenciar com fome pensando não é novo, é mais um dos issismos que me caracaticumbem! Passe adiantra a menfazeja, o futuro saberá o que fazer, e assim fazemos o que acontecerá. Saber não basta, carece corromper, comprometer e ameaçar o que existe. Para isso, parece que esse mundo é bom. O barco é parado em pedra mas para ir nada como um rio.

Pensamentos enesvoaçam entre as pedras, paus e águas desta terra
que viu a morte de Ulysses, primores de leque por trás de um
cocar de quetzal! Para encurtir a história, un vero baratto di sàtrapa!
Agora: para fazer uma ideia do ovo a esse tamanho, omelete-o!
A canoa desce o rio como este quer. A coroa cai sem querer.
Aqui dum eu real! Nenhúmida? O goshi de oxóssi, ó congoxa,
acoxe! Livra minha cara dos pudores inoportunos, lembra minha
casa entre os números investidos agora de novos poderes, lavra
minha sentença, saca? Míngua de lacunas, sem haveres, todos os
dizeres. Nome: livre, livre da silva. Qual vez? Vous avez! O que
quiseres, scaccomatto! A mente vê tudo numa perspectiva trágica,
bem melhores são as coisas. Umas outras, e estas arestas arculíneas.
Elas por elas, aquelas pelas culastras: isso é outro, outras venham
de partibus infidelium — as palestras! Quem? Mim? Saí bem, por
mim não se incomodavam nunca: atenção não presta. A carne foi
meu fracasso mas é que foi em latim que li quase todos os livros
que com grande fragor me caíram nas mãos! O mar desata aquele
nó azul e verde, arco-íris sopram tritões pelas trompas de Netuno,
criselefantinas! O ápice do desenlace ao alcance dos óculos, não
só se for instance! Sei de notícia recente: o columin flecha o
padremestre. Mestre atrapalha. Sem mestre, não dá. Mestre não
trabalha, trapaça e passeando se nos atravessa na garganta como
um gogó ou qualquer outro troço adâmico. Vim como conviva.
Para que me pedem essa flecha com que me medem o espaço entre
as moscas, explico. Flecheiros trocando flechas, gritando ensinam
o vento a dançar, apud sassânidas. Guggai! Cantam, paspalmam
um esqueleto de jararaca e está feita a charamaranha! Alexim, alefim,
anexim! A bondade queira ter de entrar na sala do esquecimento.
A quem vem de casa, eis minha cara, alta, vazia e iluminada. Gira
uma vertigem aquática o que não canta, silêncio; chega o auge.
Sóbrio, o ser sobe dos seres com sede: minhas palavras falam por
aí papagaios fofoqueiros. Delira o bicho que a fumaça atinge. Fetiche
na vertigem, fênix, dervixe! Imagem reflexa num espelho, a mente
destra nas coisas sinistras e se administra nas devésprias, sinistrógiras
e metafosfóricas! Não arremede a mãe, baitaca de botuca! O oposto
destas coisas quais são estas aqui? Cabeça em cima da cabeça, aqui
no Capitólio se sonha o sonho dos outros! Cai num abismo e
caindo vai encarando as estrelas, todo encrencas! A flor suja de
ouro afunda em água morna. O rio bebe um boi, tamanho de
rã. Madeira nadadeira, monymolyahimy! Aprecio uma dúvida a
me orientar nestes êxtases, quem vos parece com isso? Mixtis

confusisque signis veri et falsi: mais alguma certeza para os efécticos,
que tão mais breve quanto os visitar, menos hão de me infestar
de infrações heréticas? A liberdade é a flor da lei, lis num elo
de corrente. Exlex, hoje, regalia. Dois arqueiros estão face a face.
Ao lado de cada um, um alvo. O arqueiro pode disparar no alvo
ou no outro arqueiro. Se atirar no alvo e acertar na mosca, ganha mas
morre porque o outro arqueiro atirará em você. Se flechar o
arqueiro, mata-o, — mas perde!, — porque errou o alvo! Não
senta, não deita e nem fica em pé! Por um pelo de graduar lupa,
o guardapélago pensadura num fio de estelaçal mais procaxpróxima,
côncavocavoca — concharocha! Triang! Paparangaio!
Lerorecoleroreco, avenso! A cascaravel pacacutuca estatuagem,
dadivindádima. No jogo para me ganhar, não precisa nem basta
saber jogar: tem que jogar meu jogo; se não for eu — não ganha
de mim. Para ser mensageiro, seja mensagem primeiro: a flecha
é, por natureza, a mais indicada. Diziam que ia cair para baixo,
que ia acusar a frente, que ia apontar para cima... Caiu na água
onde roda alcagoetando todas as direções. Vaso, devolve minhas
flechas! Quando os maiores sons atingem os melhores silêncios,
os do cantinho, os que ficam para sobremesa, estes caem fora,
o vento levando ventos! Não é possível dizer essa frase com essas
mesmas palavras. Solsuposto, lugar geométrico, emendas suspeitas,
o espelho deforma. O estertor do interior é apenas uma onda do
mar exterior: o interior, um inferior, — o íntimo, último interno
em contorno. Quero ver o que digo feito à margem e imagem
do pensado, ouvido no mais difícil e azedo do falado; essa voz
me agradifica do que ignoro porque isso sei, com tanta certeza
como se nada mais soubesse. A carapuça cabe na arapuca: facapuxa!
Harmonia do Corpo e do Sonho. Que o que faz isso ser assim,
é que se for — talvez deveras! Mesmo quando é mais vezes, quão
todo! Aliás até durante muito ainda. Espelho das Luzes. Liber
de causis. Roma locusta, aromata colocata! Opticae Thesaurus, De
Crepusculis, o sacerdote sonha com um deus bem feito, contra
os deuses sujos, loucos e pobres. Sereno no silêncio, cognitio
matutina. Dez mil coisas dizem glopatrofilioque Sanctus, luctatus
magnus, tractutus viae terrae... Arcana mysteria, per figuras et
aenigmata... In vim verborum, voces sacrae sacrarum symbola
rerum, quem diz sábado, violou o sábado! Vaacuum... Exercícios
de extermínio, Perdição da Casa! Desaba feito chuva, taba sem
nada. Pureza é sujeira, puro eu no acaso. O corpo tropeça na
morte e a alma cai do cavalo num jardim. A mente sendo invadida

por vapores, insetos, águas e polvos, a alma já foi para o céu e
para o inferno; estamos depois dos novíssimos do homem. Barato
é satori, biritamonogatari! Acredite piamente que está ficando louco,
a arte da chuva chover, a arte de plantar prevalece o estado das
coisas. Olha pacas, olha onças, olha tatu, olha arara. Quantas
heresias ao dia? Uma sempre é possível, confio. Chamou-as eco,
e o eco é o que se diz por aí! Ao longo da água, alvas pedras,
verdes ramos, várias cores. Arrepia o horripilante. Não saiba pataca
de patavina. Agulhatestemunho, a linha se enche de pontos, pela
fresta passam notas, essas mesmas horas, essas mesmíssimas
memórias! Na prática cotidiana, no comércio clandestino das ruas,
nascem as palavras, os latidos da raça humana, logo repetidas como
se fossem a boa nova de si mesmas. Algumas — velhas como capitais;
outras — fáceis e não tem importância. Algumas se cruzam na
memória. Signo difícil. Um quadrado. Um ponto dentro. Três
traços tortos. Uma mancha vermelha. Uma assinatura abreviada.
Um signo de número alto, o quadrado quando redondamente
enganado. Está se fazendo de difícil, está fazendo sentido, está
fazendo um sinal. Parece Celso mas é para não ser tomado por
Nélson; no Sião, existe um ser com dois sistemas nervosos. Luz
do empíreo, a essência do fogo, a origem das fontes, os súbitos
ímpetos do chão, fenômenos singulares, marés, fogos-fátuos e
eclipses, monstros, abortos e bicéfalos, signos adversos, cometas,
chuvas de sangue, as mirandas proporções das coreias astrais, toda
a fábrica do cosmos noturno, acumula-se clara nas tábuas; quadra
andante no quadrante, toda a quadratura do círculo para um indez
qualquer ficar falando as tripas afora! Ora, por quem não sois,
purgai-vos com um dedal de helébero... Não vem de minhodauro
que a triaga é calculada! Ditoso o dito que tal dita teve! Aconselho
que admitas que impeça que tomara que isso caia, que quebre!
Os atax dos inimigos, os chox das coisas, estou com saúdealaúde
de minha terra nataúde! A assembableia revida: si vis pacem, in
corpore belli civilis, para babellum! Engalfaláxia os ofiófagos em
fábulas de apalpoulação, Ix! Manobra de manopla, milagre de
malogro... Faunífonas trombábetas redondas, o moambão de São
Tempo e São Espaço, na noite escandelária de aleluia-cheia — a
festa dos campeonatos de espetáculos! Persipersa, a araracárdia
cacarejada pela gargalhada dos maracanãs — calcalúnios!
Maquinamaquia dos macarrônicos macacos — afálgamas...
A epilepse espia um eclipse, psiu! Enhierogolfões, carminícies de
inúbia, o ronco me aleia a luia! Dos gargomamilos e dos estrelúxulos,

asno que me lesbe, asa que me derrupte! Apresentai-me, o desilúvio!
Sefer Zephirum. Expulf! Me empresta uma palavra que quero dizer
teu nome? Que brilívia é essa? Extremento! Quasdo? Amanhontem?
Nanunca, almanhã. Semina, simila ramerrerum! Estes olhos que
a terra há de comer e lamber os beiços, galope, desgalope, golpe
na arca do peito, o bobo chia: aritméxicof! Nem esperança de
lembrança da França... Guardar a vida dentro de uma música, sim,
mas ouvidos envelhecem. Quero isso de só ser eu para enfim ser
alguma coisa diferente de ninguém, será vir amplus, amplius, plus,
ver amplicissimus, at in ore jucundissimus, et in cruore
crudelissimus! Vespergonha, o sumo ou essência destes animálculos
que mordem entra no sangue, e ardem! Até o batismo, tudo bem.
Deus quis assim, assado quem não crer. Compracomprende, que
para baixo, todo santo ajuda aos pobres em bens com dons de
júrios e perjúrios! Estou para ser. Depois, eu conto. Remédio dói,
ser isso dói: conta um, acrescenta outro, pode contar com o descante
dos contos sem desconto! Vê cara, não vê tudo, tudo é dez: o
anel diz, ouça. Sim, porque nele havia o escudo de Pátroclo, um
ovo de fênix no umbigo, cabeça de medusa na lâmina da hipotenusa,
o quadrado inscrito no círculo, a quadratura de Circe num corpo
de centauro, paisagem dentro dum vaso, couro do saco do
minotauro em metalmetelmetilmetolmetul! Quanto lês num anel,
um anel, digo, como este... De um Artyx, por exemplo. Tudo?
Ou só o que está escrito? Tem desses que, no escrevinhado, só
leem o que foi escrito, há que ler, no escrépito, o que está sendo
tresdicto, escritamente falando, tudo? Digamos, o equilíbrio da
tensão no bloqueio, a simetria no ritmo das proporções, as rupturas
nas vibrações das variações, o impacto da integração das gamas,
a disposição em salamaleque dos distúrbios: pavão, as engrenagens
dos esboços no floreio, o nó dos mosaicos com os arabescos, a
justaposição dos brilhos com as saliências, o contrateste entre rolo
e quadra, o desenvolvimento do ouro em prata azul através do
verde, tudo isso nesse anel, e isto: o real, torcicolo de uma alegórdia.
De calenda em olinda, cai Cartágide, para sempre, deholanda! O
cristal deste anel, Arxtxx lendo o porventuro, vendo vir. Sangue,
tudo que tenho para a sede dele, e vem e bebe com glutens de
berbereg! Medo de pensar nele: quando menos penso, lá está o
larápio nas redondezas de mim! Mapa acusa passagem de forças
cíclicas, tabela identifica um alarme falso na frequência da
superfície. Se seus olhos fossem meus, olhar por eles, convém
a ver: O MUNDO DE AXTYXXX, altriverso... Esfera volante,

a passagem do pensamento inquieta as feras. E superespetáculos
de si mesmo lhes é negada a forma mais elementar de exibicionismo,
que papelão! O ovo, um vaso, ouro amadurecido na sombra, horto
zonzo: enigmagina! Onde houver uma pessoa, aí estará um bom
papo, e a substância ajuda, daí o mundo ajuda, daí cada um se
ajuda, e daí todo mundo se ajuda, e siquiturradastres. Meu passado
se condensa. Minha mancha, de batismo, borrão de luz visível nas
trevas do inferno: minha marca, duas marcas, de saravampo! Só
se derrama sangue por causa de sangue, não ouro nem terra! O
peso que se tem basta para não voar: voe, mas voe baixo, que
o mundo acaba. Não vá estragar tudo com essa maldita Pérsia:
deu de cara com o sol, reflexo de um deus queimando, se viu
volátil e esqueceu de voar. Saber bem para não fazer, acontecer
é mais que fazermos. Festa, aumentarrão de guerra, Persantiagem!
Estava que é só sangue, coroa de espinhos — sangue, chicote
queimado — sangue, pau na cara, sangue, derramando sangue
carrega cruz suja de sangue escorregando em sangue o cavalgário,
vulcão de sangue. O gorila olha o espelho e vê Descartes, Cartesius
recua o gorila, e pensa, desgorilando-se rapidamente. Anel, espelho.
Espelho, cristal de bola. Bolha de vidro, dédalo. Depois de sete
dédalos, um palmo para a jerusalém celeste. Tentação das almas
no céu, virar deus, pitada de pimenta em incêndio eterno, efêmera
eternidade. Rocapetra, agogogongo pamboramba. Criança, olhando
a rua, sabe o que é brincadeira e o que não é, videlicet, não é
para valer. Essência lanha, chacino a pele. Dói bonito. Postepluma,
plumba. Prezadelosenhor, venho de permeio a esta dignar ofornecer
sobre quase e sobre ainda o meu mais ex-recém, muito
bringuardeiro! Melodiapausa, menodiaplauso: palma, quem mora
no palco vive de eco. Flamagongo, águagong. A família, apunhalada
pelas costas, agradedecet desde o mais fundo do seu interior: um
lugarto à luz do ser, atalaiatamoia, tramoia cambaia! Braços cruciais
no melhor estilo górdio, olhos fechados, me depredo a capricho,
justificando-me dentro de minhas mesmices, ao vento que vem
de Brasília, que o mundo o manda! Não sei do que foi mais do
que ainda é; e é, sendo, o que narra varro: alcâncerquiriguirizum!
Ita, maracatrinta! Medinarca cabálix, restingaresto tatupeba: extaxix
mazulk! Bons odores, bonzo dório: continue abstrato senão te
concretizam sem dor nem dó. Geoiim, pas trop pis, quem me
jeovará? Figura voltada para a direita, fissura voltada para a esquerda,
virar a página do espelho: talismã da Tessália só na Tessália dá
sorte. Procissão, signo contra mim, Espelho, a forma mais simples

de espetáculo, desfia o séquito de escrutínios. Galo briga por farra,
não fama. O olho ronda o mundo mal criado, sol reflexo numa
curva de um espelho, estalagtítere se estalagmitra! Estilo da luz,
afirmar o que há: pensando o mistério do peso, silhuetasilêncio.
Caindo no rio, a culpa é tua, não do rio, estrela não cai no rio,
por exemplo. O ser na luz, verdade à sombra dos fatos, o barato
à tona de círios: o símbolo, tempo comendo coisas, viagem num
vaso em V. Dança satírica, herói enigmáforo: quem sabe o que
faz, não olha o que faz. Queda do Ritmo e da Harmonia das
Esferas, a ambiguidade do óbvio obsta o pleno desenvolvimento
de qualquer certeza. A alma com fundo falso faz fundo branco
da vida, castigatacumba! Lã no olho. Dançarino mascarado,
tranquilidade em movimento de um engenho enigma, botacardada,
imagenigma: cara é mapa de quê? De que mesmo? Stakunta,
satatunca: engenhuca. Nganglaring, o mondrongo. Fungo: Occam!
Finjovingo. Tigristis, lhuntse, nhunche. Brigabraba, Bragança, maré
não está para maná, caramajoreng! Frodobom, lomongo lonkundo,
jukundo golmo. Kwanghwah! Akab bombax! Wutung,
tingritingsin, gulo gamba. Kisukilenikidogo, wisuvileniwidogo.
Tríptico, triaga, tripitaka. Em grinalda de espantos, susto acordando
feras lindas, arco íris girando os sete céus em cada olho, a luz dos
números marcando o lugar de cada chaga, os doze números
babilônios na testa, Transfiguração! Joga xadrez com um arlequim,
— o rei dos persas. Nada comigo tenho que ver, fuxopumo para
viver, não vivebebe para puschakrunft! Lua quatromáscaras, aos
toques dos flocos de açúcar cheirando flores, uma fumaça de pólen,
— um tiro de arcabuz primaverifica os hinos da pátria! Gorjeiogordo
de bichopeidando, bebum no fartum! Nada fiz, razão dos múltiplos
quefazeres que me solicitam, a espera sempre fértil em expedientes.
Milagre numa festa, o arcanjo ganha o jogo do arlequim,
xeque-maiêutico, salamaxeque! Cárcere, o ambiente dos melhores,
cantando na guerra e supliciado na festa! Bom dia, meu pai. Muito
cansaço laborioso no trabalho, exaustivo calor, tudo adrede? Plante
de tudo, plante todas as plantas, as plantas são egrégias, curam
males, eméticas, abortivas, diuréticas, fantásticas, as plantas são
fantásticas! Plante-as, que prometo cantar uma toada pensando alto:
tuas plantas crescem no hálito das meninas que cantacantarão.
Depois da festa, os pensamentos cantam. Majestosamente soberano
no cume, do seu próprio auge se sustenta. Lutou com o anjo,
não ganhou, não sabia certas artes sutis de desequilíbrios para os
oito pontos, os quatro passos de cortesia e coberta, a dança maior

que o corpo, — abaddon! Vindo frei Domingos, numa manhã
de domingo, comendo as uvas da Toscana, no seu asno bêbado,
aprouve irromper na estrada Pacômio, forte no seu cheiro, pele
de bode e pirata de deus, dizendo, pare, venha. Frei Domingos
pensou, continuando caminho, como passar sem as uvas da Toscana?
Esmero no dizer, pensando errado. A solenidade da pessoa as feras
têm. Mundo sujo com bicho dentro, cheio de víveres, água é mato:
tremeliquelíquido. Zenão alveja a tartaruga com uma flecha fechada.
Senhores, mecenhores, não mereço tanto, tudo é feito do sol na
febre com fome! Pedra encarnou no preguiça, esse aí, sempre aí!
Olhando a paisagem com um olho roxo, o cacique monge, sátrapa
vândalo, mártir carrascudo! Gente no mundo para ver o mundo
acontecer. Mente, traga essas coisas todas para dentro. Já anoiteceu.
Tem bichos que não param, tem que não para mais. Nada foi
feito por todos. Dentro de nós, uma voz: esse. Dentro de poucos
instantes não vai acontecer nada, tomem cuidado. Cego pisca?
Atenção não presta. Agora, a minha vez: eu escolho, "distraído
no meio dos maiores perigos, não só não se feriu tanto como foi
enterrado hoje". Dentro do possível, dá um pulo lá na casa da
mãe joana para ver um portento, um canto em ordem, um órgão
que funciona, uma cadeira fora do lugar, todo mundo sentado no
chão! A roda é larga, cabem todos. Dá até para dançar. Pode-se
pular, brincar, cantar até apodrecer os mamões: do que se viu,
me dê um pedaço. Do teu caminho, um pedaço de mal tamanho.
Articky me faz presença, ou, do que sobra, me dará o que não
lhe falta, de vergonha. Serve morrer? Dispense. Cortei um doze,
e só ficou meia-dúzia: quem reza, fala palavras que desconhece
para um parceiro que nunca viu a fim de resolver um problema
mal equacionado. Então, para que rezar? Oremos, irmãos. Alma
está? Na esquina, para ver se já saiu algum deus. O cavalo pode,
o cavaleiro sabe, e fazem muito bem. Alguns trouxeram cerimônias
que o tempo vai borrar com sua reconhecida experiência,
inconfundível a trezentos e sessenta graus daqui. Quem trouxe
esse bicho? Não importa: deixá-lo aí para ver, sendo olhado, como
é que fica. Fantasmas comem medo: resposta para bêbado — não
há. Beba e volte. Cores mudam a cena, ver dá em nada. No espelho
triplo, se repete o eco e diz de novo que era assim. Não abusa
de ninguém, o tempo conhece o seu lugar. Morrer seria uma festa
mas eles apagam a luz. Quem vem lá? A coisa vê que o mune o
é bom e comparece: cada um sabe o que faz exceto eu que só
faço o que as coisas mudam. Torturada a cobra que morder criança,

cobra torturada! Pare de pensar, doente das três virtudes teologais, e sonhe direito: saúde graças aos sete pecados capitais. Quem sabe fazer, não se meta. Guardar de memória para as horas difíceis, vida imigrante: a demora das coisas, guerra! Faço um gesto para segurar um pensamento mas era tarde: o braço já estava dentro do pensamento. Todo bicho quer viver gordo. O homem é um bicho que quer viver por perto. Daqui não dá para ver bem mas é alguém matando um outro. O qual já morreu, mas vamos ao que interessa. Onde é que nós estávamos mesmo? Falando. Um jurisconsulto, um dia, fez o projeto do juiz perfeito chegando à conclusão que o juiz seria tanto mais perfeito quanto mais se assemelhasse ao réu, para conhecê-lo e puni-lo com justiça. Ora, ninguém mais semelhante ao réu que ele mesmo. Assim o juiz e o réu são a mesma pessoa, que se absolvem e fazem as pazes. O mar não se distrai, beber leite instrui. Quando se come é que se vê como a natureza foi sábia em colocar o boi no prato e o homem na cadeira. A boca que escuta e a orelha que só falta falar, invenção dos demônios estrangeiros. Não é obrigado a perder tempo dizendo exatamente o contrário? Bonito, o que dá certo ali. Medo de morrer — eu não tenho, onde cair morto. Afaste-se um pouco. Como observador independente e anônimo ao saber das marés e ao cheiro das matas, pretendo me estabelecer: a gente faz gestos de bicho e espanta os pensamentos; vamos tentar de novo. A água desce na sede com intenções sinistras. Já não dá tempo para sermos bárbaros, luxo espanta os bichos. O espetáculo: em prol de uma alteração nas coisas. As coisas só caem no esquecimento quando subiram muito alto no entendimento. Falei só para botar formiga no pudim de silêncio, minha finalidade não era outra. Mas, continue, as coisas estão tão satisfeitas com a lisonja dessas palavras que estão até crescendo. Oh, que o jutiau é uma ideia fixa daquilo! Que manias de maneiras! Onde é que nós estamos indo bem? Vadrento, Satrapana! Quem quer uste que lhe custe. Quantas parassangas? Quatro parangas. Isso me prui. Quer me fazer umas obexéquias? Que oréades são? Um tapa francês, um murro espanhol, um coice veneziano, um empurrão luso, um tabefe turco, um soco-inglês? Tem cururu na paróquia, benvenito vinde! Desde que pus a navalha na cara, não sei o que dizer ao espelho. Premissa é dádiva: a raposa Nassau pula, estando verdes. Deus só sabe o que é; mas eu sei o que não é, o que é mais. Constanto o que não há, mento o que não tem, esboço o que pode não ser e sou o que nunca serei. Sou o bicho que chorando festeja e sorrindo pensa. Prefere cheirar ou pensar? Quem é que deseja distinguir entre ouvir e pensar? Pensar, um exagero. Um nome ao que não pode ser: cuculibãe! Aponte para o nada logo, antes que ele se transforme em tudo, como costuma fazer desde que o inventaram os velhos, os cegos e as estrelas. Aqui se fala muito, falar é viver: dizer pode ser um céu. Céu, poder falar e ser ouvido. Quem fala? Muitas vozes falam dentro da minha cabeça mas a voz, só minha. Quem fala é oposto na frente. Só ir falando, e vencendo. Trouxe o que perdi? Está perdido mas não veio ainda. O que quer que seja. O dia, um cego sonhando com um incêndio. Risum teneatis, amici? Melhor pescar. Bicho bom, a girafa que se debruça na janela da realidade. Que é ipso? Brívio. Ningúncios, em notas tironianas... Este pensamento, o fim do mundo. O homem está olhando as coisas: o homem olha as coisas, HOMEM OLHA COISAS. Estrada não se dá com mapa, leva a canção na flauta, leva a flauta na palma da mão, leva tempo levando a vida em flatus vocis. Brasília florença em nosso falar comum, brasão dos mortos, máquina heráldica: brasão, um mecanismo: o leão funciona contra o dragão, abrindo o leque do zodíaco. Papas dormem no ar de mel de abelha, um deus na barriga e os reis aos pés! Acho que Deus me deu tudo o que fez e estou deixando cheio de nós essa rede com traçado de tapete persa. Olhos com que vos olhasse, — mira o que se cursa no que passa xispando: traço o círculo e hajas falas. O cabalista traduz o carimbo em cartório, perante o axioma, coisa alguma significa coisa com coisa, isto é, o teorema da pedrestrela! Grandes influências de mim, eu cito. Caveiras iluminadas no caminho de Pacômio, levai-o aonde não seja a poeira, fumaça, penumbra, nada. Uma flecha persa nessa festa, a selva preserva as feras. Que entremês é esse? Cores, uns dragões nas nuvens, raios saltam fora das sombras, e no ar em desespero, o cheiro! Um flibusteiro com um papagaio no ombro, titã com abutre no lombo. Na cabala, abracadabra: uma dízima, perora. Terras vindas, terras vistas, terras vencidas, — o fracasso das concussões abalou com a bancarrota das contas a pagar a dilapidação da praça de rapinas fiscais: um turbante verdeouro manchado de sangue. Acendo com gestojeito um fogo que queima sem parar e arde sem par: um fasma com cara de leão. Jaz um pastor matando abelhas o assobio da flauta, pondo os astros em andamento. Te vejo, esteja visto, e me aconteço nisso. Não excede o peso do pensar a gravidade da espada pendendo sobre a cabeça a fio. Mercância, roteiros, em cada tremor de terra o ônus do zodíaco, a roda da fortuna dá numa caixa vazia e era

única: chacina em Diu. Goa é Troia. O Gama é leão em Damão.
Inquietos os dragões de Cambaluc, naus em chamas no mar
Vermelho. O canhão espalha tritões. Que sesta é festa? Guerra
na cor, cerimônia no perfume. A coroa na caveira, palmas para
o fogo que devora a púrpura! O monge, coroado com torturas
à meianoite! Raro o dia onde coisa não pia: no moinho, ouve
o ritmo de monjolo, pensando iamboscoriambocorreu...
Agarrabaal! Acuda-me, Senhor, aliás, estou perdido, desculpe o
favor! Vem vindo de longe um pensamento longo que todo mundo
está pensando o tempo todo, e tem! Quem diria, hein? Oxalá isso
aconteça, para a saúde da minha cabeça! Seja feliz, e escarneça
dos santos sacramentos, nem está batizado, e já bebe vinho. A
paisagem, maior que o sonho, padroeira das bestas feras, varada
por uma flecha persa! Acocoroxar! Contamino tudo que conto
com essa boca cúmplice: culpas lavadas a lágrima, púrpura só se
lava em sangue! Tusso, e vejo um eclipse. Presente, um preso pronto
se apresentando! Da alçada do coração, a laçada do pensamento,
o laço! A flecha contra Aquiles acabou de cruzar a flecha de Zenão,
perdida num carrosselcarretel de senões... A máquina da infelicidade
trabalha celelecereremente. Pelo visto, tiro a base do porver. Pelo
pensado, traço uma linha por baixo dum quadrado inscrito num
triângulo isósceles, o equivalente a três cubos de um outro
sisteminha que penso, de joguinhos humílimos e subminúsculos,
adminísculos pequenininhos, o diabrete no saquitel,
microminimimequenihilmirim! Colossomausoleão! Rei é o leão,
matem os outros! Cabeçorrabarroca de cachorralouca!
Macacomecomam! Numa quermesse belga, num convescote persa,
as conversas dos bispos do Japão! Caligrafia sob tortura, o
sumoprimor da arte. O leão está na nau capitânea, é lógico. Morra,
essa foi fácil. E a da flecha furando a bandeira persa? Erro crasso,
era a máscara trágica. Par sem igual, tuas aparições, visagens viajando
na miragem, viu-as Pacômio, Pafnúncio viu-as, e viram-na os padres
do deserto, diamantes se polindo nas rochas da vastidão! A roda
rola em plano inclinado côncavo, — o olho: duas bolas esbugalhadas
olhando dois cocos. A zurrapa do ser, néctar dos deuses. Saudade,
atraso de vida. O óbvio: apogeu do assombro. O ápice do exemplo:
cópia do modelo. Primor do nervo é crer imortal a alma, o ventre
elegantemente posto entre parênteses. Longe de tempo que não
tem mais antanho, onde estanharam as montanhas de Artúlias?
Calabúnia, tatuvarão: perspix! Mais desde um sobrou; o que ficou
foi puro pouco, apenas o inadiavelmente supérfluo, ó Anadiômena.

O tempo resvala nesta verdade: estrondo de máquinas de guerra
e operações poliorcéticas. Mas há o que quer que seja, um ápcylon
sempre possível. Certeza nunca houve; aconteceu aprenderem a
cultivá-la bem antes de pensar bem. Passantelmo, Ararato: casa
é guerra, mundo é festa. Clitorismenestra brilha vermelha.
Peregrino, erva no nervo! A saúde do espírito, câncer do corpo.
Corpos o vento leva pelos campos, o último suspiro já sopra pó!
Ser, livra minha cara. Lavra minha casa. Lembre como eu era,
saído das águas, do dilúvio do batismo. Nervos, susto, espetáculo:
pó, apenas um pouco de pé de vento, e no entanto, então! Guerra:
o vampiro no labirinto vermelho, sair vivo, salvação preterível!
A marca de Caim: dois dentes no pescoço, dois pontos. Ídolo
do Brasil cai por terra, era estátua, estátua é muito pouco. Há
os que pensam muito no terreno arado e cultivado mas haverá
os que pensarão contra todo o passado pensado da terra, fértil
fazendo desolações! Da ganga, salta, conceito das substâncias, em
estado bruto, selvagem, dá um destino à direção da trajetória das
entidades, regna! Cai o ídolo, fica a ideia, logo estátua porque
onipotente sobre as pedras. Cantoche, fantochão! Reparapera,
acalmagaleão. O colonês da Bolonha, babaduíno. Caatatunga,
cidadão perante Calemburg. Corrimerrão cocoverde, ramerango
corpo de varde, de tanto vagar, tartagórias. Dono do seu tempo,
tiro virgem num alvo de tinta fresca: deste, o código da flecha.
A esferinge imediaterrânea presoculpa um guardalpasso num
penumburaco, num carímpeto: desdevio a atavio, sequalquer um
predepósito por sobre embaixo da ocacasa! Em cidartanelos,
conspir! Caduma meninopausa, crise eleia. Pernihilongos na Trapa,
pátria agora também taba, ciguitarra prosatráspida. Privilarejo
manucheio, Marcanoé! Ai da terra fértil que as sementes devoram.
Depois de um caminho que não era para se demorar, o peso do
deserto do mar. Bestas feras do campo, quem vos abaterá a empáfia?
Quem chega tarde é quem conta, cronistas só aparecendo quando
a batalha estiver pronta e feita. No dia claro de voo, a cor, assim
que mais escura que ele, do ovo. Avanço, ao som dos meus tambores
cardíacos! Dotada da devida febre, a razão engengisdra monstros
et quidem alia singularia, ut apud Plínio. Dá-se uma ideia do que
se possa: quem viveu bastante conhece seu lugar. uma denúncia
deu plausibilidade à minha existência: quero ser temido, não quero
ser paparicado de comprido como quem foi compreendido, me
esbanjo em porradas, quando me entendem viro bicho e, bicho,
ninguém me arranca palavra. Violência, — caminho mais curto

entre dois pontos, mesmo que recentemente elevados às culminâncias cardeais. Para quem não fala, qualquer língua serve; mas para quem já disse tudo, mas eu que falo de muitas maneiras, preciso descobrir o ganho desses manejos todos. Criarem o mundo abriu inaudito precedente de incalculáveis consequências efetivas. Já que eu, só, e isso tudo vem a dificultar-se. O tempo, o tal subdistrito das coisas, desmilinguido a poder de flechas. Vieste? Sim, vim. Disseste bem: vir, bela palavra, e a disseste além do que costuma. Donde? De lá. Lá sempre é bom. Como vieste? Bem. Bem? Bom, bem é bom. Quando? Há pouco já. Pouco a dizer, diga o que precisa e da melhor maneira que puder. Dizer, sempre menos. Guerras, funestas. A raça heliotrópia de Adão quer plantar, colher e curtir festas agrárias, a guerra aos deuses pertence. Abriu-se para o nada num grito a flor que se partiu para o vento, fazendo suas vezes e ofícios. Atravedepressa? Não, consumo, o meu é consumir. Ariundo, aonde? Dunda. E para aí. Estamos de coma, com acessos de vandalismo. Não o caso, quero contar quando falo dessas coisas que para elas me atragam: cadência, não querem dizer, cadenciando. Agora, pergunte a quem não compete cabimento, se está certo ou não está conforme. Tão tenacíssima resistência tem partes com as essências. Quer ter a bondade de tirar a benevolência de perto, quero ter as mãos livres. Como procede um avô? Nos intervalos da paz, faz o pai. Não é bom que o tipo fique só, disse o senhor, e acoxou mais um. Festa dos Bichos Gordos, Grande Volume em Estilo do Homem: esse estro me persegue, talismagismã, qualismãe! Peripelúcia de pedrilúvio, périglo à vista: xibaropf! Fosferece, fulguruj! Minha cara, eclipse de um espelho em crise. Espelhafato, sã política. O umbigo do mundo, o ritmo de um esboço. Vai-se-me aos poucos a santa paciência. Até as pedras, estraçalhadas de espanto, arrancaram os cabelos uivando de desespero, espalhapranto! Consigozijo fiossassafrás, bambubois afsul, paraclara halálitos. Na calada de um quiçá, alégrima laminoral. Arte de Escrever por Cifra. Abatimento em meu estado, espere, aí, sem perder porissos. Pelos menos, está com as coisas em cima? O mundo em ordem? A vida em lapsos se manifesta. Pedragóngorna, elixir elixirim! O náufrago de um falar sem fim, penúria cercada de tesouros ao longo dos arredores. Nem targum nem genesim! O que tenho, o que tenho a dizer: o que mais posso fazer, digamos assim. Náufraga na carne — a ideia comunica fabricando o espírito, prisioneiro predileto da matéria! Aqui, abaixam a cabeça em sinal gravado de despêsames:

a substância, AQUI, incorreu numa coincidência com a circunstância, proeza da qual não se escafederá impune. Digo o que sei, e que sei é o que sinto, sinto muito: só sei o que posso dizerdizer e só sei dizer o que não posso calar. Mente, dedos. Pensar, contar. Começa espanteão, acaba pulcro. Chequechove. Carrasco de mim mesmo, rascunho d'isso mesmo, corisco d'armas! Trato dos meus traços, teatros à bola, aterraçomolas! Rasguerascunho. Rascunhe e dobre. Banguebumerangue. Preparaprepúcio que lá vem confúncio, prosperaprecipício que lá vai prejubilício! Empapuçafarofa. Apedreja e foge! Tire a flecha e o alvo, fica o quê? Um persa pensando. Um sujeito, um tipo de cara, uns jeitos de gestos, um ar de gente. Tiro por tiro o de que não tenho a certeza para livrá-lo dessa incômoda armadilha pronominal. Pinte a cara de branco, caratinga! Trâmite que leva a pena, vale a penitência: papagaio engata a língua, fico gago em solidariedade para com essa criatura tão mal falada em vizinhança tão bem calante. Isso é sorte que se tire, um risco compensa um rascunho, se levado para a riba da risca. Caveira com voz de taquara rachada, um grilo dentro, — tabaco brabo, trabucobitruca! Tocacutuca a onça a curtopau! Ming Wing, ganzábanzai! O eu seco. Chapéu vermelho na cabeça de chipre — o flâmine na fogueira ardesapeca. Arapucadesaparece. Somâmbulo, triânfulos. No ovoalvo, — pretopinta no brancopersa: a flecha! O guivrapapão, giraguirlanda: a guzla da guerra. De Ovo Occam. Fragróbvio, macacoinhame, ipecacuânea! Acabo de conferir as estacas e as bases de espetáculo, nem queira saber. Quão digna de Occam essa resposta seca! Deixe disso, disse-lhe o seixo. Ponho a mão no fogo para tirar fogo dos fogos, e me acendeio pelo fôlego, falastra! Num chapéugirassol, fogo viste, linguiça? Calma na América, isso não é fole de ferreiro que paga e não bufa! Forquilha usada como força, nem formiga quer forfex! Flecheiro acerta pelo cheiro, o trecho que vem depois da brecha! Ostracaorquestra! Com a cara que mamãe beijou ninguém entra nessa Pérsia! Proponho um jogo sujo, dou uma carta, adivinha cuja? Dando um naipo é fácil, e dando os quatro? Uma lenda de Dido, em Cartago, lendo uma Eneida, mordendo os dedos como qualquer virgílio. Corta o baralhobarato. Das flores de retórica, os pomos da discórdia: o que está feito, isso não se faz! O triângulo, sua vida trina: tristis un um, nulla Trinitas, tristis unitas, unica Trinitas. Discordo não obstante o que aproveito. Não tem cara de quem sabe o que diz, dirá assim só para não saltar a vez? A vintequatro agostos, Bartolomeu entrava em Roma, obscuramente para aqueles que o cercavam, mas em triunfo como diria quem lhe pudesse ler no íntimo. Não havendo nenhum candidato com vocação para leitor de interiores, Bartolomeu vegeta até hoje à sombra de uma inscrição latina, ou como sussurram as más línguas do lugar, etrusca. Está que é um vesúvio, onde só veem o vazio. Ouro, aquidelrei! Um rosto para cada máscara, para que essa careta feia? Máscara bonita: é persa? Como é que essa cobra, morando na sombra, ficou tão corada? Capangaparanga, caxangapirassununga! Segredos que Vênus cora e Hércules desmorona: atrás da orelha. Beco do quebracobra, nas quebradas, muito capim dá quebrante, por hoje chega de pensar bobagem! Quem te come, saberá; quem te vestiu, te viu nua? Abro mão de um homem. O sapo pupapipa, águacai, shimbum! Não saia do alcance da flecha, que morre furado, ataque o que estiver mais longe, primeiro: arte da guerra, simples. Chegue durante o colapspcardíaco dum colibri. Caia em cima com tripa e tudo. Mantenha o ritmo. Flecha é de menos. O importante: ser persa. A máscara está na cara, só não vê quem não usa! Quartel general em Abrantes, tudo como antes; o jogo de VilaDiogo termina logo! Já vi mestres antes, este é como aqueles: a mesma barba branca e essa extraordinária maestria... Mas na estrada é diferente, eu aprendi em outra escola. Isso é só isso, deles? Estou com uma coisa na ideia, como é que está o vapor? Não tem mais recurso nem persulco. O dedo duro aponta os cinco dedos, cada dedo acusa o que o dito cujo! Um sonho dentro de um sonho dentro de um sonho dentro de um sonho dentro, e no fundo do sonho dos sonhos, o Senhor das Luzes e das Sombras, Lúcifer, rex somniorum! Ouço música dentro da minha cabeça, gês gingando, rês pingando: o lixo da música, silêncio. Cai um som em cima do ronco; bater coisas em coisas é música e é coisa. Regime do solitário. Desconfio da flecha, Bardesanes. Parece saber dos nossos intentos. Saberá que Zenão atira mas não? Pouco curiosos em relação ao que sabemos, e como sabemos tão pouco, mal, demais, sobre tão pouco e um outro tanto! Onde estarão minhas flechas, já estão aí à porta, já ouço, si ego sibilinus sibilo crudeliter te excruciabo! Profecia. Essa flecha ia. Decreto. Seja lançada. Princípio. A flecha, de todos. Réplica. Os que atiram. Súplica. Não atire. Oração.Ó fecha de Zenão. Corrigenda. Disse senão? Reprimenda. Eu disse não. Flecha de quatro lados, lance de desenlace numa jogada! Flechas persas, intermediárias entre os gregos e o sol: incendiárias. Cadabrilho atrai trabalho, cada bicho troca de barulho. Constraço.

Retrusco: traga. Trinca de quatro. Tome um trago, toque aqui.
Um treco. Um taco, um tranco. Trinque o trunfo em três, tranque
troco. Truque: repito o que digo e discuto com o eco. Morre
ser, fica o signo: chinfrim de três em pipa, papo, pepo e pupo!
Os escribas se multiplicam pela terra, cada escriba faz o filho ser
escriba, o qual escreva história de seu escriba pai: um escriba vê
o outro e aprende a sê-lo também, ser escriba ou mestre de
escribas ou guardião das escritas, ou herói das bibliotecas, gerente
de engenhos de escritos, fazendo as sagradas escrituras. Quando
o último escriba morrer, outro escriba ao lado pronto para tomar
nota. Livro, já estiveste dentro de um sonho e te fiz despertar
porque o sol é melhor que o sonho! Desconfio da dúvida, incorro
numa certeza: zombo de esquecimento. Mostro e nego o monstro
para o monstrengo: acredito no que não sei, três barrufos, três
toques! Toco, tuco, tucum! Aconteceu-lhe ser. Haja. Que é que
há? Falo tanto que minto algo: muito não está certo. Assisto, míope.
Horizonte de cegos: quem tem muitos olhos, comparo aos cegos
e às cegas, reis às vistas ou ao alcance de um óculos de ver longe.
Cego não vê, não lê, não crê, não é? O escriba sonha com um
herói cego? Pois haja cegos nessa Pérsia! Aconteceu-lhe um estado,
golpe de graspa na couraça da carcassa. Ofereço o pensamento
e só ouvem a voz? Tacanho tacuíno, canhenho alcuinho. Caí em
mim e fiquei parado como caí, negando ecos e dizendo o contrário?
Mim, quem? Sonho um pouco e já volto para a revanche.
Caimcapim! Alminguém... O mundo esquece de nós quando dele
nos esquecemos. Obedeço à distração: lembro do Lete, que só
de me lembrar um olvido me crise. Dou um salto no claro. Errei.
Sobrou uma? Uma vez só, e basta uma. O poeta fala do ciclope
cego, cego falando de cegos: não precisa de rei. Rei é para mandar,
apreciar, punir: lei, régua, cárcere. Cego não faz nada, portanto
não erra, logo não é réu de nada. Báratro de cego, — cucas adentro,
ver o fogo, apaga o fogo. Fogapagou, fugapogeu!
Minotauroformou-se, cada um trate de ensimesmar-se, mesmo que
seja cegovesgo! Vire para dentro a cara que forachove. A sengas
arengas, parlongas flamingas: abismo na cabeça, jogo a cabeça no
abismo, um hiato nos abismos, pelo prisma dos sofrismas, espicho
a cabeça de lado, abismado. Lavo minhas mãos no sangue da vítima,
chacoalhar o olho, chácolher de molho! Galope galego,
peregringrenalda! Dá tempo ao tempo que atrasa até acabar. Cada
um como cada qual vê qualquer como bem quer: por essas e por
outras, fico com uma e outras. Os ídolos caem no pensamento,

explodindo em adorações. A mãe do esquecimento deixa lembranças, assim veio a filha a fazer-se mãe de sua própria progenitora. Filósofo, louco de propósito; intérprete de verdades, setenciado por si mesmo, pregador contrário a si, mestre de ver, cego. O silêncio é bemaventurado, e ele o exalta falando demasiado? O arqueiro, cego: a flecha não tem pé nem cabeça. Cego, em silêncio, esquecido, esquece de tudo, emudece de surdo e enlouquece de novo. Silêncio, vaso ou vazio? De que lado do espelho estás? Sonho um eco. Um apelo. O espelho queima no fogo que reflete. Maior zorra e algazarra, Archotentote! Não deixe as coisas baterem nas coisas, não permita que folhas se esfreguem em cascas, que asas rasguem casacas, que ideias furem seda, que búzios usem luzes! Alcachofratifa, boalambisgoia! Coisas feias dão sons feios, feras doentes com rugidos dementes, entre dentes cariados, canção ou grito de dor, — cordena! Cheguei tarde na guerra, já era festa e eu com armas. Esseranarassa! O canto das sereias, mentira: o riso, incorreto, batem palmas para o desempenho do eco. Essa era na raça! A gangrena encrenca a cantilena, parar a música para pensar em silêncio, ouvi-lo passar, aprender pelas oitivas e soslaios. Inauguração da Festa no Pavilhão da Primavera, a música nos perfumes, as flores das feras. Sai som do que não vejo, ou é eco donde veio? A espada entra no silêncio do método, e sai na ignorância. Banzé me benza! Escarrapachato, pipocapicacoca a minha cancrena! Caso raro e nunca visto nos anais dos casos raros, esgotamento do entendimento: submersalinha, o peixedeixo! Cochicho, se cochilo, fracacossasso! Para, põe o cajado no chão, a mente na palma da memória, o corpo na pedra e usa o eco para falar consigo mesmo, almas de miasmas mas as mesmas massas! Celeumaleques, camarão alegre! Nesta meditação, gastarei o tempo de minha vida, aquele microcosmos de protocolos! Alma, entra dentro de ti mesma, o alvo não passa de um espelho. Minha substância sofre um acidente, diante de mim. Falo como se tivesse uma faca no pescoço, digo o que seja e não chega. O memorial das maravilhas não repete espetáculos. A alma sai do sonho para o mundo, o mundo começa na alma. Mundo, sonhos e almas do outro mundo. Movimento, o signo do vazio. O espaço cresce com o calor, olho no timbre. Enxota a mente, explora o que está sendo feito: isto está sendo dito, muito já foi dito, muito está para ser negado. Explique seu modo de dizer, passe adiante: fique acinte, leve um passe. Ora me lembro, ora me lembra. Não é de estranhar, estranho é o processo. Luz, a vida dos seres: nada mais é possível;

estável — o que consta. Vox lucis, vita, essentia lucis! Aleae animas ilumina, qualiaquanta. Quem é que está me hipnotizando? Dia, primavera dum mundo novo: tudo feliz. Ideia, boa. Hora, imprópícia. A sono solto, dorme na casa com portas e janelas escancaradas. O fantasma não deu em nada, trajeto trágico, drama de nascença. O entendimento entre as aparências adquire a experiência de distinguir distâncias. Nada claro o procedimento, a indicação: caso especial de lugar comum. Como distinguir um dragão de um palhaço? Salvo por causa de um trocadilho, Roma — salva por puro acaso. Estamos conversando conversas diferentes sobre o mesmo assunto. Louco por mérito próprio ou por força das circunstâncias? Estamos falando sem medir as consequências pelo obscuro gabarito dos antecedentes. Vá em frente, eis o abismo. Cai o eu, a gente fica onde? Dedica um monumento a tudo que está lá ou fica fora de si? De nada adianta saber quanto, desperdício de sinais: uma cidade fantasma à luz de fogos fátuos, uma terra de ninguém escurecendo. Incendeia-se e desaparece — a fogueira aparente. Tento passar do lado paralelo a um ângulo prático da questão. Quaestio de rubus mundi: ai de quem for achado como eu, desleixado do eu, esquecido do eu. Me esqueci, amnésia à toa, mensageiro passageiro: querendo exibir um mínimo de existência, bate asas no vazio, o vazio só com ele, e ele sozinho. Nulo no ato. Ali. Não fosse isso. Livre, o equilíbrio entre balanças vazias. De súbita presença fica uma certeza, uma dúvida a ficar: um mistério para variar, uma avaria só para constar. Quero durar; eu hei de haver. Eis-me sendo: sou-o. Libera um ser fora do tempo, contando para ninguém, consigo. Pode ser heresia, doença ou efeito das circunstâncias controversas que ora atravesso. O alvitre, livre. E, onde, agora, aquele lugar? Aqui, nunca. Tem alguém por aí dizendo o que eu ando falando, respondão, senhor dos ecos e dos gestos! Extinção da vontade do eu, eco no apagar da vela, extinção do eu na extensão do mesmo, atenção para nada de si. Por nada deste mundo! Está com a faca no eu, jacu? Gargalocaracala, o maracanã canta: assassânida! Tiro-o eu pela culatra, devagar com individualidades. Como se diz em Babel, se eu não falar mal dos outros, de quem vou reclamar? O eu abolido. A bicho assassinado. Fenômenos azuis em circunstâncias inexplicáveis. Comigo, não — situação! A mente tem excessos que o corpo não excetua. O vaso, — seco, azul, azedo e leve, cheio de um vinho indelével, azulado, que amarra que nem caqui. Tem um gosto úmido, verde, doce e grosso. Deixa a gente abstrato, transparente, comprensivo e

instável. A memória vai secar, lembrança duma pedra caindo no
mesmo lugar. Dou-me à multiplicidade, salvando-me dos ermos
de mim: deixe uma margem de circunstâncias para minha segurança.
De sozinho a nada — um passo, um espaço de lapso, um lapso
nas arestas, uma coisa de nada. Quem estiver distraído, um passo
no destruído, o esculpto no juízo. O óbvio eclipsa um enigma.
Passo o paradoxo como mera hipótese. Escaço esqueço: a história
deixou a memória em estados interessantes. Esqueci que estava
no mundo, o mundo estava aqui, se distraiu: não tenho dúvidas
a respeito da raça e do grito. Emitem seus gritos! Papagarrônia,
babacarrisítios! A mínima disposição oculta para a posição que
ocupa, a máxima compleição interna, a mínima resistência contra
as pressões externas: seus crimes! Farotricino, oceano cênico!
Mbenolr! Berrei um pensamento, irritando as onças: me imitaram,
caí em cima do Occam. Quando me vi nu, distraído e sonhando,
— disse uma palavra mas não tinha sentido tê-los cinco — me
vi sentado em atitude de quem espera o que passa por mim e não
vejo, acontece que vejo o que se passa e não me acontece nada
a não ser isso ou quase nada disso. O que a gente pensa a gente
perde quando ocorre, saca? Xarope, coiseie esse negócio, se queres
queres, se não queres, diz! Cale-se o cáulamo: era um estado
interessante, uma passagem na vida dos outros, uma afirmação da
crise. Tomei consciência, tenha paciência, anularam o silêncio: a
mente faz tudo tragédias, bem melhores são as coisas. Memória,
a pior coisa do mundo. Proponho o seguinte estado observante,
suponha que tudo isso seja verdade. Sonho alto, artes somnii: lembro
vagamente de um vaso, invadido pela vialáctea. A fumaça, fértil
em fantasmas, o vento desfaz a fumaça, o véu do vaso, naquela
base. Pontos coloridos na água da primavera, olhos verdes de dentro
da folhagem verde. Crime! Grito! Som! Castiçais abrem fogo grego
contra a Atlântica Antártica! Desperto e estou em mim, aceso contra
todos. O mundo inundado de sonhos, — árvore na sombra
conversando com o sol, convertendo tudo isso em si mesmos.
Maricacaçapa! Diffufum! O bico, um compasso aberto medindo
o grito. Berros desfazem a luz, o silêncio evapora. Ibis est quaedam
avis, idem idis, ibidem redibis, rebus natus. Rursus, o galope do
canto das aves atropela um peso e uma espuma. A estrepolia
extrapola: misériadiscórdia! Saicaco de cadaboca. Um cisne maquina
o último canto, uma fênix fez das suas. Aviso. Extremamente única,
a avis rara — exemplário, o inexistente modelar. Partes fudendas,
partes infidelium: artes fidelitatum! Já não vi tudo. Hoje é assim.

Antes assim fosse. Alguém pensou aqui. Já pensou nisso?
Dedico-me. Parece mais verdadeiro, conforme confere. Percorre
um discurso, me perco já já. Oponha a memória, inaugure a máscara:
risquezas desargonizantes. Per capítulo de porco! Intendência,
atendo aqui. Só eu sei dizer, nem sei fazer: faz-se. Não mudei
em nada, não toquei em coisa alguma, não alterei nenhuma
identidade. Já melhorou o filósofo ilustre em trevas. Lauto juntar.
Somos assim: nemo id negat. Laetare aleluia: alegria de quem pensa
vendo tudo passando dos limites. Boas novas, estrelas várias
desesclarilham, vem vindo aqui. Experímetro: ruminar o rumor,
o motor movendo. A verdade vem saindo mais ampla que convinha.
Tudo já era passado, não sei se me afobo. A todo preoculpado,
o seu cuidado: tortura, torturado! Meu nome é este, não diga outro.
Nada esperem de mim os desesperados. Bem feito para o caracolega,
sem jeito para morrer. Atortormentava os fantasmas que habitam
os mármores e marfins da lógica, fazendo tudo dar certo: leva
tempo mas chega. Vale a penúria? Ave et valéria! Penso
desbragadamente: chega de dar na estica. Aceito o seu mau jeito:
não vai dar para saber. Alguma novidade? Uma ova. Agora é que
são elas, distraio-me fazendo. A verdade é o que há de eterno
na notícia. Línguas antigas falam na lógica. Super re tam abhorrenti
a fide, o real — assíduo no desverdadeiro, ou é outro desses truques
malabares? Que é que estão esperando? Dubitatores, quem cochicha
— conhece, um quiproqual sofístico. Nossa relação nos desaltera:
nossa excursão nos relaxa. Um prodígio proteje um provérbio,
o objeto projeta um sujeito: despotismo de calamidades. Uma
palavra diz tudo. Por exemplo. O desenlace aliás não está ao alcance
das abalanchas: a aliança não entrelaça o emaranhado. No encalço
de desdengonço, o relapso. Realce mal se relaciona, ressalta-se —
o drama. Consensus omnium, in conspectu speculorum: múltiplo
senso. Por acontecipação, as inocorrências atrapanham a quisição,
inceto nas indistâncias encontrárias. Apariência. Horresco
referentias: empedernódocles que os encarregue! Alter, que não
ego, ideatur. Nembrama. Nenhulha. Assimpassim, principríncios
comovimentam, ibidências desaparentam: adrediante, rumilhante.
Camaleâmpadas em oferensa, compêndulo de estudícies. Por
desencárnio de concepção, rascunheço exinclusive iluxúrias e
eliminárias, doutroravante anaxiômegas. Dividido a quê? Desde
versas. O sujeito projetado foi aproveitando mal a oportunidade.
Bicho papal, fauna de Babel! Daqui, naquilo! O que faz isso ser
assim, é que se for — talvez pudérias! Aliás durante jamais —

grande mistério, máxima ignorância! Verifique a essência, a
santíssima excelência da realidade. O movimento de geração e
corrupção das substâncias não dá sinal de vida, aproveitar! Cai
no intelecto através do seu modo de atualidade absoluta, gastarão
guspo contra. O conhecimento sistemático universal faz nisso um
de seus mais memoráveis estragos. Quadrondo está erronho! O
sujeito arranja um objeto, o problema é o entrejeito. Sou fiel.
O olhar objetivo das pessoas. A força de olharem para coisas e
objetos, ficam com o olhar objetivo, reduzindo tudo a coisas. A
que se deve meu atual estado de espírito? Ao fato: não se trata
de estado de espírito. Vamos aos fatos. Com efeito, qualquer
movimento e fuzilam-me pelas costas. Se fuzilado, perguntam.
Respondo: que pergunta. Sei fazer, resta provar. Inquieto-me em
vão. Consolo: ainda não me viram. São outros. Falam bem, falam
negócios. Sinto-me levemente ameaçado, vão pôr à prova minha
objetividade. Espelho das Luzes, Liber de Causis: selo dos filósofos,
refletem-se os planos. Opticae Thesaurus, De Crepusculis: Cognitio
Matutina. Um rio de flores sai de uma cornucópia, medo de
acompanhar: vão pensar que preparei alguma ocasião para a
ocorrência, de nada sei. Quidquid, in lapidipidus! Água tem por
aí no verde que se vê, no escuro de um clarão, lápislazúli: o grito
azul de agudo de um pássaro verde é de uma beleza horripilante.
Ecatl, quetzal no sol! Crystal blumen, um polegar de vermelho.
Quatrecatl, coatlacloaca! Manadas de náiades mamam na teta das
hipopótamas. Um tritão estoura os miolos gritando mais alto. O
rio parou, a ave calou, caí dentro de uma coisa: luminaúltima!
Onde ficou aquilo? Quando ficou assim? Quem se ausentou?
Usquepopulusque, alturas claras: depressaperda. Franze a mente
numa frase, a testa numa brecha. Desabam as muralhas do mundo,
revelando por detrás as formas que se escondiam sob as espécies
dos nimbos do éter. Ervas passam e alimentam o eco a espirrar:
espelhos, cascos, escombros, conchas como as esponjas — como
em priscas eras, piscam nas águas múltiplas! Trabalho aqui, sou
trabalhado por correntes positivas e negativas: quem me arremeda,
não me apareça! Muito susto, pouca substância, perplexo no triunfo.
Desvio na coluna: ouvi grandes coisas e coisas não perdi grandes,
coisas grandes, coisas grandes, coisas grandes! Lisuras nas lonjuras,
tremeiras... A coisa grande fez um grande barulho, de um brilho
cegante, o negócio sendo o seguinte: aconteça o que pentecustes,
pentacaitetux! Tropeçando no equívoco, nega qualquer passo de
mau pedacinho: trincaprincípios, perdi a sela num antepontapé.

Derechofecho, desfexoflechas! Abro uma ala, fecho um elo.
Monastérios guardam cabeças: cabeça de monge, crânio de poliglota,
raça de perguntadores sonhando as respostas. De dia a cabeça faz
a pergunta, acordada, a resposta vem de noite, nos sonhos,
pressentimentos de ameaças, súbitos suores e calmas aparentes,
estertores, o monge sendo devorado pelo seu sonho! Depois da
catástrofe, a apoteose. Constatação do óbvio, constelação dos Ovos:
não me cortem o sonho. O sonho acelerado. Dei um tapa e levei
um coice, troca de golpes, justiça comutativa. A paz vem no sangue,
soprada pelas brisas da respiração, um arco-íris girando! Cuiatapuia,
capitania batida num coco! Cheire e embale! O índio sonha com
tudo, tudo é muito bom. Muito tudo é muito bem bom. Bom,
tudo bom, tudo bem! Dê um tapa no topázio, um trago no copázio,
um trapo no trapézio, vai água nesses búzios! Maganos de assobio,
anfíbios de alfarrábios a tiracolo! Asapeteca, massa fétida! Aos pés
do fenômeno, o assombro. O bucho cheio afunda coceiras na água.
Quem gargalhou, o escuro fala! Cada um merece o que não quer.
Língua de perguntador, orelha de mercador! O bicho de sete cabeças
tem o entendimento meio mal distribuído, a cabeça em cima do
pescoço. Outra vida, que esta não está dando para o gasto! Já
vejo as sempiternas Ideias no coração de Deus! O raio chicote,
ricochicote! Trágica candura de um hipócrita equivocado, faltou
o engano para errar em cheio: chicoclutz! Glória à fama, honra
seja dada aos quatro ventos! Eco numa caverna inscrivada dentro
de um espelho côncavo virando pelo convexo um som elementar
de gongo, bolas de luzes — beleza de lugar! E lá vem você com
as Grandes Perguntas? Em prol de todos os blemas, prognósticos.
Vamos ficar assim, parar por aqui. Argupte os seguintes segredos:
enigmas parados em móveis antigos, uma margem de erro mínima,
a suprema certeza. Áuspices, awayarum aquamaim, bois ao longe,
rodas, augusmas no barbáboro... Dissipei as certezas, despistei um
setestrelo. Aprendi bastante; vamos desaprender, não obstante.
Fabritobrinco. Se o Brasil fosse holandês, ninguém mais entendia
batavina. Se eu fosse cético, serei dogmático. Cínico, quero a fama
entre os homens. Maniqueu, creio na unidade. Ossoffício!
Superfísis, persífilis mihi vivenda! Folhas sem fôlego, um dia desses
contra um sol assim me assando. Oculorum focus — alarum
amarorum. A fonte funde. Acordo com o mundo em chamas. A
origem do ovo na virgem, a margem de segurança, a política de
sigilo: emphalus — amagus imaginus. Folrynx! Náufrago, lunasauf!
Hiemsiems, perigâmides sem jeito! Que bebedeira, meu Deus, dá

até nojo! Que barbaridade, a náusea através da nuance! Quem sabe o que diz — não sabe falar, quem sabe o que nos disse, e ninguém diz? Muito é dito, pouco é sabido, donde vêm dizerem as línguas que nenhuma língua comporta. Nenhuma língua o convence: negador destaca-se por seu negócio. Conosco, qual de quem? Eu, heim? Eis, ninghein! Círculo exterior, circuito. Dente dentro, roda para Trento! Causus iconoclasmi, começou na racha de uma estátua, chegará até os homens cada vez mais claros em direção a leste após os quais só mongóis escurecem no céu limpo. A dialética supera a retórica, galas — razão de ser da cerimônia. Naves fora da barra — nada! O faro identifica a fome com a farofa que a deskorpf! O álibi revelou-se ubíquo, alhures ubivis! Fábula, em algarismos arábicos: para o próximo número, aproxima-se a nulidade. Introvobis, perjuguntam? Ik kan nikt Brief sein, so ick lange Brief breit schreibrift! O nada começa mais ali, o mapa mata aborrão, o estado enfendra monstros! Schalaphandryss! Um campo, um descampado, um crânio, uma caveira, um craneado! O abaré e o columin: alguém nega tua vida, dizendo: é isso de não sei o quê! Dragões de água levantam a pressão! Não estou inventando história, não estou fazendo cena, não estou dizendo isso, não estou aqui para tântaros. Concluo um conluio, acuso um abuso. Aguente álcool, pimenta alcagoeta! O homem seco está parado, o ébrio dançando. Quem dança a pitagórica música das estrelas? Aí, sim! As proporções de delírio nas medidas de um vaso, feito de um só lugar. Taba onde batuque dá tutu! Olhando de outro langro, nada para olhar. O objetivo anula o entendimento, ignora-se o destino. Pbinga, fvelja! O observador destrói a coisa observada, a percepção é a pior catástrofe que sobre nós tem se abatido por estes trechos: transforma-se o confessor na culpa confessada, a confissão passada. O discípulo descobre o pulo, o centro sai por um furo nessa periferia de truques. Não levanto essa mão em vão contra essa chuva de curare! Specutuquara! Dependendo de dependurando, de enquanto em talvez, floresta de caminhos, xadrez num quadro. De vez em quandando, vou desenquadrando a voz de um bando, deixando pistas e quejandos. A fuga é farra, a varinha da guerrilha arrepenta a esfibra. Para um forro de bodoque, bordado transbordante, a cuia de forró merecia um banzé, pensando. Cadê tuas coisas? Onde, perguntando, perguntas se respondem, ninguém estava mais se entendendo. Deram pancas, pancada — e daqui ao nada são pagos às pampas, pacas! Tamanho pamonha, tenhapanha! Alarme, e o palerma ainda, em alerta! O estado de bem-estar está aberto para quem dele queira fazer algum dispor. Proplex, ênfase de michocardo... Problemapanema! Espantufo, punfo! Qualquer querer é igualquer, para que querer mais? Brasília dá muito na vista. Pembalembra, pufapux! Salta um ovo sobre um rochedo calvo, uma calma morta por saúvas! O ovo e o osso, os ovos e os ossos. Secos, ocos. Dentro da pedra, a vácuo. De tocaia — a tacanha. Guruguai, burubub! Melhor, não dá, o que foi, foi o que deu, melhor que nada. Volto a falar verdades depois de longa e tenebrária bronca. Xiquexiquematemictes! Pampalácio, pagândega! Pancada côncava, apolalvorada! De brava cobra, dobradaquebrada! Em pleno gozo de seus prazeres e mistérigos gozosos, em prol dos ovos contra os ossos. Corre que corrige. A impaciência em agir, a inconstância no pensar. Falou o homem e disse isso, falou o homem e disse o nome disso tudo: quem aparecer, as aparências enganam; compareça ao engano dos enigmas, as aparências de bem parecer, videlicentia! Parece novo mas não passa apenas do primeiro! Dessa água não beberei, desse beribéri — curarei! Como anda a coisa onde causa isso? Nada como um ano dentro de um dia, nada como a eternidade num lugar. A noite cai sob o peso da lua, os espaços estelares não estão com sua forma característica. Oeil-lo! Raro um bicho raro hoje em dia claro. A boca diz o que o coração não quis fazer. Bitrucabentrunken! A flecha já está aqui, abriram o ovo: Zenão suicidou-se com a flecha antes que alguma tartaruga aventureira dela lançasse mão. Tartagrama! Deuses, por aí? Lá vai um, babando pipoca, embuçado e tremendo de malária! Arguto no Targum, astuto no Genesim! Vermelho, frio e rápido. Eretzatsz! Não vá atrás de fuxico de cochilo, coisas de fuxirico! Caco velho não mexe mão em macumburachos! Velhos desenham vasos que se desfazem ao primo toque das gerações novas. A raiva avança! Quem me dá? Quem me dera? Pergunta: respondeu perguinte, desponta para o bem do secante. Grande, o ponto azul, navios de traçado estraçalhado. Marofa que te enfarofe! Rabisco de pensar. O enfeitiçado virou feitiço, o enfeitado ficou feito isso. Pão nosso de cada caroço, não aceito o pão, quero a festa. Horanda Gorinda, burundonga! Abre a flecha na brenha — a brecha! Uma flecha bem a tempo, um espaço crivado. Já é aqui, signo dos signos, ser dos seres, senhor do mundo! Fazfezfix! Comoqualquer, qual o quê! Nuncatudo. Mais vale um gosto de vinho, mais serve um vintém cunhado, cambia? Desistúrbio, Brasília me leva longe! Museus de moisés, múmia da memória! Aenigmata Ludi. Ludendi gratia, quase perdi o fio na trilha, não obstante, o que tinha que ser já era. Não me consinto em minha história. Mas eu sou a justa medida, eu inspiro as balanças a ficarem paradas, eu equilibro. Susto, basto, estimo: estou em toda parte, mesmo em ti, que me procuras. Chamas meu nome, e mal sabe que estou tão perto pois meu nome sou eu. Eu mesma nasci das pequenas ordens, das organizações casuais dos elementos juxtapostos. Hoje me multiplico com o que acumulo: mata cum omnia, domina sed summum aenigma. Que oráculos são? Séculos? É tarde... Tarde demais para esquecer, lembrar: abolir o presente num gesto ausente. Governo um ovo. Reino ali. Sou a ordem interna, a circulação dos humores e a perfeição geométrica. Eu sou o processo. Controlo um encontro. Demonstro um contraste. Desatrelo um desastre. Corrijo um esconderijo. Escondo um juízo. Justiço um crime. Justifico uma crise. Judio dum cristo. Eu sou a crise. Interesso-me por isso. Isolo uma ilha. Anulo um zero. Eu sou a crise do processo. Tornado e transformado. De Formatura Naturae, formalis adequatio: sinal de perigo, lúmina sublústria. Os fundamentos estão sólidos, tudo durará. Dura muito, demora mais. Repetrifício: axiomas desprováveis de sentência. Anule as essências, sou mesmo uma negação. In illis dialecticae gyris et meandris, tudo serve: faço tábula da fábula rasa. Isso é mau anúncio. Volto às origens da ordem. Peço proteção a um poder geométrico. Disponho de pouco. Perdão, senhores animais: perdi o mundo num lapso. Minha educação não me permite ver essas coisas. Um mal-estar tomou conta do meu ser, um mal-entendido contra o bom senso: estou à vossa disposição. Ponho um pé fora do caminho. ACONTECEU ALGO DE INACONTECÍVEL. Minha situação é perigosa. Não tenho boas impressões das coisas: impressiono-me facilmente. Outro era eu quando não coincidia com as circunstâncias. Por que isso? Isso não é coisa que se faça. Nada me justifica. Estou à disposição de tudo. Eu era tanto, tanto faz: quanto tempo estou falando disso? Pura perdição de ilusão. Brasília nunca vai começar a ser viável. Só do que falo, falar: minha mitologia, minha lógica. Para que falar do que não me concerne! Resta a memória intacta. Membro e deslembro umas coisas. Como as próprias ficam. Como é que é mesmo? Aboli este mundo num dia de pensamento. Não me interessa quem sabe: nenhum olho para me ver, exceto bestas. Sou a imensa pergunta. Respondam, responsa vobis. Faço questão, respaldo: não! Melhor: não correspondo a nenhuma das descrições do eterno, feitas de cabeça. Quem me entende, não me desconfia.

Uns falaram, disseram tudo. Todos em roda prestando tendência. Não tive o prazer, tive a aflição. Descrevo um dia: toda a eternidade para falar e ouvir. Só o diálogo não é eterno, a eternidade aniquila-se, a minha é outra. Somos todo dúvidas, uma hipótese contra o absoluto, pense: eu aqui. Suponha, não tem outro caminho para a existência dele ser possível. Ou eu o anulo, ou ele me aniquila, ou nada houve entre nós, ou minha presença — sua ausência ou minha possibilidade, — alfa e ômega dele, Artky. Faço pausa, que fazer? De vi et natura chamaeleontis. Estados estacionários, já olhei de todos os ângulos e o centro congrega-se num enigma. Já me reduzi ao que digo e não me significo. Desconhece-te a ti mesmo, estranhai-vos: não conheço essa passagem. Fiz alto nesta paragem, probabilia conjectura. Uns negam, outros ponderam o peso específico. Nem isso, replicam os demais. Descrédito sistemático. Positivo na situação, discordo: nunca atingimos a justeza absoluta, tudo é de uma perfeição inimitável. De duas: ou me perco no que não sou, caio em mim para nunca mais sair ou me empenho nos acontecimentos, e idem. Ou pelo menos fico assíduo nisso. Vamos fazer um ato, entrar no tempo, prestigiar o mundo. Pronto. Sopro a fumaça, sofro a pressão, mais um pouco e nada mais terá acontecido, tudo será o que for, e o que der e vier — seja lá o que será? O nó, cego, surdo e mudo: atravessuras! O poliglota analfabeto, de tanto virar o mundo, ver as coisas e falar os papos, parou para pensar ao pé de uma montanha. Assaltaram-no dois pensamentos. Um na língua materna, outro em língua estrangeira. O primeiro fez a pergunta, o outro respondeu. Resultado: sou pai de minhas perguntas e filho de minhas respostas. Sei um signo. A regra diz: responda sim ou nunca responda, indefinitus et inexplicabilis sermo. Preciso acrescentar à pergunta o que lhe falta. Está faltando um signo. Logo o compreendido. Nada posso representar, o jogo para. Muito silêncio, a salvar a coisa em si. Salve-se quem quiser, perca-se quem puder! É ouvir e crer. Esqueça-se o seguinte: sic, quid nunc causa est, ego annunciavi. Non omnia — nomina. Física prática, gramática clássica, matemática máxima, mea culpa, mea maximiliana causa! Ao que veio, no que chegou, disse que mudou-se. Persperto? Vem vindo. A crise, não mantenho essas formas, não sustento as curvas! Item alio in loco, chamaeleonem adspexi. Consegue-se, — in dubiis, pro tribus. Assim me disseram as instraduções, tratagemas e desistrumentos. Inuminam e animentam — meu acompânico e desespeso, por enxéquias. Lado dois. Venit? Sic. Eum in somnio vidi. Misteriável transjeto. o pensar emite espetáculos. Estar de um sábio, aula de santidade. Condesdenata denaturatio, probationis tabulae. Latim di-lo, como não dizê-lo? Katamenokata no monômio gatari, de kono, mono no oko mo kodomo condomino, De Re Niponica, VII 33. Inj. Judus. Cum methodo — mecum quisque nobiscum? Neminem nominis memini, oblivisci omnia, datur haec. Dá dessas, acontece o que nem se conta: vou adiantar o latim, um latim que aconteceu comigo, matemática semântica, sistema hermenêutico, ganho meu problema quântico, quídico e lúdico. Uma planta aquática: fale latim, vê se pode. Quero um latim, só fale um superlatim. Que é isso que está sendo assim? Até me desdesâmino: está em latim, está bem. Fica bem por aqui, vamos ficar assim: parábolas parlatas, digo qualquer troço. Ficamos assim. Umas, e que tais. Quejandas é que são elas. Outras mais. Labirintifúndio espetecafúrnio, e fio, por um tris e um traço tinha mesmo graça, pecando e esperando, aliás. Esperando cair o quê do céu, ô! A chuva do sentido enche a terra. Senso e contrasenso, campo e contracampo, contaminam-se. Duplex et simplex: complexux in reflexo, convexus in conexionem, anexam-se. Aqui é que vou dizer o que contar, falo dizendo. Aqui é onde ficaram sem efeito, aquilo — rarefação da matéria, o esfacelamento dos elementos, o centro do negócio. Aí está isso, o negócio desse nó gótico. Vindo por deslize, fundamentei um lapso: quem opera negócios, recoopera os ócios de todos os ofícios. Quem marca um ponto — faz um sinal, começo de diálogo. Rochas escritas, descoberta de Occam: o local do acidente, o lugar do ausente. Enquanto mirava a superfície, minorava o sofrimento, memorava quanto admirava! Em que posso ser utensílio, no presente silêncio? É o que se verá a seguir. É aquilo que eu disse, assim se fez, assaz se fez: beneficiou-se, satisfez-se. Desfaço o que digo, descaso de descanso: façamos as pazes, as coisas, tenha paciência. Boas estão por vir. Se bem que tentasse, mal e mal pudesse, salvo se soubesse. Um sujeito desconfiado — determinado objeto de suspeita, o indolente não sente dor, sente a terrível dúvida. Não procurei evitar o inevitável: algo está para ser, imediatamente, constado. Averigue um teatro, um pouco de gestos, um reto de palavras. Prevendo um sortilégio, um augúrio está previsto. Como se pode presumir, não se pode pressupor. Dizeres dos 7 sábios, quem vai só, maravilha-se mais: um dos sete respondeu, ninguém mais sábio que eu, que o sou de nascença. Persona ficta, fixa: dispersa-se por dentro, vejo aparências. Coberto por um véu, aberto por uma

janela! Lá fora, uma paisagem da Holanda, imagem imaginada!
Dentro, tapetes persas! Mudanças que tais acabam em labirintos:
quando mesmo as mesmas circunstâncias, quanto menos as idênticas
concordâncias! Nullum est jam dictum quod prius non sit dictum,
nihil quod dicturus, mihi dictata dictaturi. A não ser que seja,
e não ser que não esteja: nem que o soubera o faria, nem que
o pudera, tomara! De forma que ficamos assim, de sorte que estamos
acinte! Suposto que seja, supomos que sim. Se me permitem a
depressão de uma palavra, não basta ser cego, precisa ter a mente
cega. Lilases, ao azar, rosáceas: rodízios de prodígios, prestigídios
de juizistas! Ataraxias: o gesto é fraco, porém um tanto belo, pelas
intenções. A ave do Brasil é o papagaio porque repete palavras;
a ave do Brasil é o papagaio que embora paraguaio parece iugoslavo,
boguslav bubulcus! No parecer mais favorável, são exercícios
impraticáveis, a guerra da polivalência contra o universo, voltando
para dentro, nadruguestrone! Legislações defraudadas dissipam os
números, enganos no erro de parecerem óbvios. Esse cateretê não
é muito católico nem nas xafundas do Judó, a conversa não
compensa, o comparsa não confessa: cai fora, cuidando que o eu,
com a idade, cai! Catequesecacete! Não pense, é cacaca, calapresto!
A araponga malhacaçapa em ferro frio, em pedra dura, fica um
furo na esfera: a moringa prolonga um leque de ecos e um equilíbrio
de brilhos. Os peixes estão escamados, os camarões estão
espumando. Jesus das Índias Ocidentais! Símbolo vazio, palavra
vaga, um nome cheio de graça, engraçadíssimo: um despreparo
civil, uma incúria metropolitana, um descaso vão. Engenhos caem
em ruínas. Nem nasceu, já com cáries? Plum! Bum! No rio, apenas
uma pedra que caiu. Na Companhia — uma campanha. Minha
mudança para o mundo é para isto: Brasília é matéria, nada mais
ou menos. O silêncio, o peixe na água e nada mais, Watermater!
Pensei um monstro, fantasmas — necessários, prodígios —
ineficazes. Sei de outras coisas no gênero, conheço espécies nojentas,
novecentas! Plauso aos aplaustros, algazarra desembarafrustra...
Refúlgúgio, ignotável! Nassau, Nassau, Nassau, não te meta em
cavalarias altas, babau, babau, babau! Só um milagre de desespero,
só um malogro de desamparo! O coração em apuros, cheiro de
heróis, odor de santidade! Uma bruxa amaladiçou minhas palavras,
uma ave de mau agouro bateu malho molhado no meu pensado:
sonho curvo, gosto ruim na boca, palavras de pensamento ruim!
Imundifício de bichos, inundícies divesúvias! A maritataca
jeritacatau: fogos de palha e queimou Troia! Enquanto eu ia e vinha

nessas e noutras, umas e outras vinham vindo... Do mau pau cai
o bom macaco, um caco para cá, outro naco lá para as putas que
me lambdam, me arrepenteiem, me arrebastam, me depressipintam:
falai no mau, parai o pau, a pedra, o pacau. Desse coalho — não
sai coelho, aquele cacau no cascalho tira água do joelho. Casa na
praça, alta, baixa — ano de abelhas, anho de ovelhas. Quem espera
desesperneia, sol me luza, de lume não hei cura, pensabenza. Tira
e atira, cético fanático, mentira! Dá cá aquela palha, vá lá que
o valha! Até certo ponto, o pontapé: daí avante, o sinta-só! Nesses
mucaches não se vai, muchachos: visagens de micagens,
miravínculos se virando em quaxequases, viração não nos
escrachasse. Reza, provérbio, senão tem senões de serão. Ambos,
um de cada em dois câmbios, desbancam os entrebancos através
de clarões em trabalhos de eclipse. Depois de desafios a fio ficando
louco, cheguei a tempo de envelhecer por desafino? Antes seria,
depois seja, feitos certos os gestos errados, feito certos germes.
Exproprio um impropório, in próprio império. Pleiteio uma
empreitada, a estreita emboscada, intrito intróito in Troia. Punho
na veneta, venha na punheta. Tire o dedo do nariz, se for capaz,
sinta esse cheiro tirante a tiritante, se é que pode ficar onde está.
Faço tudo de que sei que não me vou a arrepender, mas é que
não me arrependo nunca do que fiz com essa determinação. Quer
pudera o descalabro, tomara embora! Como assim? Antes isso.
A cancrodoridilo, domicivílico! Ninhos de mixarias, nichos por
ninharias, bichos — e surubas mixurucas, e mubixaba se chamava.
Em Buracocaréstia, pedaço de buraco disperdaçado no vau do
mundo, o desescandelábaro respranteia espelúnculos. Foi-se?
Caiu-se? Levante-se sustentando-se. Classifício: anjos assentes na
pua de uma agulha. Nau no ponto, toupinambaoults, arcos, setas,
retas, rombos. Vai daí um vagido, acabo vaso ou arraso um naco
de nanica? Jaza. A dedo denodado não se dedica a dedalicadez,
aqui não tem pinote nem piparote! Como é que nem nada é como
lá? Na pontalíngua, alfafalpina, — como quando entre amigos
aumenta amor, Szeczchlynsky! Sczlepst! Czestpanowie! Kum!
Exuma, monte! Em suma, conte barro até o escrache, o trilema
que se escarrapax. Pinta não contém papas na língua, xinga-o! Paga
o pacto, bufa o arreptio! A ovelhas loucas, orelhas moucas! A
velhas louças, moscas murchas! Um pouco a muito pouco, um
tanto no entretanto, um cerne no que me consarna, a tais trises
convivém desistros, confirma em quem confia, antes do expurgo,
a braços com semelhantes trastes de fretes e trambucos — contrastes

palmatrilhos, abrilhanta! Sucessivos raios fulminam-lhe a cabeça, recua e desbunda a cada choque, mal se sustentando à míngua de guisa de achaques. Desmatuzaliza-se, maldiceleia! Sarcosilfo legistra o mais escrasso refresquício. Vou voltar meu redor em si, retorno em meu redor: voltei a ir, tornei a ficar, ausente para os alhures de outrora saliente. Proregresso, retropedaço em pequilíneas. Aqui toda vaidade se acabala, todo covarde se acaba em cada! Estorve o doidóide, procavoque esta estrofe, por amor a Górdio! Romparromba! Magnólia da Mongólia, monjolos te monolojoguem tijolos! Boxixórnia, naxiwencunhã! Adavidinhe de que lado ficou mais quadrado. Comprenhe, companhe. Contraste, toma! A minhocaracóis com cocaraminholas, marimbondo na bunda que não rancaripa leva bandomirim na macacúndia. Adiante o destrumbiço, o estrambique atrase, acabrunhe a lembralha, tramontanha às treze por vezes. Qualtro? Tantra enquandro. Esta cruz entrante em trâmites, mediantes a vida em diavantes. Acrescertames: triâmbulos, rosângulos, âmbios, triambos, catrâmbias! Perronha circula: qual a aldraba para estrelalba? Alçada minha alcançada, permito um upa num abraquadradobarulho, recozenho a coça, palma seja dada à tória, bagulho abandalha de alhures nem por confronto sombreia marinhas em Açores. Espera que o sopro bata na vara da zarabatana, arreverso! Calcula alvibarzim um promomentor em cima de si mesmo, desbaratinga arsevísporas aos dozênimos e santimônios, a miranda caitituando, ciranda alcagoetanda. Troncotocado raio, miringuada água pulcra. Exumam catapataratas na encruzilhada, resumam a trilha estrelhada. Repelidos todos os apelidos indecorosamente propostos, farseiro e parsante, lasga a rista! Quem coxinxilha, eu comisso, o rabo em xícara? Vim até aqui atrás de uma ideia, devolvendo o desenvulto de um lapso, debaixo de um regime de amargar, entre dois intervalos, contra um óbice, a favor de uma facilidade, massiganhado e estrepidrificado, só sobrou no final uma vaga impressão... Daqui a meio mundo, vou fazer um barafundo branco: de trás para radiante, da foz para a nacitura frente. Daqui de dentro em diante, em direito frentrás! O grilo falando pela boca do elefante? Tanvez! Talbém suspriso, ensimesmado a cismar, mesmo quem? Digo meu nome — chavão! — me transformando em mim mesmo. O monstro hesitita, desmonto ou demonstro? Presilha, prise, prisão! Sempre se consegue pôr o que tenha que ser assim em palavras que a gente trazia aqui dentro, que não se sabiam lá, isto é, hoje não me consigo fazer entender. Desinteressei-me por tudo isso: assim sendo,

circunvexo flechas, apoplexo erros. Desresenha, compao e compai!
Cisque o pingo, risque a isca, pisque a psique, não fungue —
espie! Juz ao jaez, ao pior juiz, são e salvo o melhor juízo. Esses
os caras nos quais pensar dá direito a arrepios de coracalores e
carocalesfrios: a pedra, trepada, trepida. Aqui toda vaidade se
agrava, toda cova ardia, toda mansarda se quiromancia, toda entente
se faz de desentendimento: estranha sensação de mal estar. Só digo
o que é, desdizes estes deslises? Arrulho na orelha, gerimbagunça
não me quizumba o desprezunto! Resenvista ou desembirite-se,
socavão cavocado no caveirão. Eu, o tento, lavro um tanto, levo
um ponto desafosforado para casa: para, dóxico! O ponto em que
fui interrompido por perceberes o que eu estava dizendo, quando
começa a poder tudo, é como quando quem não tem como conter
o gato, onde é o mato? Valha a falha, o resto vejamos pela fresta!
Enxuta xoxota encurta enxurrada, enxoxota! Gazofilácio
mirinhando, barato — a porrada dessa jogada, derreto-lhe porrete!
Dizeiro e vezeiro, dizeres por pensares: passe a base, pega pressas.
Só cercando o eu aquele de bala desses putos feito aos pulos! Só
apertando o arrocho do cerco até cerca pelo nome não se perca,
só se assim fosse! Intriga taca e destaca. Acaba, ataca, atabaque!
Entre entre, traga! Trabuco, traque! Estralógalo, desestrado!
Traqueia, franqueia! Tranquila trinca trincada, loquela apanha
aranha, catacaváculo! Arranque o câncer, carranca! Alaga a
guâmpada! Negrócios, salta fora da realeza para além da lenda,
acabacaba seivícios! Atataca, cutatuca atataquara, contictacto!
Tamborém, tambanho waiwén amplodera-se, ó pudera.
Pensadédalo desababaca, cogumiolo, coagulo melhor! Amemém.
Não se arrepensa, corresponte. Depeperdurado compêndulo,
defenduricalho: não me arrepêndulo, capítulo? Combina
destrinados: quem ri pior, pia a priori. Lástima, não a lágrima,
lampercebejo mas não por última: lancinante, ejápcia. Apaga,
estanca, e destaca, pega, estica, espicaça, esmigalha, e desentoca,
— o bípede, ambívoro, treva, sombra, ponto, fogo, rio, verme,
agora já quase extinto o peso que me espremia, o Prêmio! Asperença
se adqueira, cicatrifícios sorbam identicolatrias, todos os levantes
serão sofistiquisfeitos: temor nenhum se compara ao temer um tal
resultar, apodora-se! Não reflucto o que eu expluso, martírio em
meu arbítrio despedrejo: bostejou, espatifa o epatíbio,
pajendarecacos! Nem no impropério persa, é pacífico que o raio
ilumine melhor o que mais fulmine, calegípicia, expulsa da espuma,
expluda Leda plumas anteportas. Peteca no sapato, chinelo no

aspecto, tranca rua, arranca tampa! Chora na rampa, limpa as trompas, em distrafe se disfarce a frase! Siso cinza, cesse o que cansa. Ao rés do revés, zás-travás, ao de através: transmimento de pensação, talvez... Em gregogízio, de briga em briaguez, de macambuja, quando começa a poder tudo, escreve uma cartucha em garatuja. Raciocínio de bugre... desaguaxa, encheu a cara, estourou a caixa. Sobre o sonho, muito dito: pouco se aproveita, escrachespache, esprachescrache... De tanto fazer tudo fazer tanto, fez-se como tanto faz, — de que tudo ou nada seria capaz? Desapossesse-se ou loucomplete-se. Entre Lopes e Cão, qualquer perro é João! Basta a palavra errada para a insânia, um rapto de desatenção provoca, um êxito comprova: infinâncias que teu prazo encerra, sabendo quando? Jamaica! Enfune, desdobre-se a pacova e seque-se este gelo! Inflama a linfa, simplifica a esfera, desaflora e brocha. O bicho, esse objeto nada idêntico, menos identificado ainda por seus rivais, é tão autêntico que, só porque se imagina, parece! Sufaz um dedístico estralar um tríduo momonástico para desencadelar o cão — didrástico! Senem se toca no assunto, cutuca a cobra no pau junto. Qualoquês! Quão loqual? Aquim? Assi cossim! Milhões perdidos: mil perdões! Continua sustentando opiniões, a distância pesa na consciência: até lá, olho no ritmo! Ainda que mais não seja centenário, que se perceveja necessário: o reto não merece o respeito com que se mexe. Podendo ter dado tudo e deste muito mais além: puderas tanto de tudo que é, menos que isso, pasmem quaisquer outros contracáfios! Todos os homens e todo o povo de cada parte da terra olham para mim só, estou só sendo visto, estou visto que só vendo, haja vistas em mim! Laoacoonteceeu! Se não trevas, pelo menos algumas sombras. Satori, o juízo último: não se contenta em dizer as coisas, quer fazê-las bailar! Quem é que tem um padrão aí? Pagão não morre. Morre cagão! Espalhafatores, empilha fastos de lustros e lustres atrém. A tribo dentro do mosteiro leva a vida que os nomes pediram a suas casas astrais. Feche a taba, enrugue a testa. Em quantos estamos aqui? Estamos em todos. Feche a boca. Toda a taba pensa como se fosse uma aldeia persa, pitando. Fumo macaio, marofa, marofaime! Forma feita de vagar, a tartaruga guarda de memória o segredo da velocidade. Morforma, menorfolga! Tudo se recuperou de acordo com a figura, tudo foi como rangistra o mapa. O problema não é de comer, como diz o profeta. Não ficaremos aqui. Personas agent: o deslizar do festim envereda para a beira de uma legória de serpentríferas. Uma jovem verde sai da água para os braços de uma imagem vermelha: o ser, temperado por seus acidentes. Uma pequena montanha, uma taba, uma vastidão vazia: os arquétipos são as estruturas. Não vá por um erro, tirar-se o juízo é o caminho mais breve: palavras de súbito censuradas como se por violando leis inesquecíveis. Hominem hic nascet novum: hoje estou tão total que, se entrar numa ruim, termino. O que se passa entre uma fase e seu lapso, gargarismo neutro: passa-se o tempo, o espaço cessa, produzem-se os seres, os dez mil objetos cheios de coisas fazendo barulho e fazendo-me pensar — um barulhinho! Quase extinto, começo a contar meus nomes, enumerei os títulos, descontei o canto dos bichos, narrei a história das coisas: aqui se escamoteia. Num dia solar de Atenas, envolveu-se na magnífica ilusão de que a matéria — o mundo da vida, da morte e do nascimento — não é toda a realidade. Interessa salvar a existência humana das essências que lhe querem atribuir? É IMPOSSÍVEL QUE NÃO ESTEJAM ME VENDO AQUI. Nisso, o monstro — qui verba torquet — nada behemothoween! A trúcia prucida os arrebolores da normalândia, a dor nas minhas lombardias se noruega às expensas boécias. Xlept! Labirinto ou colosso? Belisco-o. Órfão, náufrago e cego, chega na ilha para ser monge, esse vai dar certo: não sabe nada e não se esforça. Suspiro, o último: por nós mesmos. Eu era inclusive mais branco. Em minha terra, na minha época, não se dançava assim que assim, lá, é guerra em estado puro sem tirar nem pôr. Aqui, pesadelo de camaleão é que tem só uma cor. O ouro é mais velho que Deus, os primeiros deuses já vinham em ouro: não é só isso, é tudo isso, a única coisa que quer ouvir Occam. Mas advirta que a tortura não deve chegar aos ossos, osso já não é gente: torturar com raiva, sim, — mas os mestres são calmos, por onde pois para eles não existe perdão. Arstcherk dorme ainda e sempre, rede parada e quieta, uma eça, dúbia nox! — sangue nos sonhos, mãos e olhos: camaleão depois de morto vira camaleão, o que não altera muito o que se verá a seguir. Microcosmodilo! A um ramo que caiu com o peso de sua fruta — pulam sementes pelo chão: água exala luz. Não quero ter que ver com a vida dos outros, já tem gente demais na minha, e não estão lá fazendo nada! O fininho saiu de finório. Fazurka! Não me vem com essa, que eu vou com outra nossa! A sopa, num upa, está supimpa! Até o respectivo fazer bico, é muito no cu dum só: vai tomar café nos cafundós de jundiaí! Lá onde o céu é pregado com quantas tabuinhas se faz necessário para uma canoa, lá onde o vento faz o chico vir de baixo, a curva!

Lá onde as botas de sete léguas pisam nas bostas de judas: aqui.
Gustavo Oitavo Otávio caiu no campo da honra, por exemplo,
tinha, morto, uma ferida de lança no peritônio, sinais de flecha
no rosto, um golpe de alabarda no maxilar, o crânio amassado
por uma clava de metal, um olho tinha sido vasado com punhal,
mas o outro ainda aberto olha as chagas, chorando! As palavras
se afugentam uma às outras como manadas perseguem manadas,
mil matilhas lhes latindo aos alcansalhares. Não passam uns para
os outros por transpiração nem por sucessão, mas aos socos, tabefes,
tapas, cutiladas e bofetões — os pensamentos! Cai e levante-se,
tendo perdido tudo. Não acredita em tudo que lhe dizem, alguns
falam a verdade: oração falha, quando se dá conta que ora. Quem
me apelida, só para lembrar um caso, me qualifica: amanhãmonhang!
Penso em circuito muitas coisas deste mundo, os olhos acionam
rodas, ganhando velocidade: digo a esse povo que pense, que fazer
a Deus pertence. Qual a fundura dessa fuma? Ondas e onduras.
Algazarra triste: frustra, por um tris — o contra! Fumo cheira
sovaco de macacoceira, inhapa nenhuma! Casa minha, minha cara
tinha! Cruzcrispo, silfiliscifra! Mete flecha em África, respondem
Xexés? Um a um saem de dentro dos outros, acelerando. Até
que não é tão só isso, o resto corre, tire uma base debaixo da
medida drástica, correndo. Já não estão dando mais inabaláveis
carreiras de garantias para morrer o seguro das quantias de um
velho, mumificado em seguida, ainda por surtir efeito o inconsolável
resultado da redenção incondicional. Afobada a apuração, procure
repousar, consuma-se no próprio local a aparição. Por ora avante,
apenas, dá para dizer justinho que o não-é-tão-só-isso não cabe,
arranha lá suas fugitivas o aqui-só-mesmo-assim; escapa gravemente
com o alcance ferido o só-depois-ou-tarde-demais; ângulos dilatam
o inaquilatável destaque, cada vez menos semelhante tamanho, de
É-ISSO-DAÍ. Ao contar tudo que se passa de um dois a outro
três, — campanha na qual, qual de vós me acompanha com um
pão à frente e água atraente, que é como se a faz? — nem todo
o esconso será desconsulidade. De maneira a dar coceira em casco
de mula, quatro coices povoam meus pavores com as criaturas dessas
noites. No levante da lágrima, mundo velho tirado sem pestana,
no poente da lágrima, em trabalhos de parto, recém-chegasse!
Algum tanto estive prestes, mediterrâneo entre um lugar comum
e um posto avançado, a reanimar com acenos de alimentos uns
restos de entusiasmos desfeitos pela intervenção de contratempos.
Mal tenho lapso de fugir pelas vias de fato, já se antecipam a minhas

medidas de urgentes inseguranças, bananescamente, os predadores
de mim! Cui haec pudet videre, omnia linces licet, nisso atento,
atentado considere-se, pelo menos nos mínimos detalhes. Seja lá
como for, faça por onde sê-lo, que é por aí que se passa ao que
só narro se já souberes. Vai entrando milagros adentro da substância,
cerimônias não quadram bem com as voltas que o assunto dá,
nesta roda em que compadres dão o pão às malvadezas dos
companheiros de história, à reviravolta sua revelia faz girar a falta.
De miudezas não se argua, que só se prezam por recheio e muito
no entanto são por onde se conduz o ligeiro trânsito da vida. Quem
nato em pecunha, leito de vicunha, trono de Polonha, desdenha
cavalo a quem se ordena, vaca a que se ordenha sem comprar,
por um tiro a esmo no mapa em prol de qualquer Sardenha?
Nenhuma outra vem sendo minha mosca. Gera quem não gala,
joga quem nega que vai dizer lá fora! Interesseira ganha a metade,
desinteressada — a inteira! A parte contrária retire-se contraditória,
da parte que me toca nada conste senão a trajetória! Troféu, triunfo,
tudo seja fácil a ti, senhor das lacunas onde maestros de sussurros
vêm pastar a cabresto curto. De prova que um pé está na cova
e o outro tropeça na lápide, não fora assim, desaforai-vos para
cima de Joaquim, João ou de quem? Cara que brisa de Brasília
baforou, nem quem me enfarofou. O primeiro passo a tomar é
um pé na vossa cara, um foguinho a tocar na orquestra do incêndio
de vossa casa. A ignara plebe ignora-o, ignorara o que é célebre
só porque está aí para que se celebre! Quero ver fazer-se o mais
fácil, o bem fácil, o facílimo, falsíssimo já feito. Fizer, faz jus
a um juiz com todas as malandragens de Jesus, dando o caminho
de Damasco, a verdade de Madagáscar e até a vida de artista para
te fazer de cristo. Arrisca um palpite, aposto que eu. Outros, mas
nem se discute, mas não agora, agora escute, ou nem tanto, ouça
como a voz da consciência desafina quando exposta aos imprevistos
do relento. Bom ter ouvido a tempo, desviar bonito sem sair daqui
para ver se deu certo. Consertou, acertou, resta confirmar se pegou
direito. Nada de sério, reparos depois dos amparos, — foi para
isso que eu te criei, ensinei as manhas passageiras e as manias
duradouras, os paradeiros e os bebedouros? — jeito para a coisa
já vi em muitos e nenhum coincidia semelhanças com o ausente
responsável por este lamentável incidente. O anão, amanhã, a anã,
anhamãe, condenados na verdadeira assepsia do termo candidatos
à mora de parte com a eternidade, com permissidão da má prosoja,
quem compreteria semprelhante jometria? Nessa salada malandra,

nem cassandra me salamandra! Aí já era se prevalecer. Por desânimos
a pavio, superior a todo desafio, desabafa num fio de desconfiúza:
volva a pátria, selva a satrápia! À mente não é lícito conservar
uma melancolia quando o corpo vai ao sol porque a luz do astro
cozinha a alquimia dos sucos da alegria, semente molhada debaixo
da pedra. Pedra, mais que depressa, penetra a floresta, trepana
a funesta sinistra. Isso é presente que se apresente a um legítimo
representante da daqui-pra-frente em nome do tudo-vai-diferente?
Usurou, azarou-se. Aqui na satrápia, tudo por amor à pátria! Diga
que é luxo e feliz coqueluche: um choque de luxo, mas que xilique
mais xique! Se o cego se acabou, pronto: o ego se agapou. Canalha
saca navalha, põe fogo na mão por qualquer dá cá aquela palha,
tege presa e vige-serva: a jinga axincalha pra caralho! Vacila que
leva uma varicela que não sara mais. Para bem entender, meia palavra
não é de bosta nenhuma, bom entendedor faz o que bem entender:
te projete de framboesa quando fraqueja, de brotoeja quando
troveja, deus te proteja! Coro de palmas até tirar o couro de um
palmo, adiante do nariz. Terravista, fim de festa: águavai... A
mucosa das ventosas dos tentáculos das medusas contrai os testículos
dos machos das hipotenusas, pipt! O escaleno esqueleto esdrúxula
e cai na pedra de amolar, perdendo despertivamente o polegar.
Catástrofe extensiva aos seus. Se com enredos já são espeto de
pescar e arcar, que dizer com engodos, não sei o que dizer, senão
me engano. Requinte do quintal do inferno, o aluvião, o desgaste,
o resturíbio, gentilezas são por conta da oca, fichas na caixa,
vermelhovintesete, correu o marfim, quem não pode, pagando,
possa, ide em boa Companhia, só, só, não me perguntem mais.
Recém-derrepente, dou por encerrada essa quizília sobre relíquias,
essa comédia sardônica, por encenada, essa feira pantomimética
de fierias, por cada transgressão com que nos teremos de haver.
Ajante, esquecidices. Ao invés de não ter vez, tem dez, por causa
de ninguém botar efeito, o que não podia ser! A carapuça que
passa, a caravana na cabeça! Vai, pisando em OYOS de jacaré até
onde o jabuti acaba, a toalha a perder-se nas goelas dos habitantes
das léguas e léguas de água... Depois de um susto, tudo fica em
sustenido, caso contrário é caso perdido. No tocar do búzio, se
sabe o destino, o sentido, o para que toca. Enterrado no ar, núpcias
ao vento, exéquias ao ar livre, um sinal, um senão, um será, um
serão, o ser já foi enteado, apesar de não ter parentesco com nenhum
dos manifestantes. Ida, estadia, volta, é só dizer aonde o
minhocorongo chega caminhandungo. Quadrúpede, retrógrado,

antipático! Passa o tempo dos cajus na Catalunha, toca pegar ditas cujas castanhas à unha. Quem é que esse massacre quer? Mas onde é que nós estamos? Eu, sendo assim, urubu me rangue, caribu me rasgue! Camanho caminho, tamanho tamanhinho, o mais arretado que o feijão preto já criou, como se verá devagar mas a seguir. Nem toda voz que se ouve, disse alguém, nem todo corpo que se mexe, se moveu, já isso ninguém disse. Quem por guia cego se guia, melhor se assegura que seguia! Eis o meu pavor favorito, energúmeno. Desculápio o salapráfio! O sinistrógiro quisse, o pródromo disse, o destróvago fisse, ó centripatéticos! Vos abstivestes? Não se assassinhe levar vantagem de tal mundo e de assim esplêndido assenhorear-se, desconsiderando que a universal opinião fez alto nesta encontrovérsia. Licença e recato — uma, depois o outro, e o estranho: uma outra, que lhe atribuem. Quitanda merenda, minuenda comprivenda, ciranda reprimenda: luz, como sei, lume, como posso, lustro, como vou, mediante correta oferenda, pensar no seu caso. Um olho deu uma esguelha no ar, pulou por cima do esgar, só deu para ver o raio do rabo e uma que outra beleza: a besta quadrada! Um gigantesco monstro se avoluma e se aveluda em sua envergadura, o cúmulo da aberração das máquinas que a África fabrica, a atualidade absoluta! O quadrondo está erronho, mais vão que um pavão quando estava dando. O ímã descansa carregando ferro, a pedra heracleia, a indução magnética. A virtude do magnete aspira o ferro: destino. Muitos globos rodados, as sementes celestes das chamas prometéicas! Memoranda antiguidade, em papirâmides nihílicas, deixou para atrás os exemplos dos modelos, signa babylonia, causas ocultas e elementos das coisas do mundo. Inútil fugir: estou ferido, ejaculando flechas contra os monstros do mar bretão. Insuporta a estadia perene de todas as existências, o peso das medidas, as maneiras de levar adiante o que vem caindo aos longos pedaços dos caminhos, um só instante da vossa presença. O clarão e a claridade subsequente fulminam as sombras, fundamentos das trevas, corpanzil no capinzal, a besta quadrada! Faca de ferro cravar-se na parte aguda do grito? De braços crustáceos? Paz, pelo jeito, ninguém aqui está querendo, não está vendo? O magnete. Arrevesando-se na queda, a pedra heracleia atrai a estátua, estabelecendo afinidades infinitamente próximas do zero da sua igualdade, olha a democracia imperante nessa equação, a atração da gravidade chegou atrasada à extrema gravidez da situação, por vir praticando os círculos reflexivos em todo o largo do percurso vivo. Saiu daí, não me serve, caindo nos incorrigíveis esquemas das danças lacônicas. Afrontispígio, aprontife-se! A cena ininterrupta susta-se, o ventríloquo pelo ventrículo, a canícula pelo cubículo, o estímulo pelo patíbulo, satrelistem-se! Artichicletz, por artes de pechisbeque, não é igual mas é parricídio, primeiro, derradeiro e único: físico ou cívico, digno de pousar ao espelho, as avessas não são veras? Se a corda é que é curta ou o poço é fundo, — quando te chamei de filho da puta, pena não soubesse tua mãe ser morta porque, viva fosse, mandava-o às que disputam te haver parido, ou a outra baderna paterna parecida com teu disparate natal! Abriu a porta a todas as licenças, o desmascarado, esse descarado! Apresentação de face numa defenestração, veio bater desescancarado na porta errada: de porta em porta, cara a cara, de um — focinho de outro até levar aquela nesta para deixar de ser besta. A cara não combina com a careta, sai aldraba e entra aríete! Esperiguenta: voa baixo, o sapo alcança, alto, cai direto na caçapa de alçapão. Picirico de periquito, arapuca: periclitante desesquisite-se perigrinoso. E para a anaconda, nada? Tudo, tudo. Então, como é que é? É pique, está na hora, assaí — raximbum, ratisbona, boa: anaconda, anaconda, anaconda! Na hora de achincalhar, o chim vem bem a calhar: as que virezinhas, são as avezinhas que adivinhas! Quem, persa? Eu? Nem por Perseu! Olvidem-se! Vê lá se não vão mexer no lugar errado, na pedra torta, no coco do gato, donde pode sair um cobra, tarde piaste, o veneno já habita a veia cava, o baço incha, o queixo caindo, arrasta na queda a estrela cadente, pedra angular dos alicerces da vialáctea. Pincha por dacaquela pechincha, meu cupincha: não se importa nem sequer que seque, como segue. Capricha no pé-dois, mil perdões que o debaixo é meu: como distinguir cada um da assimetria a que insistem em se reduzir? Quem for valente que se levante: ao vigilante só se surpreende suprimindo-o. Deslembra o lume que vislumbra, é a sombra que o deslumbra. Está vendo só, é só ver, não estou dizendo que só vendo? Do que ninguém podia imaginar ao que tudo indica. Clitemnestra, Clitemnestra, quem teu clitóris administra? Quem se vexai com tamanha envergadura, com a cavalgadura se avenha! Vê-se que não me amola, relapso! Se aproxeneta, dá-lhe conhaque até o cavanhaque fazer comé! Recebido com pompas de bicho papão, sem mais delonga, nem os cambetas da molenga milonga: vestido de súdito, assim chego. Desembuche logo! A ele se invoca com pouca coisa, que nem alguém que eu conheço mais do que convém conhecer a outrem:

Articzewski! Occam! A sombra traz um vento soprando o lume
só para ver a que mundo este se resume. Mina e tresmina, por
ventura, se for, pendura: já pensou o que é o bandido na história
do gênero humano? O desqualificado atrás dos matos, esperando
passar o produtor, e preda-o! Salpicado de súplicas, venham e
envelheçam vindo: me castisalfo com pouco, — trinca e destrincha,
pierre catrinta! Quem depois de assaltado, roubado e rapto, tendo
perdido o senso da propriedade junto com seus pertences, segue
seus captores e acaba tetrarca da quadrilha! Quando eu mais contava
em ficar louco, fiquei apenas tonto, o que está para o pretendido
assim como o pretendente está para a pretenção! Constrangido,
quem me constrange? Constrangem-me alfângelos e quimelanges!
Acenda essa cozinha, bota a ferver, ferviture-te, salutão! Não foi
nada, todos compreenderão: nada sem certa luz que me miliúnica
no apagar da vela — aos olhos deslumbra, ofusca, embacia, envesga,
cega e vasa. Houve quem dissesse, aqui jaza como se estivesse
em sua própria casa, tentando a ferro e fogo passar despercebido
por meu ímã e águas, ora, onde é que nós estamos que já não
reconhecemos os desconhecidos? Quer ter a bondade de martirizar
essa santa ignorância? Levantar o dedo, é só não estarem olhando.
Um odor, um abano asmático, um aceno espasmódico, um sínodo
sistemático, ou então um som, ou senão for um reflexo, fiquei
sem ter o que dizer, na surdina da oitiva, na pior das hipóteses!
Quando não dá pé, pergunto: tão raso o quanto antes passei?
Escantilhado em conheceiras, convosco quisera cruzadas
serenimonhas em outras desencurtilheiras! Um acorde discrepante,
um prenhilunho: combates são biscates, destaque os banquetes!
O homem idôneo, no momento quandâneo, no lugar ubíquo: lautas
mãos pilantras, incólumes na calamidade. Uma cabeçada no pé,
uma mancada na palma da mão, uma cotovelada virando o coxo
do cachorro magro, uma olhada atravessada, uma pedagógica no
meio do pontapeito, amanhã, ao cantar o galo, sem saber de que
lado, venham! Me arrependiam os cabelos, perde o pelo no medo
onde se pela, interpelanca: lã costeando, lá se dói tosquiado! Não
fale mal de boca cheia, do prato cheio — não vire o ninho da
galinha choca, dobre a língua e brade a vagina a seu bom bradar:
meteu o braço na cumbuca, a cabeça a quem lhe caiba a arapuca;
a perna se me coxeia, percebo cancelas naquelas canceiras canelas.
Num ouvido, escrito: ENTRADA, noutro ouvido, escrito: SAÍDA
— em cada rasto, a estampa de seu rosto para espanto de todo
um outro resto! A tripla aflora ao nefelibasta que arrebata

tripafforrando! Nas selvas obscuras, a serva observa dezenas de
cenas obcenas, coma-se essa broma com uma dose dessas, naquela
base: um livracara, um calaboca, um quebracara! Observa, absorve
pedra que brilha — quebra: um ouriço chora por todos os chouriços.
Trauma, turco! Ainda não dá para se fazer uma boa ideia, voltar
às boas graças do estado anterior, a menos que eu tenho contado
a mais! Acometido de súbita anestesia da memória, um elmo centra
o fogo de santelmo, curvo-me ante a autoridade dos anos, sempre
pensando, em que categoria se meteu aquela sinecura sirigaita?
Afinais, que tempo faz que tanto se desfaz, salmos e retalhos!
Desesqueci, de torto e de reito. Aquele que queima, aquele que
porbaixo da comida bota água para ferver, o torracarne, brilhanoite,
e faz nascer canções: a substância das chamas, a alma pincelada e
penada da labareda! Toca fogo, meta faísca! Fogo, o maior dos
elementos, fenômeno típico da terra, que se processa melhor de
noite, cautério, cativeiro e cautela! Obrigado, obrigado, eu mereço
muito mais, mas por ora vou aceitando essas homenagens, até o
limiar de tolerância do meu saco de paciência, capitão! As coisas
novas são muito fáceis, senhor, por isso importa o dizê-las primeiro.
Atenda para os fatos passados antes e não farás isso de agora, de
continuar a sendo assim, depois de ter sido assim. Acrescentacento
e acrescentaquatrocentos! Auriundo? Oriquando. Onde o céu,
indiferente às aves que o voam, e entre as que voavam, se algumas
brilham, nenhuma cai. Posso querer ir aí e falar isso, penso que
sei mas falando substituo minha certeza pelos azares da
comunicação. Falar é coisa de quem novidades tem, saber já é repetir.
Levanta uma cabeça revoltada, sabendo tudo e furiosa por uma
curiosidade! O cão de caça em cada carcassa acha a
argamassacarneosso, imaginaugura! Vou ver e o que vejo já tinha
visto, isso era aquilo, mas as coisas boas são muitas, no tecido
persa do tapete sempre alguma novidade é possível. Mostro o susto
e só veem a dúvida, dúvida é natural. O que se esconde por trás
do que vejo, ilumino com a chama do que sei: quero saber
impunemente, quero dizer do que sei para cima. Verdade, violência,
dura pouco, o brabeliscão! Indico com sinais hábeis e bastante
capazes o que está fora do alcance dos cães de caça: um destes
cansa, caça descança no galope. O que estraga dragão é querer
ser leão. Criprocrorum: não deve prestar atenção na audiência,
deve prestar atenção no desempenho! Só um riso é maior que um
sorriso, só a gargalhada ri da risada, bandeiras despregadas
morrendo de rir e de vento. Bicho cochicha e falam de mim, falar

é sempre menos: a gargalhada de Zenão chega no alvo antes da
flecha! Cócegascócoras, não caibo em minhas cãibras: patavinha
bustrophedon! Altura altera largura, sei mais de mim que de outros
mas tem muitos outros em mim, que eu não sei. Ao ver o mestre,
começa a aprender. Vai entrar numa friagem, casa iluminada sem
gente dentro! Quem está aí? Eu estou aqui, esteja aqui agora. Vai-se
o inimigo ao deserto, dá com Jó e diz, João come menos, veste
camelo e come gafanhoto na areia, Pacômio busca abrigo num
arquipélago de caveiras de porco. E radical come as raízes das coisas.
Lugares cujos nomes mudaram mudaram. Já lá vão muitos anos
que lá fui pensando pão e dizendo glória. Não é assim; está assim.
Os nomes estão cheios, falar é o jeito. Vim de uma vila fria e
úmida, boa para pensar. O mundo cutucapacas, desabrochacabrocha
pele de rochacabocla, cheiro de cabra, comida de roça! Estrangeiro
é estranho porque cheguei primeiro. Tinha um reino onde só se
entrava por descuido e só se saía pela câmara de torturas. Que
exemplo de luz é essa matéria-prisma que nos alumia? Atormentem
o sibarita e cumulem o monge com régios dons. Sabem da guerra
pela fumaça no ar? Terra fecunda em monstros, Brasília mordida
pelo Atlântico. Caveira, um coco sorrindo: empapuçados de pipoca,
mas sempre lendo Sêneca. Bocacadeado não entrasai dragãoladrão.
Sósiasozinho. A máxima potência é um péssimo momento para
pensar no próximo, melhor: aumenta piorando. Inihilmihigo, o
mistério elementar. Colapso cardíaco de um colibri, rompeponto!
O passado, mais perto que o supunha. Salva mas só a alma, alma
gasta? O que a morte perde em distância ganha em certeza.
Monumento momentâneo. A vida que a espada destruir não pôde,
o leque pôde. O espelho me expulsa para o aparelho do mundo.
Acaba a utilidade, fica a verdade, acaba a verdade, fica a beleza:
não minta que bem conheço o contrário dessa história. Pendão
pendurado na colmeia, as abelhas fazem coisas cheias nas bandeiras
paradas, mas a mente se mexe e mexe a bandeira, num desfraldar
de abelhas no azul! Apetrarca petrecho, não perca o erro: o
corisco careca na armadilhadura! Pererecapeteca, petelecomunheca!
Escrúpulo em partir o pão, morrendo de fome. Festa contra este
mundo, lesma morna na alma, palestrapalerma. Nossa vocação
sendo nós mesmos, os outros deixam! Preguiça cavalga pau de
monjolo, bate no cheiro, fede: chuanpung! O rostro das aves sutura
uma quartilagem. Quer fazer uma casa sem teto, sem parede, sem
escada, só por portas e janelas para entrar a brisa que não vem
de dentro nem de fora? Quer fazer uma casa, morar aqui? Mas

vejam só que casa quer! Quase que falar a portas fechadas, pensar de boca emparedada! Esgrimir no ar, dar golpes em vão e enfim falar com um penedo contando pecados: escorpião tortura orquídeas, arapongas longas, — o que foi, foi; o que será, será outro! Esculachaesqueleto, escabelo de teus pés, escabeche de tououpinambaoults! Pensa muito, os números — numa rede de cordabamba trabalhando para fazer o zeropasso, por mais que se empurrem as somas, nuno jamais será nulo! Canastratruco, trabucozastrás! Jararacamatraca! Termina numa dízima periódica o problemaurucubaca! Bicho vive à base de bicho, matar um homem insetos providenciam. O pregão reza: quem não tem máscara, não entra na Pérsia. Era das tais que, pensadas, desaparecem, orvalhocatarro! Olho de pêssego persa vê a terra por um buraco nela. Queimando-se um dragão em enxofre, chuva de arromba, o vapor acende o cheiro de arruda. Muito a considerar nos penetrais das primícias dos indícios mas os víveres não dão para isso. Migalha do mundo brilha, quinquênioquelônio! Bem no centro da faísca, praça central do coração da chama, a porta de um reino sem durar: depressa, levante essa torre, não há mais tempo, desabe esse túmulo, escreva rápido o nome na areia que lá vem maré, estale os dedos para ativar a circulação dos humores, passe para cá, fique do meu lado, compre minha briga, chore comigo que eu vou te contar tudo, case com minha filha, ponha-se no meu lugar, continue-me! Extinta a estirpe dos reis, trono reduzido a cinza, coroa perdida entre cegos, palácios combustíveis, ruas riscadas, lugares borrados, tempos esquecidos, me arranje um nome para tudo isso, bem curto para sair logo. Pode me consultar se quiser saber se parece o que estou vendo: o pau de pinho na cabeça, o pinheiro na lembrança, um pinhão na boca rebolando mais que charuto em boca de bêbado. Abra um pinheiro, arreganhe o lenho, afine a ponta, o fogo empederne a epiderme, rio! Vai que é aquela água, veia abaixo, precariamente suspenso pela superfície do fio de uma lei física. Descortino é tudo que se pediu aos deuses das janelas, inexistências assim patentes, omissões tão flagrantes, iniquidades para lá de palmares. Depois, a agrura, o vazio escancarado em leque, a brechatura de toda abertura em fechadura! Só depois, o espirro, escarro, o encurralho, o salam, o sim, o vrum, o plim, o terror, ah, ah, ah! A água mais mar não pediu nenhum naufrágio a transfalcar, arquipélago de lugares comuns num mar manjado, um dia da caixa passa, outro de cabeça dá cana. A ruína é um boteco. Minha encarnação anterior andou passando por cada uma que não me admira, já nasci cansadinho da silva! A ruína é um boteco, velhos amigos, devotos um do outro, em volta do altar. O bateboca ainda vá lá! Mas que fim levou os ricos estados, a peste nos estádios cheios, os copos cheios, a maré ricorgiteia-se, tudo cheio, cheio, cheio! Insolência, que é que está fazendo aqui esse bafistério num bestiário, o diabo x quatro? Só porque uma coisa se assemelha a uma vizinha, o mais provável é que todas as demais coisas se pareçam com ela ou é mais provável que as ditas coisas difiram muito dela? Falamos de ambas as coisas, porém diferentes no modo de agir, iguais em tudo, menos em todo o resto e, como se isso não bastasse, ainda por cima, simples variantes de uma variedade maior: estamos falando de duas coisas diferentes sobre o mesmo assunto. Solução de continuidade, petições de princípio, repetições de Eutrípio! Ponto, cruz de retas, reta, série de pontos, plano — deslocamento da reta sobre si mesma, volume — revolução do plano em torno de si mesmo: não pode abolir o ponto porque as duas transversais cruzadas para consurá-lo vão coincidir com ele, consagrando-o para todo o sempre. Movimento mirim, pedradirerê, o núncio é núbio, considere-se dúbio. Se lembre e celebre, que essa é mais recente. Vermes tremegustos, cave-se e cavale-se! Chega de pensar. Vamos fazer as pazes, influenciar amigos, trazer ótimas novíssimas, levar os canos, levantar a velas, baixar as calças, vamos fazer alguma coisa, não vamos ficar aqui parados como outra coisa não tem feito os que aqui pisaram, um pé no chão, outro pé na cara, quem, eu, ó no ó do seu bozó, no é do seu oboé, no u do seu cu, disse alguma coisa? Mau grado seu, a talante sempre seu. Grupo, safado! Cão mondrongo, avulve-se! Lapidários, hervários, bestiários, anedotários, seguidilhas e encontradiças, bem por isso muito mais prolixos ainda que sem os rasquícios de outrora: salvo conduto, falsos, contudo. Sem deixar de estraçalhar traço nos desleixados restos, pula a patrulha tapuia, pulula e tripula: um matusquela, tipo matusalém, personageia e patrocina a campana! Aos trambiques e barricas, engrupiu a gangue, obviando as inconveniências de ter uma cabeça a pensar. Glotro dicto, ô trepanado! Cada giro esconde um riso, não adianta me aprecionar: se estou boiando é porque não estava no gibi. Meu método não falha, não exigem exegese: alvídrios assim, alvissarassassin! Muito ou tudo? Tão teu o fulano que por ti tudo que faz faroó farão! Um aluvião vai de alívio, o delúvio vai de avalanche, a catástrofe foi de amargar: com toda a sua mole, a máquina caminha. Investigo-lhe o intestino, resenha e

contraresenha, chamusca e machuca! É só me destropedaçar, fiquei
abismado, pior que dar nó em pião de ló, me transformou em
abismo. A quem se atreve, se adverte: cabeça nenhuma que o
conceba. Bola na cachola acolchoada de chocolate, na boca da
caçapa, fé no taco, nem a tapa, que lhe passa, saca? Tivemos uma
conversinha a dois, ora monólogo, ora comício, silêncio, a comichão
do cochicho, a prafrentália. Ele dizia, vá, eu vinha, venha, eu ia,
na maior bazófia da paróquia. A noite foi feita para pensar, de
modo que de noite a gente vai para as essências, acinte porém
despácio. Bichos aproveitam o eclipse como enfarte para tirar uma
pestana do olho do vizinho, para que, quando a luz se revelar,
quem estará mais vivinho ? Os cães, aos brados, ladrão, ladrão,
ladrão, ladrarão. Talismã ou amuleto, indícios indecisos: dados a
um dedo de acaso nas horas vagas, falantes a seu talante latente.
Na hora em que repele o objeto de sua despredileção, porque teve
que tocá-lo no horror do ato de afastá-lo, é íntima e profundamente
tocado pelo calor que do objeto se desprende e o percorre, invade
até se ver dele tomado, nunca mais livre dele! Já que não me entende
patavina de mim mesmo, quer me fazer um favor, que tal vir ver
se eu estou aqui, que eu vou ali na esquina e já volto, viu?
Comporte-se. Ah, também não quer vir? Então, não reclame, te
avisei. Por que é que iria reclamar? Não estou te dando só o que há
de melhor em matéria de mim? A questão já está metodologicamente
mal feita, então não adianta tentar entender em cima da hora, dado
o adiantado alucinado da mesma que só vai parar daqui a um século.
O único subterfúgio é não se deixar envolver, e procurar refúgio
num desses labirintos que vem vindo aí com cara de poucos amigos:
neste! Eu, por exemplo, fiquei na mesma semente de sempre.
Enquanto nossos amigos se afastam, poderíamos docemente
comentar seus defeitos, albalançar seus coretos, dando
prosseguimento à infelicidade que os persegue. Uma efígie entrou
numa fria eclipse egípcia, e finge, no heureca mais levado da américa,
Atlântico portando a efeito uma onda careca. A cara não ajuda
e acarreta sáurios prejuízos aos verdadeiros propósitos da expansão
lídia. Onde a milícia melhor se domicilia, quando mais se assemelha,
pior identifica e assimila. Tal qual são os demais, tão bem que
mal e mal vos demasiais! Rudimentos. Brutamontes, viu passar
uma alusão, um alazão montado num alemão? A x t/y x = y! Observa
o avesso e o atravessa, — o que valem os desvios dos meandros
nos desmandos dessas horas, — pelos ladrões dos quatro avós mais
onze avos! Perdões reservo mil aos menores que eu mas desculpa

já é serventia da laia, e essa, esfarrapada que se apresente, não
há igualha que se me lhe compare! Vê se desanima essa demasia,
devidamente como cumpre. Queria estar agora na casa japonesa,
não queria? E isso aqui, por acaso, está com cara de quê? Fechou
a janela? Não importa, nada vai ser menor que os teus arredores.
Em que pese a barra, quero dar relevo ao que salientei, um sem
número de vezes. Em desacordo com suas possessões, preceitua
antes de saber qual é a tua, cacatua? Desde o imediato instante
em diante, contato que o tocante lhe esfregasse bastante no
continente, considerava-se constante! Meu narcisismo anarquiza a
alta conta, elevada estima e grande monta de consideração: uns
catiripapos, e a criatura fica parecida com a caricatura.
Ensimesmíssimo,de acimassábado! Um polegar dá conta de um
médio-endez e, pelo mínimo, um anular na maxila, inevitável numa
empresa dessa envergonhadura! O defunto desincumbe-se num
selavi fedorento qualquer! Quando chegam tais pensamentos, não
sei se frutos das folhas ou máquinas autômatas, chacoalha a cabeça:
se persistem, consinto. Dizer que não consigo deixá-las de acordo!
Se já sem colaboração, eu abuso, faça uma ideia, se demorasse
um pouco mais para você sair detrás dessas superfícies, eu ia acabar
sonhando que despariçou! A qual notávamos, profundamente
consternados: fosse uma cobra já tinha te amordaçado! Vê se não
era. Antes não eram. Vê se não erra. Agora é que são elas. Vê,
senão erra! Quando está certo, conte de novo só para ver se um
erro não voltou sorrateiro adentrando sem ser visto as dependências
da série, instalando-se na condição do mais incorrigível de seus
aspectos! Naufragar com elegância, crianças e senhoras primeiro!
Adeus, capitão! Partam sossegados, intercederei por vós lá do céu,
e apontou para o alto, donde em pleno gesto escorre o raio que
o fulmina. Pratiquei com ele, comigo conjecturando: procurei, para
desdouro do meu desdém... Vou ali, me suicido e já volto. Me
acusaram da minha vida, reconheci. Dou uma chegada na vida,
chefe, vejo como é e estou aqui amanhã ao meio dia sem falta
para dizer como é que se mata. O mito cristão da morte
repentinamente arrependida, invisite aguda. O giz risca um xis,
o bem e o mal tiram o par de ímpar, bis! Só há salto do quantitativo
para o qualitativo em projeções regidas pela aceleração tirânica de
uma média geométrica! Salta uma alfafa para cima deste analfabeto.
Se nossas épocas coincidirem, nossas conversas serão contínuas.
É bem verdade que... Interrompemos nossa programação para dar
margem a um apelo. Babei, urgente. Precisa-se de um poliglota,

paga-se regiamente. Agora só falta batizar de Baltasar o rei desta
Babel, até os limites extremos de sua incompetência, quando será
coroado, prêmio de serviços inadiáveis, administrando fatalidades.
Dá impressão. O imã de tua presença mete a ferros todas as minhas
atenções. Quem passa debaixo de uma escada contrai o azar muito
exato das escadas: sempre levarão para baixo e estará sempre subindo
sem descanso até a exaustão e o desenlace, pelo qual os símbolos
funerários do seu féretro começarão a se beneficiar dos milagres
da ascensão. Fecho os olhos e tenho cá comigo minha pequena
sessão privada de tortura masturbatória. Lotado. Todo preço será
posto, todo pressuposto será presunto. Sem ninguém mandar, sem
ninguém pedir, sem ninguém sugerir, sem outro querer que não
este, que sempre quero cada vez com mais nitidez. Não exageremos:
uma hipérbole — comunique as distâncias a que se acha deste apelo.
Contrasta, palavra que não precisa dizer. Diria mesmo que.
Favelando a gente vai se entendendo. Cancelaram tudo. Batalha
de guardanapos: moxarifado de almorabixaba, cascataracterex!
Planeja mas não chateia. Compareceram em pessoa, fugiram em
massa. Uma milha não humilha. Em boas mãos entreguei meus
pontos, o malacabado sucedâneo do bem sucedido. Esse é meu
desaforo caseiro, desafogo. Fichinha essa convixão em comparação
com o que eu sinto. O monólogo é monótono e a maioria só
tem a ganhar permanecendo silenciosa. Crio à moda da casa; come
com a agente, dorme por aí, não tem problema de vergonha para
fazer cerimônia, é Occam ou não é ? Lei da maior curtida: a oferta
melhor contida na menor quantia cortada em duas cartadas
desesperdaçadas! Apresentando-se o assassino. Quem lhe garantiu
que do lado de cá ia haver o que se esperava do lado de lá! Cortá-la!
e com ela a cabeça que abre a porta, a carótida que a escolta e,
segundo a oitiva que fui o primeiro a oitavar, 2x8 = vide verso! Lá
onde o céu é pregado com tabuinhas da lei do cão, no tempo
em que se amarrava o próprio com salamaleques, um pé de chinelo
dava murro em ponta de faca: aplaudem até à morte o zé se fazendo
de né? Das galanterias de libré em galerias bem sacadas até as galeras
de galé! Nas crises complicadas, tapa o buraco com um toco. Deu
o achado por perdido, deu-se o achacado por desenchaveado?
Conheço o faniquito pela finta, a dor desequilibra para a frente,
o vertebrado se desqualifica e se disentigra. O funâmbulo
oniropatético abre um sulco nas curvas da corda bamba, cortando
um cone nas imagens e elementos de sua diferença, terra às costas,
água à vista, náufrago na ilha inundada, soterrado, triplaflora-se!

É todo um nunca que se vai do duradouro ao vindeiro. Puxa corda.
Puxa! Puxa, que você, hein? Metodologia para se comunicar comigo,
metodologia para chegar em mim. O que é que você vai ser agora
que já disseram o que vai ser de você? Vai me desde culpar até
desescutar, não se pode interromper o tratamento, graças às graçolas
de quaisquer pretextos, em respeito ao silêncio de um minuto.
Aparleça mais agraúde. Abstêmio de gente como essa, não tardo
em me congratular com meus parcos recursos parlamentares. Mudou
de cor? Corou? Fez-se eco de um coral de camaleões beneditinos?
Mande os falcões subir que eu mando os mosquitos abaixarem
a cabeça... zum! Dá uma beijoca na botija, uma boqueira no objeto:
é fogo na combuca, mete a mão na baiuca de canjica, só para
ver comovamos contar os pelos dos nós dos dedos pelos nossos
docescaedros! Já? Haja já para fazer jus, de tanto ajustar. E a
belezura aqui na balança pesa a zero seus secos e babados? Se acasala
desbragadamente no acavalamento acotovelado do meu agasalho.
Como o pau na água parece partido, dou uma de artista e agarro
às avessas, espaços entre aquele que fala e a pessoa com quem
fala Ele, a terceira parte da trindade, hoje dupla caipira. Um cachorro
choco desencarrilha o canino chorrilho de impropérios noturnos,
quando o recife arrefece: a grande paz o guarde livre de todo alarme,
o mesmo molesto a esmo das moscas sobre as lesmas destes ermos
a eito. O exterior é anterior, posterior é o interior, mas nem por
isso vamos ficar com esse ar de riso mofado pelas pegadas em
que caímos em vez de sairmos logo para o pau entre as coisas
e as ideias, que aquelas são mais velhas. Que tal a azia que profanou
o bem estar, nem bem estava, que falta já faria? Se o que eu disse
não contribuiu com donativos à nobre causa de eu ser melhor
entendido, nada mais vos prende aqui, irremediavelmente
conversados! O que não prova nada, mas o silêncio já estava
começando a incomodar. Será que estamos tratando bem do couro
das bonecas? Tudo faz supor que nada subsiste além de um certo
tempo que pode ser tão longo como qualquer eternidade vulgar.
Insígnias inéditas! Insídia e assédio, formas e graus do mesmo fasto.
Comeu ananás, cheira a casca, já não há mais deixá-lo para trás
nos anais da fama, ao sabor do alcance de quaisquer bananas: o
mestre de cerimônias das vigílias cívicas e instrutor de todos os
sentinelas da cidade cai duro para a frente, uma flecha na espinha.
Vai ter reviravolta: os próceres, quibebe em escabeche de
toupinambaoults! Que não se prendiam a tratados: hoje aqui,
amanhã esqueci. Pudessem. Pasmava ainda, quando recebeu em

pleno muxoxo da bochecha um compratento sob a forma canhota
de um esculacho com a munheca. Isso te basta? Um dia, palavra,
vou botar à prova o gosto de ser a única coisa que existe, pernósticos
que vivem graças a prejudicar um mato muito mal agradescido.
Tropecei no que tinha ficado para trás, no seguinte: a saber. A
Panônia, a todo o pano! Chancela e depois cancela: isso cansa.
Primeira mão: seio caído; bico sem saída: última demão. Bacalhaus
comendo vagalhões por vagalumes nos arrastam para trás, lugar dos
peidos prediletos dos cães nos arcanos da caça. Temos que ficar
separados por um abismo e meio de caveiras, ossos, diferenças
por tirar, faltas ao encontro, vazios dialogais, vontades férreas
magnetizadas pelo destino, acidentes terrenos, aversões à
emancipação dos fatos, prometendo um pé por cada mão dos
passantes, até desvirtuar os adventos da fortuna, o mal que nos
devidos limites fazem aos casos vindouros! Os tributos anuais lhes
pesavam na economia, e na consciência? Fôssemos só os cagadores
da merda mais clara neste âmbito sublunar, não haveria os sublimes
seres como eu que maquinam o contrário! Mais carinho, trata-se
do mundo, uma máquina cuja peça principal é minha cabeça! Entre
um então e outro entrão, uma linha feita de infinitos pontos de
exclamação, lá onde a bota de judas pisou na bosta do judeu errante,
uma aleia de interrogações, e só depois o couro do tamborim,
coxa de emboaba, abarábebé! Num abrefecha dolhos, posso lhe
fornecer um salvoconduto de duzentos alamiréis: num ai, isto é
dez vezes menos que o tempo levado num upa! As aparências sãs
e salvas, para matar o bicho, tive que virar isso, revirar os desavenços,
como um suicida contumaz. Errando é que se vai enredando: tanta
desgraça não podia vir sozinha, mas muito bem assessorada pela
comitiva de infortúnios cuja resenha resultaria enfadonha! Até o
A nunca mais ver B! O viático longitudinal passa pelas platitudes
de um breviário, cotoveladas, testadas, patadas, pegadas, pernadas,
culminando em um nada, pancada dada com o não! Nassau assobia,
hábito que contraiu enquanto chupava cana. Eu no fundo sou um
cara confuso, negócio escuso tramado lá em casa. Está por cima
da carne seca, mas não dos ossos, não dos caroços, não da carniça,
não imune, não isento de futuros aborrecimentos, à cata de uma
catana para se cutucar! Morreu em odor de santidade, mas como
fedia! Chamo às falas ou mando às favas, o ilustre decide. Senhor
que está fazendo cartesices com o chapéu alheio? Um aí na porta
quer falar consigo. Está bem. A hora que parar com seu
ensimesmamento, mande-o falar comigo. Quanto ao chapéu,

achado não é roubado. Para cada bicho de sete cabeças, tem sete
sem nenhuma, assim como lamentavelmente nenhuma à procura
de um bicho. Agora é até o cordão biliscar, logo tudo passa. A
sensatez já tem seus donos, ver-lhes os dons reduzidos a uma
esquisitice será sua sentença! Perante o passado, o profeta e o futuro,
restringe-se às devidas dimensões dos semblantes, termos seus:
suspeitas que a certeza traz atravessadas na garganta, a
inconsequência, a leviandade, os arbítrios do sentir que nenhuma
circunstância atenuante degrada a ícone e quincidência de suas laias!
Se passou ou fico, despreocupa-me! Que espécie de lugar é este
que nos pergunta onde estamos? Ainda se arroga? Colabore se
que ir longe. Ganhar terreno é pão meu de todo dia cada, resistir,
desdobrar-me em evidências, caso não extraia por bem confissão
que a sede de vingança da opinião pública!
Incompossibilidade: posso ser eu se, e somente se, vir outro eu
ser para mim o que para ele serei; posso ser com ele cf. a modalidade
estar que consiste em justapor seres pelo menos compatíveis
quanto à tolerância de uma proximidade mútua; não posso ser o
que quiserem, o que me desautorizaria a pretender algo além de
uma remota letra A, cotada à base do zero. Contemporâncias
condecorâneas, sinais dos tempos! Qual não foi meu espanto que
fez memorandíssimo um sucesso então indetectível pela história,
— que digo?, pela própria memória individual, prenda pedestre
e cotidiana, que guarda até o preço dos ovos, a voz da pipoca
ao exflorir, palpitações do coração há muito pacificado cf. o modo
vândalo, irmanando-os em fossa comum. Durei aqui, o lugar A
B C, sendo B a diagonal, A — uma incógnita dia e noite disfarçada
em primo princípio de um bom número, — no fundo, curtindo
o báratro de uma dízima periódica, pântano de mercúrio onde o
C se desperdista como batráquio que é, queimando etapas e pestanas,
coaxando: Occam, Occam, Occam, por que me abandonam? Já
não sou mais aquele de quem os litocardíacos disseram amenidades
e os melicárdios buscavam feito antídoto, com a ressã e ressalva
de um erro sem procedência: atribuírem-me a eternidade que
bondosamente me ofereceram alto na bandeja e palidamente declinei
como de todo indigno de bem tão discutível. Quando virei? Quando
Artvxewsky disse: dona Varsóvia, faça o favor — e a farsa fez-se
de não vir tão óbvia, tal humor me subiu às abecedeiras, tive uma
coisa: me despi de rebuços, me despejei de bruços, me dispus a
abusos, prosempompeio em altos impropérios, soluços, insultos,
no mais profundo calão, desmedi-me. Abraça vastíssimos desígnios,

sesmarias em iminência de ficarem vacantes face à extinção da casa nassávia! Mil são outros quinhentos, seiscentistas como nós, similia omnibus curantur! O desáspetro invetera: morto papa Calixto IX Corsini, e incertas as coisas quanto ao sucessor no pétreo trono, acabou a inana de Lorena na pessoa de Armando o Bastardo, derradeiro da estirpe; o novo pontífice gloriosamente reinante Sisto III Montanelli tinha sido secretário quando infante e comparsa de intrigas dos Condé, em desgraça desde os reveses perante os huguenotes de Provença, herdeiros dos erros albigenses que uma cruzada não deu para erradicar mas tão só lhe aparara os rebentos mais manifestos à malfadada árvore; não mais que o contacto do desvio lutério, se avivam os germes da heresia hibernante. Os povos aqueles, assim trabalhados por toda casta de infortúnios que só esperavam um senhor para lhes mandar dobrar a língua, poupando-os do doloroso dever de murmurar, o que não faziam senão muito mal grado seu. Neste ambiente, cresceu e educou-se Gerônimo a Gódio, de demônio possesso, como atestam as atas do seu martírio, mas não destituído de predicados que o remetiam a mais excelso destino, cf. referem unânimes alguns dignatários de crédito. Com ele, começa a epidemia dos deslumbrados que hoje tem aqui em Cristoff seu mais contagiante transmissor. A julgar pelo denodo catequético do apostolado deste onde não se tem salvaguardado mangas a arregaçar nem primores a façanhar em báquica opulência de elóquio, dúbio vaticinar-lhes cabo próximo ou menoscabo vindouro. A quadrilha internacional compreende ainda um húngaro por nome Áran Miczeles, fabricador de milagres em praça pública, guindado à sumida de árbitro das deselegâncias, por onde quer que grasse o morbo do seu verbo! Um francês, meio borguinhão e helvécio e meio, que se propõe às gentes na condição de terceiro entre si e o além; o trio não estaria cabal sem o concurso de um misterioso Colimeaster, ou Clomíster, de nação não especificada, embora liça presumi-lo apátrida, e cujo aspecto abre pé- de- briga a controvérsias entre os melhores fisionomistas do velho mundo: dele só se sabe se evidenciou na Toscana, congregou um cenáculo de doze na Morávia e teria sido executado impenitente e blasfemo como viveu no recentíssimo auto-de-fé em Valadolid. Até qui, conjecturas. Assim como não é presumível que os poderes assistissem de braços cruzados a tantos excessos, assim não devia ser possível que seus empreiteiros, sob nossas barbas, transitassem incólumes através do fogo que atearam eles mesmos. Os que só desesperaram, porque antes tiveram noção de um Senhor tão isento e maior que tomaria o próprio desespero como oblação plena aos malabarismos de sua providência caprichosa, ora, mas onde é que nós estamos? Franstártica, MDCXLIII, a um passo do abismo! Pontifica, canoniza-se e perpetua suas imunidades. Nem faltou entre os celerados quem tumultua o vulgo com anúncios de desaventuras aparelhadas pelo céu, haec calamitate expianda, cf. se exprime um relator destas efemérides; entre aqueles, verdadeiro foi este, no intertrento, que dia mais semana a menos, — ressuscitaria! Raridade corriqueira — e cartão de visita — entre profetas sofistas, os cautos encaram com sumo ceticismo as novas do seu regresso em Flandres: Occam I o Outro a quem aprouve servir-se deste nome para engodar uns e nós embora o primeiro, não tendo tido a sorte do epígono ora presente, contentou-se com a fantasia de um principato irreconhecível a um palmo diante do nariz! Sombras destituídas de contrastes, almas, formas! Toda desáspora cerca seus messias: confere, mas conforme teoria a que falta sanção pragmática, a compensação da lei. Defasam-na como lhes convém, o ridículo palpável disso. Dançou o passador que vinha dando início ao abastecimento deste ermo, por exemplo, enquanto os recursos locais os fossem proporcionando às suas vitualhas e vitórias. Ide escorraçando esses intérpretes enquanto Occam, para evitar aborrecimentos, desdouros e dissabores arrevindouros, enceta outras insídias, emancipado dos manes que a ele lhe vinham ressurescendo, não vamos nós arreferecendo, certo? Vou acontecendo, não interrompendo que estou acompanhando, não fazendo poucocaso de quem tanto desfez em prol de mim: perdesse terreno perante a avalanche de despropósitos, que vieram sendo e o irão enquanto possibilidades de virar a mero o quanto tinham de especial. Assim foi, e quando vimos mais uma manhã trascurva, tarde chegava aquele já! Vier a acontecer, prevenido prevalece sobre ingênuo. Sentir que vai acontecer, isto seja bem um quisto: aparecer como venho fazendo sem um tiritar nem um porquê. Um portento me erraptou, me deixando aqui fora: bolo de gosma, pedra de lascar, a gema do ovo, irmã gêmea da menina do olho, eu, atanásio, santinácio e outros companheiros de apanágio! Neste aperto, foi-nos aperitivo um espantacibo, versão animal daquele princípio que mais não podia ser taxativo: tatu que só sabe um tabique, etc. Calma, vamos aparecer. Paz? Vai haver. Tendo aparecido, irão aprazendo assim que estejermos prospiratas: vou carecendo de condições mínimas de estabilidade, de cuidados extras uma desatenção que

ninguém deixou de cometer muito longe dos alhures. Henrique-se!
O egrégio dolo, de enternecer pedras, entornar caldo, desnortear
gato, ficou de parecer, de amargar, bom de lidar, o Artífice de
cortesias a chapéu alienado! O tumor entorpece e o torpor
entumesce, ensimesmando-nos. Já ia esquecer mas vai esquecer em
outro olvidrório! Viesse permanecer, permana aqui, o melhor lugar
para tal prática: as coisas não vem oferecendo condições de jogo,
nós estamos, não reclamem! Devagar vou estabelecendo meus
recordes. Veio me estarrecendo o abuso mais assíduo entre os bandos
destas platibandas: coisa não condiz, o fá da glote com as
escabrosidades bemóis do fagote! Soa um apitite, afã para o fá,
o acorde do povo, o tom de morte! Onde ouvi-lo aqui? Onde
ouvi-lo aqui, ó permanecênides em geleia, ó partisão do parmesão!
Angaria mais saber civil. Com a casa cheia, mijando de porta aberta?
Destílogos perderam-se na mudança, metálogos: fica o nodo górdico
pelo polo nosso nos pórticos do golfo pérsico! Eles, não, mas ele,
né? De nós dois, vós é que nois e eu que sou nido? Por cópia
presta e pronto pretexto. Aura zeferina, zendavestal nos meus
cachos, uma alavanca ao alcance de todos os calcanhares, da caravana
não se escarapinha nem um cavanhaque! Saque nulo: não tem me
chegue que não me mate, ninguém me sinegura! Começando o
escuro a ser, nunca mais dextrimina de escurecer: saco seja mala,
é só título que se conserva! Minuluscutúsculo! Onde o lustro fosco
busca, bifurca e se disturba, trisulque o sólito, a troglo dita! Antro?
Unaltro. Lazurento! Quenquerqueira nos guarde de que se
dumquerque! Lospessostesso! Achei um álibi nesta aleluia: o mais
hábil em álibi não saberia estar mais a leste de lhures ou lhufas.
A que ponto chegou a veia que mais corcoveia, algarismo se
recobrando do abismo, consulta o metabolismo e — devendo se
distinguir dos disfarces com que se confunde, decide-se a
bancarrotar! Xingo o guincho: abaca-te! Com esses andraginosos
desademanes, que discernimento o segrega das caretices com que
insiste em se apresentar, elas que tão bem o protegiam das atenções
por trás de uma barreira apenas de ilusões? Transfigura-se num
amplo riso de crocodilo, — passe de mágica egípcia, portento
químico, — com que sempre consegue o que pretende. Do grude
se extrai a cola, matéria e mistério primo do glúten, oito vezes
mais fone, para gáudio de ávidos, Meu pensamento envolve este
mato na esponja de um abraço, e meu pensamento, mesmo se bem
se camufla, carum-cham-no! O canto dessas aves cantando de
qualquer jeito, esse canto simula o lacro do desabar de algo ou

os cantos desabam no desarvorar? Ao que pensa bem, constrói
em volta suas malabarbáries tessalonicenses, lhe bastam seus constos:
o mundo, exceção que o corpo segrega e cegonha, como quem
se encarrega de sonhar a regra do dia, três vai um, siga-o e
virgulem-lhe os menos movimentos entre seus frêmitos: é suspeito
de ter negociações entaboladas com o zero. Estou ficando sábio
de novo, serve ou está difícil e não pode ser, salve-me ou me
valse? A trindade, por exemplo, pura questão de dióptrica, Narciso:
desapareci do para si por algum tempo movido a formas superiores
de que minhas forças. O amor de si e o ensimesmamento que
se lhe segue aí introduz a discórdia no seio da trindade, Tristis
unitas, única Trinitas! Zarábatana, batavo roxo — o barato até
debaixo dágua! A águia acéfala cacareja em Haia, galinheiro exposto
aos despautérios de quantas toupeiras se fizerem necessárias:
alárminas! Distraídos pela amargura das ruas, nanto sabem quanto
tem! Não dá final de sim: rumo ao muro, e no paredão escrito
perdão. Apenas ondas oriundas de Órion a tresmilhar a tessitura
do augusto sidéreo podem dar luz à vontade e à luz a verdade!
A vastidão salgada faz a doçura dos açúcares, Parinambuca refaz
e rarefaz a amargura das amnésias. Açúcar, alimento sem substância,
sem quê! Abrestração do gosto, qualidades segundas, só um lado
do polígono, só um aspecto do problema. A superfície angaria
fundos: pernaltes! O que é que está acontecendo aqui, agora e
sempre? Precisa deixar de ser feliz se quiser viver mais, isto é.
Não há palavras: a perdê-las, preferi engoli-las, as espadas bem
temperadas com espécimes da Bahia! A meta em cena, a zoeira
em vista, pista em cima. Modus vivendi sicut alter qualiscumque,
lampsus linguaticus: ração diária, revista semaneira, batata saporema
e água salobra. Para expremer o que símbolo, prefiso resgotar meu
súsio da merúmia em que o sesforcofagam! Canárias cantando,
Açores dança entre archotes, trocando o bom senso tão bem
distribuído no reino por especiarias periféricas. Cada navio do reino
pimenta olhos canários da terra. Ab aplusbetis! Tacape de meia
pataca, patakov phareyna! Nada único nesta experiência universal
da multiplasticidade: por si só — só se for a ser mais que este
sim! Nuances quais se nuam por todos os quatros lados nunca
iguais ou quanto mais? Exatlas! Ninfa em salmoura de água salobra,
talismãs na glande pineal, banhos maria! Donde vem este desejo
de conhecer senão da incapacidade de sermos tudo o que bem
quisermos? Pulsa lápis, compulsa lupas, consulta as lousas. Olha
em volta e se vê a gravata o enforcando entre as paredes

azulmarinhas. Cristóforos aos lestrigões! Pescando em águas
catalinas, pôs a alma na zona — as catalumbas! Sic et ut llion!
Trata a terra a fogo e ferro, se afogam nas últimas áreas do pélago
num copo, procela de todo lume falto. Presta fogo, santelmo? De
baldes o oceano está cheio, que foram atrás das águas e a língua
o regato lhes comeu como se pisando por lebres! E ele de vigia.
E ele de luto. E ele de baldes: terra fátua, falta água. Aos seus
não sai quem degenera: tudo repercussões daqui nos fluxos do
firmamento. Mesmo assim, tudo isso continua aquilo tudo! Isto
era um bom menino, jamais seria algo assim como um herói: nunca
fazia o que mandavam, só vendo as interpolias que aprontava quando
ninguém estava olhando de repente ou de soslaio. Como o sei?
Ora, desde que está assim, não tem dado outra. Me isenta de
pormenores, a agulha maluca: miximáxina dos macrodismos, —
me poupa de minúcias. Allons, o bicho mais chato que o feijão
preto da terra santa já criou, falou, valeu! Salta uma cruz a capricho
aqui para o cristo neste capricórnio! Velho poço, o sapo salta num!
Bom de achar isso é S. Hermes Trimegisto. Cristovam os lombos
de todos os grilhermes, irradiando nobreza por todos os polos,
onze avos e outros gustavos: omnia vaga, vana, vulgivaga,
quibusdamque Deum rebus! Numa infração de segundos, para
menos cabo de terceiros, o principal interessado dá de úmbrias:
o rei cíprico não deixa por mais, retribui o dom dos gregos com
alguma simetria. Quando vier com esse tique, o truque é baixar-lhe
o cacoete, olha o troco! Pudéramos ir não interrompendo adiante,
barriga já dando horas para que a tirem da miséria humanae
conditionis, summa nostri temporis disputationes! Se nossos
superiores disseram que o espelho gera a trindade, que demais
tentarmos, por que esquecer que num passado muito mais remoto
tentamos fazer o mesmo? Como pode haver mais de um deus se
sou só um eu, um sou? Tu a preencher-lhe lacuna ao eu, invertebrada
substância vocálica: sua eternidade, avesso de minha irremediável
temporalidade. Só com outras consciências retroagindo existe a
impostura do eu, lógico e infere-se nos trabalhos da comunicação
que sendo comercial a consciência, o conjunto das consciências
engendrasse seu desalhures. Momento: no exato que o descobre.
Nox, nobis plusultrat! A fisga me belisca, com dedalicadência me
fiscaliza: faço fiúza e perco barriga, após umbigadas contra
barricadas e espingardas carregadas desde o começo até a boca:
permita-me observar que a bonécula está que é uma libélula de
madrepérola! Assim que for, explanja um transferômeno no

perímetro, uma diábase através de séries protéticas, uma hipótese sincopa, o por não vir continua acolado, mas o pretérito é sempre se multando. Cada ramo — afecto às quatro manias da lua, fluir, luzir, refletir e fazer uma fezinha numa trindade qualquer a desfolhar o tema batido da distância. Praguejem-me com oitocentos caracóis, pelas barbas possuidônicas, pela alma do elemento água, embora, deslua-se esse arabispo, solte o abracabresto, e saiam com a onipotência, o onividência e a oniciência desarmadas, os três! Sabem que soube? Isso é o que pensam? Penso que isso não sabem. Juntos vamos ficar sabendo ao tempo mesmo do evento: sempre tem um que sabe o que se passa, sempre alguém que pensa saber mais e esquece o principal. E sempre assim, sempre é assim, o assim de sempre! Visto sob o ângulo esquerdo do travessão — Occam, um princípio de justiça, desabordem! Desordem, não nesta grandeza! Ab ordine recôndita ad origine restituta? Sabe que não sei? Tive a expressão mais completa da impressão manifesta que se trata de um impostor despitando com latim, tentando hipócrita grangear simpatias com mostras de devoção às línguas mortas, ou um coletor de impostos cobrando o lixo e taxando até os restos de nossos deixames: a referência é cristalina, horresco referens. Vence mas não recompensa, em convencimento, deduz mas não dá um dedo de luz, assinala mas não assassim, comenta mas não acomete, represa mas não representa, aguento mas não garanto! Ida de noite e volta do dia, só penso em ti, quero me alistar: para cá, para lá, é só tu que voa. Em alguém tão longe como posso pensar tanto mas talvez assim foi o melhor: de perto ou lado a lado pensaria menos em quem ali estivesse, visto para ser, pensado não. Pensar me deixe que estou exatamente nesse teu ali e saber que não estás tão minha neste aquizinho. Eu: o último sabedouro, primeiro em pensar que não estamos indo bem ao encontro um do outro no nosso relacionamento. O mundo não deixe pensar que soubemos de tudo: doutrarte, o crivo de perguntas não nos deixaria prosseguir com a sorte que até aqui nos bafejou de fumos de vaidade, emboscadas tártaras, ataques de corsários, caixas pandóricas, precipitações pindáricas, paradoxos suspeitos, apatias peripatétricas e das inarredáveis prolixidades preliminares! Já que outra coisa não faço que penetrar a adiante dentro donde estás sendo pensada a fundo, saiba-me interesseiro em tudo que te diz: respeito! Caso contrário: que fazer quando em noite longa já pensei todos os teus teus, e começo a falar bobagem e o que é mais, sozinho! — como se já não bastasse o estado em que me tem a postos tempos e tempos. Fosse imã e tu vontade férrea, meus pensamens te trouxessem até a mim!, do qual ai, que não passo de oficial da Companhia. Aqui passou o pente fino, o pau vai a pique: de pequenino me torceram o pepino. Puxa dos sacos que estão por cima do açúcar, joão tão ninguém que desvia da chuva, quando está de frente parece de lado, e de lado que já foi embora! O resto saiba. Não gostas de restos, me lembra. Manda que eu pense numa parte muito tua, mesmo íntima, e terei muito menos prazer em estuprá-la! Fulcro da fibra mais firme e filtro da fábrica mais conforme, por atrax deste ponto, o extrabismo não se cansa de contemplar o exibicionismo. É fichinha comparado: cheguei aqui, calças na mão segurando pandorga em plena atividade. Não consigo despregar o olho, parece que foi hoje, embora atualmente faça um sol tudo o que dele se espera: primórdios, um saco górdio, um nó a código omisso, um abaixa-aqui, levanta lá, um abacaxi! No cala-te boca e pernas para que vos quero, nenhum lourenço para assobiar o narciso. Passa pelo teste de Salomão: mãozinhas para cá em cima, perninhas que para lá vos quero — ⌢⌣⌣⌣ ! Da Babilonha à Catalunha — nem mais um passo! Desta clausura saio por porta secreta. Do ser a não ser que. Janus tricéfalo a me antepassar, às custas dos seus arredores, à velia e revelia de mim ciente. Lá se foi projetando-se afundando na água dizendo hein a cada bolha atrás da última, amém de Sá! Como se para com seus parceleiros, exerce neles o dever do guarda onde é que já civil! Esmigalham, esmagam, esmam erre a erre, wirkt erregeln! Um rosnado cheio de mesuras, enredeios e descartes, trinado enquadrado em compasso binário, reinando na calmaria que atraiu a cavalaria para esta sesmaria! Caquicutuba! Aqui a turma maltrata, a turbamulta por um zás-tris tumul é a tua! Retrógrados, peripáticos e precursores, o conto real estocado em vésperas da alta valera dez vezes mais que essas patacas de meia tigela, águas furtadas a meio tijolo, todo mundo a meio soldo, meio mundo a solto, interesses disperses, inversões com a onzena no baixo, investidores investigando, iniciativas recém-natifeitas! O protodueto entupiu: o vento leva de aval, a estela, a boca e o bípede genuflexo. Passagem secreta pela janela indiscreta, conosco o tranco é outro: deu aqui, já vai levando o troco. O pique. O arranque. O baque, em represália ao contemplágio. Gatilho relâmpago, manifestação monstro, número sensação, cavaleiro fantasma, num repitáfio: Guilherme o Taciturno, filho de Henrique o Tagarela e Mãe Joana a Língua de Trapo e neto de Benedito o Cujo! Quem pacifica esse ponto?

Anarquizo Narciso. Fugiram aniquilíneos e fazem fila em frente
os indigestantes, apontam com uma seta os lugares que pretendem
ocupar com sua ruptilácea, designam vítimas, jogam possessivos,
indicam tempo quente. O aindeiro que quase os aquis e jás do
enfinistério se pelo menos gewirwissem o suficiente! O que tanto
se progunça? Por aqui, Alteza, cuidado a viga, o vigia não tem
mais onde pôr os olhos senão conosco, juro que não conosco,
pela luz que lá em cima nos alumiou, poupe-me o vexame, vê
lá o que faz, assim não ingrassaremos em Praga a tempo de desvendar
a defenestração impedir o trânsito e interromper a metamorfose,
a ejaculação precoce e o enterro prematuro. Amordenta o usufruto,
chinelopoliso, polichinês... Raro narro. O crivo não passa. A
papirossa só por crivo passa. O soslaio apanhou a surpresa de
supetão em riste, uma esguelha com mais de trezentos e sessenta
graus, quantos giraus? Diu suprimendi causa, plus permirendum!
Respia o ar com visível esforço, com tudo que dentro enceleram,
com um óculos de fazer o olhar parar LÁ LONGE! O que não
dissesse o olhar! Lágrima, nem mais uma ruga! Volta devagar
olhando o rio, o mar, o mundo e o lugar comum ao tempo e
ao espaço! Chega a tempo, a eternidade para sanar e salvar os
encurralados, recupera as energias perdidas em sinecuras e negócios
de escusas simonias. Para isso, aqui estamos: foi por ali, se caírem
do chão não estão além, deve estalar em cima de qualquer hora,
estão estourando, esse não vai longe, majuldito parlare, passepas!
Quando olham no entanto, apenas recesptáculos de simalucros,
vau no desvão do meiodesfio! Assim dá gosto de trabalhar a uma
iguaria que nenhuma oculinária igualaria: só não me igua porque
meu é diferente, senão quem me desconfundam? Manilúpula o
perpendículo e suas atransverstas, os cúmprices enfeixonam-se como
por um resplógio! A retaguarda se retarda de propósito para levitar
sem acidentes históricos ou geográficos de maior gravidade!
Requintes do instinto! E isso por endês. Nunca viu tanta perga
junta? Resprega posta! Inspeça propiça, papiraços e papiroças! Na
volta, ficou revoltadíssimo de ver tudo revolvido, regresso,
descâmbio, não pode ser: mete os pés pelo ponésio e é de desfazer
as próprias com as mãos! Posto Occam, ó compota descomposta!
Polenta por três dias para se manterem vivos, água aos dedais,
muitos alfazeres compropósitos de picolíssima nenhuma:
agalombre! Do lado de qual o mais difícil é estar, os pertinenses
seguem como acompanários as lembranças no destinadeiro.
Multiplicam-se as ocasiões pelos périglos das almas, resistam até

a últimônada: o columbário à luz de outras luzes emite um
pombo-correio a cada pintacosta, zargunchem-no! Poucas leis têm
vigido mais que aquela dizendo, tanto quanto ou mais há menos.
Em terras homéricas, o rei ciclópico. Que espécie é estécias? Nó
para lembrar de desatar em solo mais frígio, os massagetas continuam
sufragando em chão enxuto. O espelho, o mesmo espesso presto,
não se muda de préstimo, não se exige um mais rente, mais
espalhafatoso ou mais espelho, quem espinha-alamiré! Destornando
Aparício o Transnorteado! Auf, auf, auf, luteram cães! Golpe
cacocatábico! Desaverbando a compramissa, Missherr? É, é sério
o caso, está fora dos alcances dos sentidos, foge da memória, dos
meios da massa e da força da lei, não tem termo de comparação,
testis unus, fênix ou vaca fria, refém morto sem deixar sósia, espere
o pior, receba o péssimo, assim, assim, assim! Não é ilustre, franco
não é. Das últimas do ano para as primeiras horas do dia: o último
ceano afia a água na pedra de amolar espelho. Preço da obra? Por
mim é milha e meia palmilhada. O profeta desembloqueia obscenos
projetos, fuzarca absoluto. Inventaram, cf. milenar receita marrana,
o amanhã, o porfirogeneta proxeneta — o porvir, o dia da ira
dos credores, de ajustar as contas às costas, de ajudar de malas
prontas o custeio do processo, o desconto. Futuro é juro? De barriga
caturra. Uma ujura! Ponhamão na cabeça, deusmeus! Escoelha o
mato donde não saiam; que virelógio abscondem, quantos alcagoetes
foram abatidos em plena figa a ti versa: se o excesso só por uma
excessão se revela e se supera, que diria dos trânsfugas a braços
com as insídias dos subterfúgios esconderígios? Conjuga um sistema
arreverso, cultiva tudo que lhe tanja, convida tudo que for angênico,
miasma, escória, diferença, rebotalho, carência insubsistente, os
gnomos de Prestesjoão a cair sobre os pigmeus, petranhas
edificantes. O revérbero toma a forma que o torna um dilema
equilátero. O revérbero: sístole do ser, diástole já produta de si
própria pelo outro. Manter as últimas consequências dentro dos
justos limites! Imparódias em falsete: o limite aonde tende o hiato
deixado pelas elipses cuja razão de ser sua função já cumpriu a
contentamento. Atrás da orelha, o pulgatório entresai. Salto mortal
em curva de segundo grau, extremo onde se resolve voltar a ser
normal, rentremos. Cabeça etérea, tronco fluído e membro sólido,
da pedra ao vapor, o upa não passa por nenhum oásis, e também
acho: que soslaiavanço representeia um encontrovelo, vim
perguntando a um por nome, a cada outro através de diversos
recursos. Trato-os de um jeito, de um jeito de molde a que se

diga levantando meu nível: fui primeiro a descobrir a propulsão
dos projéteis a vazio contínuo, moléstia que pôs fora de foco muitos
dos melhores; a indeterminação de certos limites e com licença
da exatidão a santidade de solos até então classificados como meros
flatos de voz. A margem de chances de ocorrência a uma certeza,
sem ponto de referendum com as áreas precedentes, de cem a uma
cai nula. Quem vive a favor da realidade? Se eu, bazar provendo
quermesse, não os tivesse tirado do esquecimento a que os votavam
lendas e lendas, seu centro estava ausente, seu janeiro além do
controle, a salvo de incêndios, de todo destino isento. Quis al.
Num raio de dois olhares, nenhum lençol de fantasma para serenar
meu gosto por esse tipo de espetáculo. Onde tudo é bruma, o
navio perdeu a ursa, aonde rumo? Aquendiospártia! Um encontrito
dissipa oblíqua queda, a luz na fresta em baixo da porta, ruínas
maquinam malefícios, abismam planícies, trocam o dia dos palermas
por uma noite de alarmes! Falta fé nas trajetórias, febo nas camélias,
fogo na canjica, mão de macaco na velha cumbuca! Nova cai a
luva uma ova na boa cova guardalupa — a bola obra, empecilho
ante o espelho, báculo para a vastidão, o óbice cai como um óbolo
no glóbulo das clemências suábias, não minimiza, não subestima,
antepenáltima! Profeta anacrônico, sicofanta do devir, diga agora
o que vai ser, o descortino dos novíssimos não te predispôs
a adulterar utopíadas? O velho poço, Tales filosofa e catrapum!
Quando acabar a dinastia desta geração, ninguém mais profetizará
tanto quanto se profetizava em idades mais propícias a essas
prestidigitações malabares, melhor: profetiza o que o último da
espécie proferirá. Saber total, coisas replexas, interferências
oportunas, coisas novas, bizarras sequelas, extrarrupções alibícolas,
prostiduto não previsto nas parcélulas: o avesso do fasto consumado,
prestígio e augúrio. À direita — azimistas, à esculhambota —
fermentários! Saturno, o pai dos burros, fura bolos com o mindinho
de mercúrio e mata piolhos a unha. Óbvio e ubíquo, o ambíguo
undícola transubstancia-se em heléboro, triaga, panaceia, mitridato.
Não interrompendo, antes me esqueçam, quem não crer em
farápulas, atirando a primeira pedra! Meu é meio nosso, mesmíssimo
próspimo: a praça é nossa sem hora marcada a sol, caracolega!
O real não realgiu. De nós depende só pensar a cabeça ou todo
o resto. Céu, todo núpcias! Prospera Prosérpina, e se proserpina...
Palavras entrecortadas por rompantes saídos da casa das máquinas
dos eixos do eu! Me resigno a respirar fundos para China e para
Abranches. Assim devorava Saturno seus filhos. Per fide Bacchi!

Bergulho, pedestralo! A lei da estabilidade das retas, a lei de mais ninguém, a lei da pior espécie: quanto maior o gênero, mais cedo será um fenômeno. A lei é clara: quem dela se serve para que se converse. A lei mesma celebra as glórias da lei nas galerias do céu! Que diferença faz se o crime não compulsa a lei do denominador minoritário? De qualquer forma, quem mantém a série infinita de pontos em linha reta? Duas leis sempre andam juntas quando não justapostas, quando muito já se disse delas o suficiente para sabermos o bastante: uma canoniza e confirma a posição da outra, a beneficiada consolida a barafunda. Breve o conflixo se intercabala entre leis. Uma rezava: dai-me hoje o que amanhã convenha. A outra era assim. À guerra, leis não se divide como nós. Estavam ali agorinha mesmo e ué. Sinto muito mas outras leis há e já passaram por aqui e revogaram todas as dispostas ao contrário! Visão beatifica: uma lei que já tinha todas em si veio render uma revolução em trono do seu turso! Persigna-se, persigna-se: para bem da trindade, três vezes bem depressa! A gema do omega em botão, o ovo em flor, o olho novo rebentando, a cauda tão sensível que dão cordas de rebeca! Timbra em retinir, felízofo! Cena Sinarum, um pouco de via, um pouco de virtude, o método leva uma prensa! A quem a baba lhes serve de adubo, boa ganância almoxarifem, podrume te arcompanhe! Tranquila trouxe a consciência perante estes tumultos. Fluxo, lago enxuto. Peanha, esta é tua estátua! Nenhuma confusão, favor, se faça em próis de diversatilidades. Cursando os negócios, como diz o frão e o refrão não faz mais que refletir: o fim último da vida não ser a vitória, — o prazer ser! A calda lousa coisa lenda. Porque dela oriundo, à plebe caro. Nas nonas das terças de novembro, deu uma endireitada no alto e uma invertida no baixo, a ordem ex urbe et orbem retinuit! Lentes de grau, lentos degrãos! Em espinháfricas órbitas cucurbitáceas, passa pelo ósculo o intérprete etrusco. Para que decifrar esse idioma, nada nele de legível, nunca disseram coisa a coisa que prestasse, boca só abertura para as lérias de sempre, sempre invisíveis, sem mover um dedo de poder, em covas rasas cobertas com tábulas improvisadas e prematuras — os etruscos, ora. Pacto? Capto! Homem, eis a cloaca. Agite a cueca para o navio merdeiro que leva o lixo da Europa para cá! Nos coram. rerefaz, contamina, não se recupera e se propaga. Gentios exaram páginas. Contacto com o cactos, como os quais compactuo meus cacoetes! Palio o que posso, ideia ou idílio! Soprar minha vontade no vento do destino, cifra tudo em melhorar: mentalidades mais poderosas sempre acreditaram na

vaivolta das coisas, tiveram muito amor aos fados e fizeram por
onde a próxima volta encontrar tudo mudado. A despropósito,
predispóstumo alelhures a muita empolcação mais: capitula e
recapitula. O psicopompos, beaucoupdasein! Ia conosco a pacto
que nos captanasse nas bélicas e nas irênicas, monstro, portento,
ostentação! A calamita puxa o metal que nossa idade batizava, a
presa não vem tão cedo às pinças do caranguejo! Quanta celeritas
ad se movendo requirit? Suas credenciais! Asseveras ou pilherias?
Meu quinhão em rincão! Caricatura dos desertos onde o chacal
late, agulha e aguilhão! Mede que não expanda? Na velhaca e direta
maneira de dizer, manda e não pede! Bucho de canhão, do búzio
sai um ut com meia dúzia, — apercute! Nariz de tudo que é
esterquilínio — inquilino! Traídos por qualquer um, por que porém
por quem nos tem sido um verdadeiro guia? Luz, sabe e sói-o:
ninguém aqui me haja. Brilha, tem gosto e costuma fazê-lo com
renovada frequência. Fedelho metendo o bedelho na guedelha
esquelétrica, cascataplin! É isso: timbuca, caduca. Por minha
fé-d'olhos, velhos se agitam e filhos grisalhos? O peripatético
perambula taciturno pelo parlamenturo, dá de cara com os olhos
regalados de pavor que melhor cegos tornavante, parliturnos!
De oitiva ou de outrina? Bombas relógio, emissas intra geneticam
catenam a explodir a seu bel prazo produzindo mudas: traga o
afilhado da Fortuna! E traga fazendo continência! Diabo citando
as escrituras, de pé para ouvir a sentença, ilhota fulminada por
um raio paralelo! Secreção, abaulo sísmico no abissal cósmico:
cautela, o inimigo culatra! Diáclase, subreptilânea. Dique: para
conter transuente na curiosa encrucilada. Braço do rio, meambro
em forma plata. Ensaio geral técnico: a tática de mim metimpso,
simbiose de aparências! Em Narodna Obrana, o Real e Imperial
Gabinete de Evidenciação, splendor patris in speculo, facies futuri
saeculi! Em maus lançóis, mordentisca! Entrar com o pé direito
no bom sentido? Tão mal falado que quando a fama chegava já
estava difamado! Terra, move o pé que te ara! Descem à terra
espécies das coroas do céu? Paciência: a dor, enfim! Estandarte
carmezul, leão em frente! Mapeio Cartésio, martyr desiderio; meu
santo antónimo, restitutor rerum perditarum. Coisas dignas de
serem bem ditas, in parangone. Estufeflatio: cilada a cidadela,
enquanto a sibila bareda! Não tema: sei o qual é tal que outro
qualquer é pouco menos que al. Sensível o sinal grassa, e eficaz-se!
Olhos vitrúvios: onde se acumula a fina flor da onda dos milagres.
René, inquilino de todos os equilíbrios, ora sensação! Onde é que

pega? Arreia, arreia essa gaiva! A título de pé de igualdade, semiráramos o rei Zózimo o Louco, de Chipre, como se não soubéssemos, o ministro de Leão o Sinistro, se não fosse o último, Raul o Felino, Duque de todas as Catalunhas e quantas mais houver, Gervásio, uma besta em menopausa, dito no sul o Boas Pedras, Rodolfo o Rechonchudo se não tivesse sido tão irresoluto, e nada menos que aquele cujo nome os minorquinos esquecemos nos hugos do capeta mas as cicatrizes bem menos ainda! Beber não é ruim, ruim é o cauim que servem por aqui, nos deixa dias e dias a língua em petição a palmos da miséria, noites e noites ouvindo uma voz de jazigo perpétuo dizendo. Beber não é lá essas coisas, uma delas apenas: só que não se move uma palha a seco, um grão de areia a mosto morto! Diálogo, não uma utopia, lindo de morrer horrores, seu petê às vezes não tem papo. Terror, a diferença exata entre o ser e o parecer: a revelação é de arrepiar o capinzal do cocuruto! Nenhum milagre me alegra, o autômato anônimo. Essa universal incapacidade de durar não me arranca nenhuma daquelas lágrimas de crocodilo com que os heráclitos deste mundo mascaram seu desamparo: que gritam na neblina entre canoa e colina, ô tentores da gritaria sibilina? Que tive essa ideia por trégua, provar como? Alempassar em falange persa não dá, tentar fila indiana: um extra entra de lado num espalho desses empanzinhados por baixo da pestana e dois enfim se enfiam oito a dentro ou oitenta a eito! Cada um mais atacado que o outro no seu farejo, por que seguir o tempo dos passos, varinhando e pronto? Não me encha a queca! Revés severo sofreram até os meus maiores! Um dia isto será apenas capítulo na história da repressão escrita numa catacumba das cidades futuras por netos, de renato não feitos, recebendo todo esse eco. O cão do lado de cada palavreado isca os pelos do pegador de arrepio, pau de sebo onde ninguém sobe de surpresa. O incomprendido deitou de comprido e mudou de sentido, meio indisposto, intrigado com tantos estímulos: no lugar que está, quem quer que seja, será por que ainda vai vir a dar o que se é. Passo o dia em frente dessas caras, a mão aberta, a boca falando, a cabeça vazia: o branco do meu olho nunca esteve tão mais vermelho. Tenho a certeza absoluta que não chegarei ao absoluto, tenho a duvidosa impressão que eterno é isso e acho-lhe uma graça infinda. Calar convém: mais era, pororesó! Bicão de peru, xereta, pirata! Grande grito, tantos fazem assim quando chegam nessa hora! Proinibido marchinhar sócio, meu sósia, sozinhando o tutano desta mideia! Me favoreço um improvisinho? Para elixir o melhor lucrar,

mister chegar anterior que o mancomunhequem os que se
consideram os tales, — e prospere a tapera com tanta toupeira
deschamando com tatus o que se estatela em aplausados descurtínios!
Mão na frente, trataz, oito ou oitiva! Foi nefasta essa transição
na festa, essa incerteza quanto ao dia, essa abordagem inoportuna,
tanto destaque a quem outrossim tampouco fez do mesmo não.
A luz nunca, mas o som é o mesmo dos outros dias, cabelos nevando
a olhovisto, camisa com onze varas de forças. Eis o cego, alguém
apenas. Na Patavilônia, remotamente, escaninha a estrólia, somália
a essa tal multiplicalha, estrega pontos à pele. Paulônia esgratinha
cavalguíces; sai, Desbotávia, raiva se pilhando, empilheriada! Ninfa
magra, rio fino: de perfeitio, e mais estamos cheios que inteiros.
Colônia da calúnia, Catalunha! Está cainhando? Estrepolônia, e
dinheiro para gastrá-la! Quem rala, ralé! Incurso no projeto, o
menumonte, réu de processo: o que era retrusco, parece atribunado!
Falta pouco, e até esse pouco já está fazendo alta. Nesse mesmo
tanto, mas não entretudo, — um vasto basta, britamomentos!
Olhinhando bem de perto, lepra me tinha! Cada milha uma ruína
habita-a uma múmia, vivendo de rebotalhos, serragem selvagem,
de biscates, fragmentos de velhos ofícios, hoje: curiosidade a chamar
a atenção das visitas pasmas por sua integral inutileza: aquabom?
Vem de cessar o meu dispor. Invisto-me de investigaduras, atitudes
aproximativas, exames pernósticos: ainda é dia, em suma. Exigiam
a teoria dum mistério tão útil, eu estenso. Aos cientes faço saber
que senão são, azar: ser! Pergunta tão rica precisava andar por
aí mendigando respostas? Hein, monofisita do caralho! Fazer
entender ai, a alusão ainda recém de alhures: gota o acusa, contagota
o calcula, uma curva — água pela cintura, calcanhar pela culatra.
Sumiu. Tinha que sumir. Sumir em hora despropósita, contra todas
as suas convexões, translisto. Estar sendo faço retroacto o limite
máximo permisso a absintícias, eu — réu de todos os nós. Me
campo de tal, raivo de privar, outras moléstias pondo finais a
rompantes e requintes, o continente produzindo conteúdos!
Conheci um homem que praticava três tipos de ambiguidade, sete
estilos de ironia e uma maneira contraditória de fazer que sim,
adversário da transmigração em vésperas de diáspora, no momento
lapso da extrasubstanciação! Dado caso que se percursasse grau
por grão de linha a rinha, aqui estou eu que faço a crisol o que
se espalha a granel: palmo aqui sem pasmo não se passa! Na
montanha, um aviso. Pela restinga, branco serve de alvo. Queijo
pando e pau quejando, hífen contra o hímem. Olha só que nada!

Atravejo sete paredes, lá o loco, núsfuga, a galgos esfalfo, persecurso, espeluscto, in periculo oculorum! Alta conta se ensaia pelo lado anverso: saídas a nada o desvão vazio, alicerces inatos, espaço levado em posse, recrudescendo! Amém, o que for demonstrável! Adiante, o abismar exerce efêmera hegemonia sobre o alquimisto, símplices para exemplos, repto como adágio e persuaso por aquase será retrovado ligeiramente intactual: meado a meia vista, metade usado, in partes meditabundas! Acolácola, quasi in modo etrusco, reverte in beneficio Brasiliae! Lemos por aí palavras azuis, vermelhas, verdes, pensamos: é mesmo. Bibliopatologia. Os que leram o tempo todo, pena: ler toda a eternidade. Se ler faz bem aos vasos comunicantes da vesícula, se os ciclos da urina contaminam a recuperação das cicatrizes, que reses convém comer, se ervas: reveses. Cada dia expila seu fermento — ordem una! Estranháculo; sujeira, targum dos sefirotes, todos satoríferos! Olhe para a fechadura fechada, incline a cabeça, a porta está aberta. O girassol amanheceu imaginando-se. Mitrucidastes! A dor de ouvir certo som, a dor de ver tudo isso acontecer, a dor de lembrar, a dor de doer, a dor de lado olha-se de frente, toda dor avante! Quando, para a exatidão do cotejo e pontualidade do desfile, balda todos os meios, para mim se volta me queimando a roupa, despistária. Ser simples falando de coisas raras corre o perigo de simplificar o que dessa forma não se manifesta. Não só isso: resta um meio. Erro arraiga e agarra. Gloriosas alturas, não me deixa cair de tão alto, de tanto pleno, em tamanho documento. Entre estes espaços figurava um, no grupo IV, contíguo ao Grande Silêncio. Para furar os pesos, chega os fusos: fústio está para fúrdio, assim como eu. Não sei qual nem que me contem quanto, não sei bem se foi assim ou igual. O objetivo é indefinido, o objeto é definitivo! De que vale se não se adivinha? Cada espécie se alimenta da recém-surta, nova e tenra: esta quando crescer descortina a outra como senhora e predadora, e que lugar terá que lhe disputar aos aléns! Devorá-la? Reduzi-la a paisagem, contexto, Ideia. Quanto disto está previsto ser preciso para pôr nestes interstícios a fera a devorar juízo? Quem te roubou de nosso comércio? O uso dos recursos, o pleno emprego de nosso desembargo, o contracto mais curto já exarado na história dos exageros! Essa repugnância conduz a este movimento envolvendo por dentro o que resta de todos nós: cansa as circunstâncias não obstantes às iniciativas, as objeções dos próximos, a irônica saraiva dos desafetos e as interpretações transversais. Tiveram acesso, desoculpem o desalojo! A inana começou inane, catervas nihilistas inermes; levando daqui para a erva: se trata o degas. Com isso, servindo-lhe de guia, o desarticulo! Quando chega aí, o fim da picada soletram todas as artes conhecidas... — lá! Tudo isso reverte em favores de causídicos ávidos por nossos pavores. Fala vasconço, alguém aí germania, garavia rasgada, lé, garantido, nô, gringuês, framengo, batavia? Uma orelha pinica uma palavrinha aqui, outra alinhava numa daquilá daquelas, aqueli-oquelalá! Ioiô de loló, no bozó de mamã: pega aqui pelo ganzê, direitinho no zuiderzê. Aquilo ali, meus aquéns! Como assim? Assim como sói e soa. Um acolá muito afim de chegar. Teatriculus mentis. Não estamos falando de duas coisas diferentes sobre o mesmo assunto? Não é de nossa alsádia, mas o caminho para a Arcáldia não paixa pela Ersátzia! Outro roteiro não está tão rotineiro que psilfa coisa que speft! Denolvo em camberto abasso, espretérrito alambistres! Vencer Diretórix? Laumento o auribintro! Férias talvez daqui não pareçam, mas lá chegados — no interior do poço do eu — nada mais há a fazer, tão só e só. Recruta não retruca: mal pilhei o tramalpixo, baixinho num coxilho, conhece o tipo? Claro que é aquele do qual não se distingue, mas quero dizer com que se parece agora. Nunca se viu tamanha valia de quantia em tampícula qualia! Salve: uma salva de valsas, uma selva de palmas falsas, calma com o salmo nessa salmoura! É o lugar ideal para esse tipo de ave, donde não se afastarem por amor do grande calor que sua presença misturava a uma ameaça de desassossegos: uma ave é muito vaga, matéria paga, estrápega e vespafentada! Fórmulas de poder e polidez fazendo hora, respondo oculto por obscuro... Se só fizesse o que bem entendesse, dia viria onde não me entediaria mais! Carrapisca a seu beleléu-prazério, sfilnapynx! Anternaldo quágulo, resfavila ascapulcro, espilcapsa calúndia! Descasamatamentos dependem do moto alterno e do respectivo desdém, ó escarrapachatrix! Regular o mosto, só falta: temperar as cordas, acender a ira em peito alheio, ajustar os ânimos às circunstâncias, o fogo manda na brasa! Bichopressa desautorizado a tão empinado desempenho, perseguiça: fulmina-me o corpo, como a Capaneu! Humanidade exige que ame os animais, as plantas, os fenômenos mais esplêndidos da atmosfera circundante e pulula, — os que de tão originásios ficaram como espécies de toda formosura depois que nelas botamos os olhos chorando ao saber que os deixaríamos de ver um dia, alima e iluma nossa alma ainda inquilina destas substâncias como se pode ver por outras falas alhures emissas doutro não falamos senão destes

senhores nossos, o sol, e outros afins menos aquinhoados em
grandeza! Em prol do que for, tem sido o que venho sendo: deixa
comigo que o último eu inifinjo. Isto é licença: quem de nós
porém sustenta potência sobre um ponto pênsil? Diambante
espaldaúde ambientra recambiante espadada? Destandarte
carrancado, charquinadas destratartes! Sartinsistras transinistras?
Que se vingue a esganandaia, ai ao paio, sai da minipança! Não
se incomofidique, repreparos passam, os separsos prazam ao
abecéfago anoréxico! Acocoroce a calabuça, poda e desbota, basta
e desgasta, desfenestra! Não se arcomorde, porte! Se até restolho
arrastilha, preste-se, deschulpe! Mal pergunte, vai dar ou pode ser?
Omnia nimia, percerebéstia sentipernas, miscomportum corabração
ou estadifício? Não dói; ou se doer há uma dedoduradelícia!
Entrafronta a buçolússola, tento o mesmo, não revulsa, respiste
o percurrículo! Encanasga-se o desengolzo, a africção: sopa na
caçapa! Aqui me prende um laço duradouro, por séculos o contágio
dos seus nós! Desprecisa tanto enfronço para me qualificar de tal
e coisa: vem que deixo, de impedir que durmas de queixo irão
recados de outras turmas! Artyxewinsgh, demora para chegar não
é desculpa para eternamente descancelar-se! Que vai ser de nós
sem os protéstimos inestimáveis como os que lhe reconhecemos
exclusivices? Quem negar, como afirmar, essas baboseiras todas
que cifram o meio mais nosso de passar incólumes por fora da
esfera de influência dos raios do espanto, — devo lembrar que
dalhures ficou de vir sem dar sinal de haver vida na base daquela
pura verdade! Falta de vergonha: rouba sem poder derrubar. Fica
aí que já volto teu. Eis-me egóide, semiapático, patético patente,
sofrendo! Findo, vinde! Disso disseram, nisso atentaram seus
ampliadores, amplificaram e angustiforão! Nos vimos em arcádias
de arrosar, em pelagadarços de seperguntar: o que foi isso? Restasse
almenos o representante, o acinte, o adrede, o seguinte! Nunca
fui aí. Joça posso com juçara, mas aposto que quem jaguará jagunço
com bagunça de taquara eu jurara que não fosse tanajura na chula
taba de guardalajarra! Aqui já se fala que não vou dar ouvidos
aos alaridos que me chegarem ao alcance da lambida no alambique!
Nem me ligo, o colega comigo? Desculpe as damas presentes,
Occam com mais uma das suas fez as demais. Antestempo que
eu bispava esse resbanho, qualquer Antuárpia era minha própria
Pérsia! Espelho me absorve a figura, entra e entrega, homogênea
à homenagem! Mais para baixo, para a esquerda, pouco mais acima,
está esquentando, aí: coce, tócegas! O tempo é a distância mais

longa entre o ser e o nada: pressas, pressas, para essas pressas
é que brincadeira tem hora! Desconfeito, o opinante: peso frio
do tempo afundado no calor da eternidade! Para o distrito, alguém
astuto no assunto! Corpos infinitos ou um número infinito de
corpos? Um só corpo infinito encarna um número infinito de
corpos, um número infinito de corpos anima um só corpo infinito
e assim indefinidamente... Indefinido por infinito, pretiro-os sem
limites. Em si só o contínuo é uno: atirou no que viu, matou
o que não virou, mata tiro, tirarei! Vai negando, negaceando,
negociando, está acabado. Que é que está havendo? Ele está se
imobilizando, devagar quase disparando. Estou encerrando, me
sustando: estou ficando, ou pelo menos tomando as medidas de
parar. Ao desertor, os desertos! Passemos em silêncio mas pela
ilha não. Dá o pé, riquito! O seu a cujo é, cada frã no seu galho!
Indo a Portugal, cada lugarejo só tem a perder seu melgarejo!
Monstruário de fenômeno. Quando o céu trabalha, relampragueja
e extroveja. No tempo que os homens sabiam tudo, médicos foram
os primeiros sábios porque, mais o fossem todos, lugar havia onde
seu entendimento se recusava ingressar: em si mesmos, — para
não se dissolverem na metáfora de qualquer coisa que esteja em
qualquer lugar: extratos de delírio, estravasos de desequilíbrios,
certames e torturas, insignificâncias! Fora, tudo era estranhadamente
familiar, intimamente misterioso. Longe dos olhos? Quanto? Perto
do coração? De que lado? Trata-se da metade da distância mal
estrelada por um ovo como meteoro. Sorriram-se e se me
aproximaram, trazendo o ser nas palmas. Eu já era. Entardecem-se
nos os passos, desmelembram, entremear-se-ão! Inquérito, fagulha
inquieta: ver. Com eslavo desvelo, olho na geografia, estrabão
deslavado! Atravessa trâmites trigêmeos, ópera automatária. Pelos
poros, procurando um porão para passar, e pelo muito que lhe
perguntam respondeu que sim afirmativamente dando a entender
por sons e ademanes que tal ato praticara e por mais não dizer
foi-lhe perguntado e quantas vezes e ele respondeu também por
sons e ademanes que não sabia dizer ao certo quantas vezes tal
ato praticara e assim o entendemos todos que não sabia quantas
vezes o tal ato o praticara e sabia que tal ato praticara pois com
palavras e ademanes respondera que sim afirmativamente e disse
sim e não negou negativamente mas declarou ter tal ato praticado
e não sabia quantas vezes e respondeu sim positivamente e assim
o entendemos todos pelo muito claro de seus sons e ademanes.
Qual o modo mais simples para fazer o impossível? Um tempão,

um estado-tampão! Quem deixa que eu ache, mal chega a malgaxe.
Fazendo tudo que seja possível, Henrigateaux! O problema todo:
hoje estou querendo ser compreendido, não estou afim de entender.
Não consigo me concentrar, provavelmente porque não tenho
centro: concentrar-se quer dizer baixar em seu próprio centro, eu
só tenho periferia à qual me referindo adquiro consistência e —
por que não dizer, eu que já disse tantas bem mais discutíveis?
— existência até. No juízo universal dos sábios, teve que deixar
subitamente o país à mercê das armadilhas boquiabertas que
disseminou! A notícia repercutiu até em Cu Ralado, além da serra
do Abotoa-Mosca, percutiu o fino senso de pavor dos neófitos
de Ibiapaba e cutiu mesmo os abolígeras, querela dos antigos contra
os modernos! Inverso leone, simul et similia signa, contra rostra
falconum, pro tergibus militis, contra pecoris nares, pro exegesi
aenigmatum, instar nihil: legitur. Translado a lado parcos meios,
estou inclínico a. Réptil que se repete a cada vez que muda de
pele, seja o que fosse! Gêmeos, ao espelho: dirime o diferendo!
Doctorem subtilem inumerabiles contraducentur repugnantiae.
Vero etiam imo temporibus istis nequaquam nonnulum
disputandum sit: vox cariri quod dicitur populus, hisce
adversitatibus, producet, scilicet, — tantum modo efficiet
qui nusquam perfaciet, venia sermoni data. Sub pedibus, ulular
tellus. Não é mole senão não dura. Onde ensevelir-me megascópico
ou micracústico? Nem se ofereceram, bichos nojentos! Pro xadrez
na porrada, abstração sob a qual o homogêneo se apodera do
pensamento! Frap! Como vai essa força? Atoando? Pagando pesados
tributos aos mais leves insultos? Por dá cá aquela palha em agulheiro,
a linha fraca toca no ponto forte, palmo a pau não move uma
malha: uma parte defende o todo, todos defendem as partes! Não
vale a pena arriscar o pelo por uma pedra toda cheia de preciosidades.
Inalada conceição, se eu fosse josé, josefava; se eu fossasse, se
eu me estuporasse — eu azulejava! Olhe só que espetáculo de
desespero! Desperir mal se lhe prospara, seu abidesastrado! Hoje
que com o que existia não mais me extasia, — gota alguma para
tiragosto! Raiz para cima, abaixe os braços, radicocéfalos e
ramípodes! Plante uma bananeira, nó na bandeira, pensei que me
perseguiam cavando meu esconderijo, me queriam para festejar entre
os estranhos — as imagens dos meus amigos — os santinhos. Pradizo
nos hortos dóxios, paradescos. Maltratado que nem cavalo de exu,
apanha mais que cachorro de bugre, mais bem apanhado que arara
caída do pau! Mãos postas: palma colada na palma, dando por

encerrado o ciclo de braços abertos que culminou com o cálculo
o quanto mais preciso do peixe imune à pesca! Fecha o circuito,
dobra-se o ser sobre si mesmo, concentrando os fluxos da substância
de sua natureza. Solutio continuitatis: fálsia modéstia pérsia.
Pentadáctilo pedalando o dédalo do pélago com mão polidígita:
arcanos noéticos! Sede, chave que abre a fonte! A erva embala
e embota, desboleta, a árvore resvala e resbotalha: bancalhota, erva
maior. Sentimentério, chiguágua! Te valho como intérprete, médico
de crises incomprensórias, sábado de uma semana de
desentendenças, como quem serve de ponte num exército de rios,
assim de molde a levantar as suspeitas de todos os coretos da
paróquia, desfios dos quaresmáticos, o carreirista desabalado! Só
se for pavor! Das cartelas em modelo passemos aos casteleiros sem
moradamias, cujas regiões, para detrimento meu, são legião. O
fogueiro se esgueira de esguelha até a formigueira que cura cegueira.
Sacirdóteles: meu navio por um elefante! Néctar, nafta, nenúfar!
O circo cigano. O círculo calcado. O ciclo. Os filhos da flor.
Os pináculos do pentagrama. O mundo das coisas vastas, ante
o que foi e o que veio a ser, com a mente presa na balança de
suas luzes, consideramos. País e povo sofrem o golpe rude da
prosperidade súbita. A decifração do etrusco. A dissipação das
dúvidas. Zero à desguisa de sério. O equivalor de um bilíngue.
Um acéfalo sofrendo de apocolocintose, agente catalítico numa
operação cataléptica, diáspora e catapora! Estou num prego, de
pura preguiça, cruxfo! O etrusco se afasta através de estratagemas
equestres. Nunca mais o pegaremos, a não ser na Vóltia ou à cabeça
dos povos meios. Campoleão! Virgembugra nasceu personagem
mas mora em patavina: nada farão para anular os fios de ossos
e sílices que em vão ao peito do varão vararão. A vaca fria volta
num parar sem par a ficar no pé em que estava a íbis, rebuscada.
Desaparece numa sumidade, cardealdos em evitação. Infiltra-se num
bem de raiz, o intrujão reside em águas furtadas, confunde-se com
um xará, chama a ânfora de pote e promove um engarrafamento
de letras. Escarafunchando não se lhe faz encontra, ainda muito
que bem se desprende a quantas inundava! Bocejar abre o apetite,
surdo de tanto dar ouvidos na vista destes seres que só atacam
quem fala, veneno insolúvel na ponta da língua de Mitridates! Pasta
no meu campo de visão a besta fora de aspecto, o martelo maleável,
o prontisfício estupefaciente, escondegiro e guarnição. Dois séculos
separam o dito da sua comprensão: palmas para o lapso, a pausa
molesta meus humores, palmas neles, nem que para tanto seja

preciso lotar de aplausos um vasto palmo de ostracismo! O vaso
confirma a hipótese: o vazio foi localizado, será extirpado à força
de raízes! Aquela morte me salvou a vida: grato pelos dias que
tenho passado em clímax de horrores, ciladas nos maus pedaços,
piscapau na muralha de madeira, caruncho das ilhas na cabeça
pensamentosa, um nome no pijama de madeira! O raio desenha
a raiz e delata a origem. De dia, por aí. De noite, todo mundo
para casa. O fogo cresce no fogão, o caldo verde, colher de pau
no caldeirão! De dia, é Pã, Tlalok, Vupt, Zap! A mim, figuras
subordinadas ao Targum Tarquinii! In somniis cartesiis, debelanda
cartilagines! Proibido sujar as águas do rio do esquecimento, onde
deságuam os rebanhos de regatos por distração, arroios longe dos
olhos, riachos por onde é que eu estava com a cabeça! Pax batavica:
bebedeira para passear meditando. Preciso liberar o membro
anterior dos ofícios da marcha. Passa o tempo, chega a hora da
serena eternidade, ficou ridículo, velho, mal soriante, esquisitóforo,
tradicionado: neste rincão, usa-se o velho para rir, o rir alargado
da raça, o gesto que resta às vítimas da medusa! Duns, é faticídio
e farticínio; doutros, nantes! A espessura da espelunca voltava mais
veneziana a devoragem. Orizontem! Lembra a vaga que outro mar
pôs nestas comoções, o esdrajo apropriado para uns tantos
encontrijos. Quem cedo madruga, ora et labora, brita e bitruca,
pau na mula, rua! Quantos nomes assim cotados por acaso de
uns prazos mal colicolados, o traducadilho de um escorregadouro
no tombadinho, empolca psicato! Sepulto o assunto, mergulho no
sobressalto e me ergo, trapézio no presságio, presépio no prestígio,
tropécio sob os auspícios do fascínio augúrio. Cansei de esperar
quem ri melhor: passo a avizinhar. Para uma mão na roda até
que foi pênsil; foi lábil por um pé na rota, quase frágil. A chave
de tudo perdida, a fechadura? Perderam junto. A pressa é a mãe
do precipício, desempenhar é cair de uma rocha. Certos usos são
tributo pago a uma captainha recém-recupta, reputações feitas nas
coxas! Palmônhega vai por abasagaixo, galo na cabeça não se queixe
que amanheça! Ferro veio conosco. A brasa. A crise. A anônima
sociedade, senhora dos mares, pontos cardeais e mercados, novidade
nos quadros destas particularidades peculiarmente expectorantes!
Um truque define o bicho. O lamento sobre as penúrias do tempo.
O esgratinhamento das partes. O mal estar pensativo. Cabeça a
coçar debaixo do cocar. Títulos. Protestos a pretextar. Pertences
a embolsar. Natosmortos a embalsamar, minoteiros a estontaurar!
Coisas que se esquece tão depressa que parecem peças aptas das

bulhabéfias das bessarápidas! Os ictos! Fugi para não apanhar, aqui
batem melhor que lá, flape-te! Parar com essa gritaria aí na periferia,
algui quenem sofre? Tira no entrevisto, mata o travestido! Salvo
a aparência, ressaibos de ressalvas, nenhuma vivaldinalma:
compliquei demais minha jogada. Deu-lhe olhada tão rija que o
desarranjou dos intestinos! E com justa razão: quem mandou ser
tão clarividente? Atira e retira o tiro? Atra versa, monge com a
mão na manga! Desenvalisa os imos sítios. Essa eu não engulo!
Gulp! Engole o golpe, duplo! Englupo! Os percalços dos pescoços
dos pernaltas nos percursos argonautas: está afim de botar pudim
nas minhas formigas, tamanduá? Qual o drado de um cuba? A
malandrágora! É o gesto mais simples que se pode fazer sem sair
da postura anterior: um solaslaio, não! que tal seria assalariá-lo
em prol de ofícios novos e portantes de perigo às poses já conquistas,
— mas, sim!, ó quão sim: cones sectos, cortes selectos, caminho
de santiago, samarcanga! longe sem sair do lugar, precisão no aplique
dos choques, engenho no partido tirado das mazelas duma matéria
primada em cada golpe de bloco empregada. Maldito o que malha
a ferro frio, moleque metido a besta com elas confuso, pau no
metal! A exploração regular das fontes de abastecimento adstringe-se
a áreas de maior concentração pública, em segredo pouco tem sido
feito a favor destes subúrbios. Tocou em ferro, maldito queja e
sejando! Mais despista, menos dá na mesma vista, segundo ouvi
dizer entre os tricaidecafobíacos. Ao menor sinal de contágio, pede
contingência até ao adágio: se em meio ao bócio, ócio resta... Vou
levar a breca a passear, é de amargar um saara de açúcar! Neste
meio tempo, esmando esta quantia, a continha dá no ermo, o mesmo
erro. Pedra de tique, tanque e toque: feitiço é serviço bem feito.
O sujo se asseia, a gosma desgruda, o ponto se estica até a saciedade.
A abertura da boca. A embocadura do rio. A Saída Universal.
A vertigem pânica perante o tumulto gálico. O ladrão chamado
gato pelos ratos que o perseguem cria um felino de verdade que
o secunda nos assaltos e consola nas solitárias. O gato, digo o
animal. Guerra: o chefe sentado. Movimento: os passos ápteis para
a direita. Local: as montanhas curvilíneas. Perplexidade: as pegadas
cuneiformes. Os pantanais terminam na seara, os pedaços se
encontram em qualhures, os penáltiplos serão centroversos. O
bicho: braquíptero, longirrostro, evibrevis! O coração e a pedra:
a mão na massa. O palácio e a espada: a queda do reino. O trono
e a ave: a mudança de dinastia. O rei, a pirâmide, o deserto: o
exílio da parte oposta. A ovelha, a coroa, o poço: os antigos reis

exilados levam vida de pastor. A panela, a boca torta, a criança,
o olho chorando: a fome assola o povo, morrem muitos de barriga
vazia. Um nome ilegível, as três espadas, o cajado, dois coelhos:
novo rei se levanta entre os pastores, sua tropa de elite, a vitória
funde dois povos. O membro viril, a estrela vésper, a mulher
barbada: o herdeiro dos tronos dos dois povos nasceu prenaturo
dos amores do rei exilado com a filha do chefe dos pastores, mas
reinava a mulher. O livro, o hábito sacerdotal e o círculo de línguas:
conspiram funcionários e sacerdotes. A cabeça cortada, a espiga
de trigo e a múmia: o rei domina a insurreição, após a qual o
reino gozou de paz e circo até a morte do grande homem por
todos até hoje pranteada. A reta da Europa curva-se ante o Brasil.
Passar para a América: cachimbos da jamaica, ouro do peru, alpaca
de paramaribo, quetzal de manágua, lixo de catânia, administração
castelunha, varinhas do reino de condão, pontos de vista sírios,
preocupações típicas, desmentidos a Euclides, as mais recentes
mutações obtusas através de enxertos gringos nos gonzos crioulos...
Nasceu lá, é o cão, a serra de Paranágawa! A luz — sair, a todo
lume abrir clareira, albar em Saturno: resplanso em raio, fulmingo
no chefe da festa no campo! Viro mal, completo insatisfalatório!
Não vou alim. Lembrando e fundando cidades, criamos as essências.
Isso me prure, a ninguém liz, a quem dez? O certo. O útil. O
inverso. Como não pensei nisso antes, como pensava em ficar ainda,
fiquei sem ter o que pensar um bom tempo. Quase virei estante,
o que não me talenta; filho de cinza como fênix, pisei com pio
pé o abismo invisível. Em tempos incertos, iam por vários rumos...
Que se melem e melequem-se! A parada parada era adrede pedra
quadrada; com sê-lo, se agita no baldio, repercebe o influxo e se
calibra a tempo de proclamar: quando vão para os auges, eu já
venho dos apogeus! Raspo o promontório, lasco o mapistério, racho
embaixo ou ensieme: não que fosse um gigante, mas palita os vales
dos dentes das cordilheiras de mais numerosa extensão! Como se
impacientaria se esperasse só até me ouvir o que ainda não disse!
Vagas de ideias, centopoeiras de plevilúgios, exempli causa, o meu
a quejando sendo III anos áfios... Ainda não se desligou da realidade
objetiva, a puta mais barata no mercado das ideias! O porco puxa
um guardanapo e se debruça sobre um prato cheio de pérolas!
Aqui me identifico, amnésia na hora da senha! Uma teia de aranha
no entendimento fez sombras nesta luz tão rala. Um desvio de
desvario em direção ao erro, um esbarrão representa um desvão,
um empurrão — arrimo de ritmo, um esparramo — derrapagem

de raspão: lá se foram minhas trombas de falópio nas tripas do
larápio! Ubíquo o óbvio corrige o regime, um desgrau na escala
mal escadeirada. Infranhas e entranhas rangem e rincham. Levastes
adiante, houvestes levantes. Olha que baque dá! Quem vai embora,
não embolora! Nunca devorado, ninguém morreu. Quanto falta
para eu superar essa qualidade? Está horrorosa, é como a vida,
venha, eu sei, eu já vivi! O óbvio está na cara. O óbvio salta
aos olhos. O óbvio aguenta firme. O óbvio já não era. O óbvio
vai ver que é. O óbvio com licença. Cada entrada está de saída,
muitas saídas: atrás da porta, um abismo dá para o universo, o
sistema anula-se no inteiro, a fonte de todo o sentido entre a boca
e o prato. Sopa: entre o corpo e a roupa — a liberdade. Em rocapetra,
o palhácio se desfaz em eschamas: o pateta feito de peteca, tapete,
capacho, — carrapicho a seu bel caprichórnio! Quem lhe dera
asquenazir além de busílis! Atribuir-se importância por transacionar
a tão alto espírito com todo mundo... Talvez a tenha: a falar de
proteu com parmecenidão, indício de exílio certo, elísio de lícias,
aptitude para arcar com mortificações, suportar exames, tolerar
provações, apalpes, vexames por conta de mãos bobas! Ir longe:
passar das estribeiras, que vim fazer neste mapa? Tive um acidente
geográfico, doença infantil no promentério de Catapora! O
prodúzio, porque exíguo, deve ser afastado do acampamento das
hipóteses? Objex! Feito isso, eis-me a postos em colapsos
compassados: o monstro arrisca uma demonstração suscitando
efêmeros sucessos a confundir com o fenômeno. Porque não consigo
fazer muito longas as pontes entre os antecedentes e suas sofríveis
consequências — mantendo o controle durante o salto sem pensar
em nada que dele se diferencie — amontoa passagens chegando
lá quando o lá ainda não deu sinal de si. Tiro — furo. Quem
faz feio, bonito lhe parece! Leva a luz, traz a treva e faz filó!
Vira a causa de pernas para o ar, a casaca de frente para trás!
Tergiversa, retrógado? Arcobasta nubiambulans, ninguém que seu
nome em renome remore! Ao hóspede hospitaleira seja sempre
bem-vindo a terra gasta. Um arrepio sai na ruína da urina, aqui
não ficará, isso não vai assim como quem fica. Dezoito curvas
atrás falei com alguém parecido com o distinto, o que vem deveras
não me atinge. Torceu o nariz, responsabilidade sobre os ombros:
onde há fumaça, há fogo. Aqui tem razão. Este espaço está reservado
para as costas. Baga nos dedos, telas nas paredes dos sesquipedálicos
paralelepípedos! Para que arengoniar anguaces? Não cheira um
palmo à frente de chulé! Quantos camelos habitam o fundo dessa

gulha? Comido em vez da pedra, protoregresso! Deixa de entender o verbo porque alguém lhe falou de difícil para cima abaixo? Peça pregada, sermão: Quem bota pobre para frente é topada nos meiofios da vida! Só pensar que estava comigo e não me valeu: pau! A não desprezível distância entre um e outro nexo prende-se ferrenhamente ao fato notário. escassez de munições e vitualhas mercê da qual tantos infortúnios se abateram sobre os guardiães da pax batavica; como se o cúmulo de males não tivesse ainda abrigado a gota que transborde o presente cálice de amarguras, safras ardem, mensagens se interceptam, aluem-se edifícios cujas pedras vieram de outras latitudes de gravidade. No particular que a mim me diz respeito e respondo sem cerimônia, a cada nova leva compete se alterarem os estatutos que conservavam o anterior estado de eventos, ora em franco automatismo, em demanda da derrocada finalista, a um passo do fatalismo com que se suicidam as empresas soltas à própria lógica de tendências, sorte se tivermos quem no-la traga! Astórpia, mãe de Xerxes, pai de Leucipo, irmão de Romélia, madrasta de Klaus, senhor de Mogúncia, capital da Estrômpia, pátria de Spsides, rainha dos matos, delícia dos caçadores e perdição de vagantes metitabundos! Não acredito muito num milagre quando o fio da água da maré das catástrofes já nos embacia os olhos para qualquer versão diferente das efemérides irremediavelmente em curso de voga. Hão de me apanhar VIVO. Reduzido ao silêncio, precipita-se em crises assimétricas anunciando o desenlace que nada mais faz que tardar! Quem bicharia tamanha ninharia? Como os vivos riem forte dos mortos! Ah, ah, dizem nas tribos, não verão esta tarde, água deste coco — não beberão, não provarão destas caminhas, por sinal das suas pernas... O bom cheirinho de alecrim com as sete cores do arcoíris de arlequim: aferrados ao torrão, pernálticos! Um estimulacro similagre a este desaparelâmpago: vai ver foi só por isso que o devagar chegou tão depressa! Nada mais além de ir lá ver como estão as coisas, deixando as coisas ser, interessado no que elas são, um objeto, uma forma, uma fórmula, uma aparência unânime, um vulto equidistante. Que ele cause e eu quase, algo é entre nós, — o arroto falando do esfarrapilho, maltrapiche os tratadícios, corrupilco o escalpo a gáudio parco. O ser mais prestes que se fizesse presente sempre teria os intruérpidos estradivárias aquidespárxidas! Pressente que pertence a outras pertinências, desembesta, encabreira, destictaca-se, Sócrates que se saque, segredos que se casem com suas revelias! Interpretenses participes destas reperdicites

arrependidíssimas, suspenses não mais darão outros quefazeres e
senões. Me taxar de pendulário, ninguém, alguém, outro eu porém:
só crítica construtiva, senhores, engenharia de acompanhegíricos,
será o veredicto um diagnóstico? ; mecanismo phlunkt! — fugindo
por deferência extra de um afinal de contas: papas nunca
pontificaram em minha língua vaticana, nervo espevitado a
fresquefrentres achaques de chocalhotas e ataques de inchacuecas!
Porta que desdém para uma janela, pedra mais vetusca que mixar
perante uma parede; um alcançapão comarquina com uma bracaloia
dizendo coisas de abrasar um copo corando de leite: só espaço
ciracursa entre alemidas, o fendaval; a resquícios de sapagens —
zarpadas discrescentas, a casa mais escancarada que bananando
planteira um buraco já acumulou de desvãos! Enquanto me fazem
a barba cerce na caveira esses tais pausânias, me arrancam as medidas
para o sarcófago, isologia à parte, me levam os trocados às raias
dos miúdos, me despaludam os cálculos biliares, — só espaço é
quanto resta, elísio à riscochispa já recorrida, apagada logo, breve
delenda: a janela abre esta espórtula! Desenrula a múmia, macróbio!
Vida está próxima, mundo vem aí! Consultem seus prumos,
geognésios, estão seviciados? Confirmam seus manicopansos,
estrélios, alpapem esta trave: não é lídimo metal de
Tubalcaim, figura de proa? Pela via das dúvidas, passa láctea mas
nem é pensamento engraxado! O buraco da fechadura guarda a
cidade. Ciascun lo miri, e gli occhi a cose grandi alzi,
e la mente! Olhos desiguais — fosca! — e fosquinha... dos quais
nunca pode ser visto embora os fitasse tanto! Um vê o ser outro
enxergar o nada! Tirava proveito da ausência do sol para aportar
clareza a diversos assuntos obscuros! Alta periculosidade: os fechos
defuram chaves — nham!, nham! — espasmo de malandríbulas
vivendo abotoadas da brisa circunredor. Juntas a fome com a
vontade de comer, metempsicoisas. Um sopro na cabeça aventa
— fuuu! — uma hipótese: recolha-se à jurisdição de sua
insignificância! O feitiço virou a cabeça do refeitório. A cauda do
soslaio espreita o horizonte: longe lhe seja o léu... A ilha que está
no fim do erisipélago indedica o território de patavina, mais na
pindaíba que vassoura de piaçaba em plano bissextante, o lugar
feito por uma frase comum, só mudando de sala para maleque,
majoris indigens inquisitionis, se destrincheira sem o partérrimo
de édipos enigmatários! Uma fogueira com os calcavos do ofício
e os acho-não-acha do santíssimo oficínio: pataca de meia
pscczhécula sobe na minha quota para cair na indiferença universal,

— wina muste, papafina! Cessa a folha corrida? Só quando bate
na roseta fundamental. Babau: vive no chão feito barriga de jiboia,
nó feito até aqui! A viração deu pano para manga, aqui é que
a mula manca não troca o cabo pelo raio que os esparta: rotinício!
O colócegas de rodas só faz furor, farol, guerra civil, fogo de
palha, rir: no fundo, todo naufrágio é novo em folha. Filho de
peixe, sete fôlegos felinos! Ordem do dia: a verdade, só a verdade,
nada mais que a verdade, deus que me desrecifre? Morreu não;
perdeu os sentidos. O fenômeno tirou patente de generalidade e
exibe por aí suas divisas: a experiência da coisa atingida pela coisa
a atingir? Conceito: instrume para cultivar o real. Molhado como
um pinto pede pinico, e lá fora chovendo no banhado? Chapt!
Pschaft! Não tem nada que pormocione um presentimento de
vérsias, e vive a título de procuração? Hein? Hein? Heinrich!
Gnóstico de um fígado! Levanta a febre no melhor da moléstia
— a pior viagem, e deita a lucidez a tresmalhar a ferro frígio?
Lágrimas de réptil nas barbas sardônicas do risoto, a borra chorando,
pinga, pia, plic! De navio patavino a pavio platinalvo, está por
um fio paliativo de esplanada? Vai amolar a pedra; quantas unhas
tem um gato fôlego para cada? Quando levanta o dedo, o dente
aparece? Saz a tisfa, e torça os folguedos? Caldeia que se considera
escusa candeia. Também sou filho de um deus: o vagalume na
curva da prosperidade prenstra por uma oitiva e sai pela tangente...
Arrepios: a mesma serra, um pico, dois, outro pisco, cada cópia
— um nome, segundo as falas dos povos que variam, manam fontes
caindo atesta altura, onde se lhes estrelhaçam outros luscofluxos,
pesando mais depressa, até a planície onde se fala geral, quando
se esprumam e impavestam pelo reto oceânico que apenas nos separa
das múltuas europoreias que cada um trazemos dentro... Aparência
ostentosa, sem nenhuma substância... falsa matéria, splendor
adversus Atlanticum! Campbélgica de moloides! Arrevoltado em
espeluncações menusméricas, não via as noites passarem por
eldorado, as águas transbordando ribeiras transportabaixalto, os
sais matando o vivo do mar, as essências puando como um geroclips!
Assim conversando coisas mudas, delas aprendo com mais quietude
do que as outras querem ensinar as mil chaves do enigma falando,
dos segredos da esfinge, diria antes; nas presentes, tenho cá minhas
intrúsfidas! Ah, jax? Qual é seu álibi? O elixir que se evapuma
em foro? Isso é alívio? Quem diria meu alvídrio? Projeção tua
além do teu possível, pundárica, tomérica? Gracinha... O
entretendimento apócrifo: zumbaias e rapapés! Uma dessas pessoas

de antigamente que parece ficaram a esperar o dia de dizer aquilo porqual os identificaríamos entre os desditosos esquecidos que a fortuna não tiveram de dizê-la — sombras de imersão macdisphersam este sermão! Philosophus si tacuisses — mansisses, e se caloul, tinha tanto mais a fazer que ficar dizendo o que fariam! Um átomo, um vazio: aquarenta movebo. Piruá, Alíbion, piruruca: pipoca empererex! O povo, antípoda nek... plop... ulstra!, do hemisfério da verdade, alega exemplares à guisa de prova experimental: o peso da opinião safragusta a experiência, razão pela qual. Surpresa! Terpenses, lavai proteu per centúrias: centauros et serpentários! Sou cretinense, logo se descortinem, cretenses seus! Trapicho, trapézios patrícios! Levem daqui estes destributalhos rabulhentos, o golfinho delfinhando, enfolguincham-se as curvas nos garfos das arlequimpancadas, o anfitriterato em arco das mal desenvelhecidas, forcas sevilhanas calaudinhas! Tropeçonha? Casca de bananha em vossa fermícia! Desentrope o sonhador e senha: desopilo o pesadédamo! Deveneno tão forte que tem que tomar cuidado consigo mesma, vive no terror e morrerá de si? Procrastina o prístino, desencalibreira! Seu hálito afeta as árvores, seus hábitos capiculares afastam as vítimas, seu aspecto idoso alerta os descendentes, descreve com seu ser tudo o que sente. Carrega a fonte do seu mal, feliz da vida e senhor da mesma e morte! A espécie se extingue e se aguenta à força de remanescentes: da penúltima à desíntima ilha, penetrínsulas! O ar a golpe de corvo leva a carniça até as sumidades do seu estado: altri grilli, pensieri deglaltri: mismetichi cintilli, pastuncti cuncti ed altri! Pontonosius, com o brilho do jogo, espante-me! Concillii trischi, Occam, O implicante! Tem me levado às raias do deslumbre, mas para cá duns tempos o mesmo não se faz de aparente: horas procura um quiproquó, cai num solecismo, satisfeito com qualquer rebus de dúbia raiz: realiza-se em paus, tranca-se em copas, senta a pua! Roma, urgente. A grande quantidade de caminhos que na noite passada desembocaram na eterna cidade traz atônitos os peregrinos de tornaviagem que correm ao perigo, fugindo da custódia pontifical, de caírem vítima dos malabaristas de doutrinas que infestam as encruzilhadas. O Conselho Superior das Vias de Acesso reconheceu que todos os caminhos agora levam a Roma. Submetido a instrumentos de interrogatório na câmara competente, um transeunte confessou que hoje só quem tem boca lá vai: come solto o latim mas a boca é pequena. Quodvis revertere, disse o pontífice, in pulverem viarum ambulaveritis! Batavia, via epístola. Emblemas comprometem-no com empresas indescoláveis, inexéquias in eclesiam, — últimas as palavras malditas... Occam, o ajuizado, descreve uma parábola e cede o terreno ante a iminência dos celícolas, predadores seus, em nele chegados, caem nas nenhuras legendandas. Me faço de despercebido mas sou capto por outros sinais não inclúsios nas tábuas recém saídas do forno. Melhor parar por aqui que continuar sem ir: praelibare auxilia juvat, dominandi gratia licet, locupletanda nefas. Atravessou a água sem tirar poeira do joelho nem rilho do cotovelo, olhou dentro da treva, uma reta em guarda, uma curva gorda, manda chuva, chupa manga: punto fingo. Com um florim por florete, incipiente disserto, rerum primordia expanda espandenda... Esta que há destes olhos comerem, talaça, entalagarça, terraçavista! Câmera de lenta tortura, mas a faca está cega! Não tem importância... É para usar no escuro mesmo. Começou a gibraltar-se, dependestal nos baguelandãs, sentindo água nos septos nasais, vagos sintomas de um mal preciso! Periferias, decapita o acéfalo! Vem de lá com esse merengue que tão bem os distingue, expandemônio publicamente notório, mestriculoso de fazer a cinza de Cícero mandar brasa: passa o rabecão numa incisão cesariana. Silêncio, o móvel do crime! Me quiserem calado, só dizer. Circunscreve: vai fechar... Essa fenumpra! Dilúvio no escuro, sinos de vidro no gélido da chuva... Frio e noite no espelho do rosto provinciano, já quase primitivo! Ribimbau! No minguar da meleca — mingau!, nem sabia aquantas ararutas saturara! O ras traz o cunho do seu pulso: óstia versisovina... Mauritianas cunctationes polentam populo non praebere; omnia descessere; minime curare; naves tabescere; motus barbarorum non profligare; audacia sefardorum incoescere; illa ad vitam virtutem que pertinenda ac Societate manenda et augenda negligere; adhuc etiam neminem quia ille facere hic ignoratur, dicebat. Sob o patrocínio da casa Nassau, o matricídio da pátria! Escancarândalo! O fundibulário saltatimbranco levanta a elipse em que agravita até a parábola que convém a seus desígnios balísticos: o mirabolante olha tudo em volta do seu rodar, e escambaleiar para os falsos infinitos da perspectiva... Ouro, incenso, a múmia mirra: o hierofante respira e espirra, ei-la viva perambulando pelos arredores como um epígono dos peripatéticos, bem mais exausto aliás que os acólitos dos perímetros aristotélicos. Uma rocha apelidada Índex no intróito do porto, Trivia et diis inferis dicata; postquam Janus tricephalus tempora vigilabat... Interdito dentro. Paciência: santa panaceia para tudo que não tem remelexo e nem por isso remediado está. Ora,

por quem sois, purgai-vos com um dedal de heléboro! O que o
rabino Raspael explica, o rabo espicha, qual o surdo, talo mudo:
tamanha cabala chicana não achincalha! Para chegar até, tem que
passar o Mar Impermeável — usque ad ilhas Refratárias onde tudo
vai bem como antigamente, rumo catóptrico no espaço entre dois
ventos que lá se chamavam como quer que se chamarem... Vai
querer falar mal assim da minha reta, o tempo! — subproduto
da pesquisa espacial, ora a quando estamos? Estipula um escrúpulo,
leva uma arroba de mantissa e ainda quer inhapa? Escorrégula e
... paflagônia! Os setestriões fazem sinais, ao longínquo! A cada
grão na areia empulhetada, uma dor nas têmporas! Em riste, uma
sarissa! A água pinga, a gente pensa: furará? É ver um sapo; É
ver um outro. É ouvir dizer. É saber fazer. É querer ficar. É poder
partir. É dever morrer. É sentir doer. É de desanimar um qualquer.
Pau a pau, opala a opala, ébano neles todos! Perto e prestes, sintoma
de quantidade! O escuro flambou, a catacana se coçou;
couteauxcoux! Estincelha, fatígrado! Num rômbulo, um olho de
ave abre alas a máximas deusexmáquinas: o vento estava na lona,
geringonfla na entresafra, tulilápides estrelionatais desaduncam
ciprestes lacustres e palestras rupestres. Ilha de pandarecos: a gema
do arquipélago, ínsula Topázio, a das meninas traquejadas por
plêiades de fartura, águas claras e uma fogueira circundada de festas
por todas as latitudes, nudez intacta por túnica de holanda nem
tecelagem púnica, lugar e sítio sem retoque retórico, fruto da
alvorelva da madura reflexão... Chegou, pensou, volta, volta atrás,
a negação da porta: céu revolto, caos por cima da cabeça, o tempo
anterior ao temprano, ao vento soprano, ao tipo fulano! O jaque
na gávea arabisca lampisgoia, a losangulatura do círculo e a
retangulodice deste... IHS, diminiatura da rubrica fenícia, um
paliativo fazendo às vezes de antídoto, placebo levando a fama
de endês, líquias e relíquias, rigor mortis, fusa linfa! Areia movediça,
deserto anda atrás das águas a feitio e perfil de recrutáceos. Um
passarilho com uma periquita no cocuruto do gasnete, o caminho
pêssego: em pelo se peleja, bom para outra. Cadastro: com suas
caras pálidas de pau, notórios apenas a notários dessas ocorrências!
Cabeça caiada, canhamaço, argilamaciça! O mentor supremo
mastiga dengues e melindres, mascotes sondam o tiratema. A
verruma parafusa o fersunagem. Tesouro, uma pechincha:
bracatingas para beber os charcos apantanados! O mata piolho se
empolga, a hecatombe é questão de quatro toesas! Aqui, caruncho;
ali, carniça. Antes nunca, depois é tarde: a quem fica, estadia paga.

Urina de lince atrai o ferro, siderum saliva, succus aeris, anima
orbium... Iris arca com as despesas de um crepúsculo boquialberto,
não é páreo para a nódoa onde o tupi se desentrapulha: a chama
ao pé da chaminé, uns e outros, por cima dos abaixo e além! Boa
isca é uma pedra na barbatana senão que espaventa! Em lugar do
qual me referi produz resulta isênticas: o nome estrutural refere-se
às suas relações com outros membros do sistema. Guardalananjarra,
piemonte margalita! Orça e apairece com alguns senunes: estar de
alhaço efetivamente esfascela... Para dó, qualquer sol bemol é quinta
diminuta! Antes quero asno que me suburra que buridã dizendo:
tanto faz. A mais, mais e meio! Goteira, sinal na pedra é na certa:
uxte, arre! Bem me vai parecendo o que dito está parecido, pior
está quem ainda não lá foi mais vezes que ficavam aqui! Acha
que água vai subir de balde, entrar em vão, sair no pote, brilhar
no jarro, saltar de dentro do cibório, surucar em frasco, gargarejar
em papos, afogar tatus em cavernas, servida em bandeja, mijar
no urinol, prato raso mas cheio, me faça um pacote, ir fora da
bacia, envelhecer em ânfora, aparecer no vidro, circular por veias,
de colher como em sege, espirrar de bisnagas, água e vazio não
ocupam o mesmo lugar no vaso, jazer em cápsulas, borbulhar em
taças, de passarinho não ser bebida, perder-se entre o prato e a
boca, à qual veio, se aprofundar na panela, mergulhar na caçarola
para cair no fevereiro? Um burro surrado de longe abana o rabo
às moscas. Estava querendo chover... Fica querendo: virem a sede
para cima! Frustra daqui, olho dali, boca do ao de léu! Ponha
conta de Occam, esta curva poucas tais na dúzia! Não me vem
de patarávola rededondra que chateio como um soalho!
Maravilho-me de que tantos tenham avançado tão pouco: reconheço
porém o nada invejoso da minha postura, por onde continuo no
supra, o que não é de molde surprender ninguém, já que de tempos
para esta parte — al não tem sido meu mal! Não faltava mais
nada... Bem feito! Só falta falar difícil: fácil no falar, deixa falando
sozinho! Longe de nós afastar-se daqui. Uma planta debaixo do
chapéu, uma semente e um bicho dentro do cajado: cada colina,
uma colônia! A obra da solidão, a grande torre no deserto, habitantes
cujos últimos foram pedreiros nômades que as edificavam ao léu
e aos que os medusavam como um éden, e idem, idem, ide! Navios
cada vez maiores foram sendo contruídos. Um dia contruíram o
maior da história da paróquia. A ponte está lá até hoje. Enquanto
uns se dedicavam corpo e tempo inteiro à bem remunerada tarefa
de aumentar navios, AUMENTAR NAVIOS, outros se metiam

a alquimistas jivaros em produzi-los cada vez menores para
AUMENTAR OS RIOS! A queixa fundamental, olhar a parede
branca, e por que, por quê? Dando a um gesto de hoje o susto
que teve em outros quinhentos, reduzâmo-lo ao silêncio que se
faz mister na atual desconjunção: aprendemos o emprego exato
desse som com o povo vizinho que o utiliza o tempo todo para
caracterizar adequadamente outra classe de fenômenos, a cujos
méritos não temos assédio. Alivia e agrava, genérica bastante para
ser verdade! A calúnia quando nasce — nada mais inocente: um
fio de sussurro acariciando a superfície das orelhas da cidade, um
arrepio sem segundas intenções! Em algum ponto mal desavisado,
depara com um estorvo, aprende com répteis técnicas novas de
rastejar e insinuar-se em ambientes privados, vê um rio sair do
leito, bater palmas, chamar afluentes, pedir água para lavar a soma
dos ângulos internos de seu delta, e não cumprir, a partir das
cotações sobre a maldade automática do semelhante desde o vacilo
de Adão em comer um pomo desautorizado, topar com o doente,
o pobre e o morto, pesar e avaliar as palavras ditas para uso do
delfim ao pé do catafalco, desfia um rosário de condolências,
comparar-se com casos havidos por outros motivos de ocasiões
por haver, escarafunchar seu cantinho entre os tresmalhados, assistir
ao triunfo do que passa despercebido, observar a lei que rege os
equilíbrios: a estagnação, de tanto envolver-se com o que nada
tinha que ouvir, palpar ou ver, pontos acrescentados até o conto
virar linha, por ter comido da mão dos que iam se alimentar e
aleitar dela, aliciar adeptos e angariar suspeitas, houve um momento
em que (?)... podia ter voltado atrás, mas sabendo que o faria
a preço de sua vida, porque chegou a sentir que só existia às custas
dos percalços que a emolduravam na estampa definitiva da
CALÚNIA, catalunha foi: êxito heuréquico! Sofram!
Experimentem na pele a tatuagem feita na medida exata de suas
dores! Quebrem as ondas dos seus infortúnios na pedra de amolar
da incomprensão! Entrem na pior: a calúnia hoje celebra suas núpcias
com a verdade! Do lado de cá o mais difícil é estar, os pertences
seguem como acompanhantes as lembranças ao destinatário: só não
me igua porque meu é diferente, senão quem me desconfundam?
Multiplicam-se as oportunidades pelos perigos da alma, resistam
até a mônada que vigia a sentinela na fronteira da instrampolinidade!
Antes que eu me esqueça ou ambos: já não eram sem tempo,
um outro diferente, o invés no atravessastraz! Removo o óbice,
que vejo? O endês, reflexo do outro lado, o retorno. Ejaculo um

segmento de energia a emergir fenomenando dentro dos parcos
limites de um instante, isto: tu, portador de veneno tão violento
que esperava o adversário absoluto para empregá-lo? Viria? Ainda
não dispõe de outros atributos que o qualifiquem como mímica,
apenas um miasma onde estava o abismo, um prestétrimo comendo
a vez do puro além primordial, mero meio de transir através, culme
nunca minando o vértix! Não consta dos quipos quiproquós, o
gonzo não tine como os guizos, porta fechada atrás, chave
escondescondendo o tu do tudo, este pobre de mim, com que
teu eu magnífico às vezes fala... Quem? Voz de fundo: tu dos
bons? Sou teu grande herói, o que só traz aborrecimentos, cabeças
doendo e mimoses generalizadas nos mesmismos cisnecentos, o
altíssimo automatismo. Os incomodados que cuidem mas este torra
o saco de muitos, saisempregaranhando, célebre pelo talento de
mentir sem pestanejar olhando em pleno delito deflagrante. Leite
corta? Mas não muito fundo. Para que serve tanta hipocrisia? Tapar
a boca de muita gente boa. É anão mas é muito animado. Tanto
esnobunagar, fruto? De que alturas se precipitando a prensa de
espírito caiu aos pés do corpo espinho? Fazer nem desfazer está
em mim o nó górdio, espada de dois gumes, lâmpada de dois lumes,
mixórdia: feche os olhos mas deixe as figuras na retentiva, opere
a rotina. Anda coisa no ar. Feche os olhos mas fazendo de contra
que vendo tudo. Feche mais, mais e mais até obter a tonalidade
da treva anterior a toda nascença: atinge o tecido na cor que lhe
comprete. Mais, mais e mais: fecha a mente soprando. Que é que
se fecha com um sopro? Quem aqui se chama tudo por um nome
comum? Que é que se pega com a mão, estica para cima, reparte
em dois e se quebra em mil pedacinhos servindo só para isso?
Que é que se espanta consigo mesmo, sai correndo e enfrentando
os perigos mais aziagos? Qual o prato que não se deixa arrotar?
Cru? Cozido? Frito? Assim? Assado? Ao ponto do maduro cair?
Ecce tibi exortus est ille, infin il vint... Plusesse! Sai quites pelas
pintascostas! Poucas leis vigem mais que aquela dizendo, tanto
quanto eu mais há menos. Polenta por três dias para se manter
vivo, uma unha de água, muitos alfafazeres apropósito de nada...
agalombre! Roubou a harpa eólia, mas deixou o som no lugar
para evitar suspenses mas pode haver coisa mais suspeita que uma
voz sem dono toando ali? Sinto tanto frio que seria capaz de deitar
num braseiro. Sinto tanta fome que podia comer até isto aqui.
Sinto tanta vontade que nem sei de que seria capacho de fazer.
Ainda que mal pergunte, não interrompendo, o dia que merda

for dinheiro o pobre é de quem nasceu sem tu, impedindo que
tanta intimidade cole junto de tão perto? Em terras homéricas,
qualquer rei pode levar o nome de Cocles. A filigrana ao fundo
representa um animal fabulante porém altruísta: se não tem nada
a fazer, aqui que venha fazer! Pesquisam o novo elemento, matéria
dum mundo imune a todo o saber. Tenho arrepios só em pensar
no que poderia ter sucesso se eu não tivesse DITO ISTO. O senhor
está sentindo alguma coisa? Desígnios sinistrógiros, decisões de
acordar amanhã cedinho e dar tudo por encerrado. A condessa
me desculpe, mas seu passado lhe condensa. Que fariam se
soubessem que o verdadeiro cartésimo se transfigurou e me
encarregou de usurpar-lhe o lugar em nome de mim? Que diriam
se vissem o que penso? Deveriam dizer coisas de estarrecer já que
pensamentos não é para andarem lendo por aí na cabeça dos outros,
só se eles não têm cabeça. A concha de osso do crânio desempenha
papel capital em impedir que olhares curiosos penetrem em minha
mente: nock, nock, durinha! Um quarto pode ficar secreto numa
casa, uma casa secreta numa rua, uma rua oculta numa cidade,
uma cidade perdida na vastidão pode. Um país secreto só pela
omissão dos mapas, mas um mundo secreto, planeta escurso pela
sombra de um outro, mas um mundo...! Um pensamento no
entando pode. Que destino espera os que enfrentam o
desconhecido? A máxima amplitude dos intervalos coincide com
a própria amplidão: aqui é que me dói o doce, o dente dá ou
desce. Ainda que mal pergunte, mil respostas estropiam, o pé de
briga. Canastrão, espreitrilha o cascataclismo! Através do meio
neutro de uma tal transposta, qualquer pergunta tende
uniformemente a zero! Psiudo-reaciocínio: admitindo a existência
de um mundo exterior, suposto homogêneo, a que atribuir a
possibilidade de duvidá-lo? Berro, e erro e o eco me esbagulha.
A uma perversão circense da nossa natureza que insiste em titubear
onde não há obstáculos, hesitar perante o fato já afastado, cambalear
quando a consciência está sã. Os palermas: eu — contemplator
rerum novarum — os fiz pensar exatamente como eu queria.
Madugadeus a seda que me ajuda! Planejo furtar os planos da nova
cidade que pretendem edificar naquela ilhota atlântica que os naturais
alcunham de Gazua das Águas, mas acabo de lembrar que sempre
esteve desabitada a não ser por uma raça de pelicanos que levam
água de potar nos papos do continente para lá, naqueles rochedos
não há um dedal do líquido ideal: tinha planos mas vaneceram.
Antes adorava um deus maior que eu; agora, adoro uma brincadeira.

Nulla salus sine sale. Proscenium nostrae historiae lamentabilis aequivocum praebet. Linfa, licor, humor: o que sai na urina, a matéria da chuva, o dom dos nilos, o fluxo flúor, o bebebaba, o pau sabeu chora um cheiro grato a ídolos. Outros vieram e deixaram monumentos impressionantes, outros registraram apenas suas impressões sobre os colossos, deles me ocupo, a paisagem — filha legítima da viagem, dentro do vaso — só um oco econômico e escasso, não, esperem... Coisa brilha, se move, se agita, se movimenta, cresce, se agiganta, abrilhanta as núpcias do caos com este acaso, como age? Considerar a ideia de um mundo referente, duma natureza como espetáculo a decifrar por um sujeito localizado, como um gênesis de universo entre outros. O grifo é nosso. O giro tem um dedo no centro por onde um parafuso passa o furo para dentro: está ficando gira. O vogaleme, satráparo da maifa cascófata, malpritralha as quadrasoltices! Memora — aí uma traiôngula! — bilíssima! Não dormir ao lado de água aberta, mar, rio, tanque, mamãe dizia lá com seus botões normandos: circunvoluções do ser até ver-se dotado de vontade própria por força de iterações e vícios de heroísmo, fonte de toda a lógica. A seita dos egoístas confisca todo entusiasmo: aqui nada tem a fazer a pá. O vagabundo se familiariza com tudo, estaria ali por muito tempo: a chave universal, gazua das coisas. Desclantino entre os passaligeiros dos comboios da companhia, arrecada dinheiro e vai carregada — a nau! Mediante propina, leva um velho, por sinal déspota do arquipélago! Que lhe corre nas venetas, mastiga sem ter comido: dá para ver daqui o pulso, parece sapo coberto com trapos. Antinihil, bihi e tihi! Deixo dito, levo bem claro num mutismo de fazer calar as pedras os aforismos e os adentrismos mais certos nestes excertos. Parede sem resquício por onde se faça o sol, quem casa, quem saca? Mandou um homem escutar todo esse despovoado a ver e ouvir se alguém queria esta localidade? Bumba! Catacumba! O espírito espreita, tenho com quê. Camundongo comungando com um caranguejo capenga, ando enfronhado em estar ervoado da cabeça: rapadura não deixo cair nem petecas entrego. Uma limonada de vagalumes descortina uma clareira iluminada. O pai de todos, pés em pelo, compromete o eu com as calças da toa. Ao que se diz, digamos. Senhor de um nariz de açúcar, desenxerga palmo à frente da rua da amargura. Entra nos eixos, ainda bem que me avisaram, melhor emprego a minha afeição, não me afeita. Ferricrepinas insulas, onde a intimidade que o inverno propicia sai nos suores de verão, nódoa

górdia circunscreve mas vai fechar... Silêncio, o móvel do crime:
essa luz por um lírio ninga pólux! O destas circunstâncias efêmeras
me apavora. Provar geometricamente que outros existem. Que
focinho de porco não tomate? Que tromba de elefante não sente
uma arroba à frente do nariz. Medir a lonjura da duração pelas
distâncias alosangadas, comparar a pausa constatada pelo intervalo
que se quer detetar. A linha direita é mais curta de uma perna
de um ponto a outro. Com obstáculos? Issonoclasta! Sentido que
é uma beleza não faz, vibrar sim. Onde deveria haver pelo menos
um centavo, estava que é aquele vazio: não tem sentido completo
mas uma direção constante. Comunhão máxima entre o aqui, o
agora e o neutro, autobiografia de um zero à esquerda. Lume no
olho, rente que nem pão quente: quantos exclamam? Poucos
interreinam! Os outros que se danem e se dinamarquisem! A essência
está em evidência, o aro entrou até o esse, o osso era isso! De
um posto cartesiano, um ponto à vistoria... carta lastrada, mapa
ejecto através de processos balísticos, montanha escalada para
sempre a ser assim. Pode o réu dizê-la, isto é, a alguma coisa
prol de si? Já nasci do lado de cá: como se faz para chegar até
esse paralelismus membrorum? O que tinha a dizer. O expensor
emite diversos sinais, confunde regras de exploração com os recursos
de escuta, consulta a tabela onde somais, destransmite e demonstra.
Esbocelha um adesdemane obscênico e abrebriga com o ômega
donde se desemaniza um xis irredentro a seu bel garaviz, se entretém
num adentrismo qualquer e se sai com uma bela vulva vestalícia
a despistar candidáticos com um padrão austero debaixo do braço
em punho: entre o ponto e a linha de frente o infinito mais curto
caminho. As coisas lá se vivem atoladas nos seus segredeiros até
quandonunca; nós, nós, digo abertamente, denunciamos. Sabendo
não vou além desse objeto que viso, mas que outro proveiro extrair
destas faculdades albsorvínculas? Feito com elas que viessem, veio
vindo retrógrado, petrográdico e — estrepitafúrdio! — cai ao entrar,
roubado por um portanto. A fábula abafa o escândalo livrando-o
de vez em quando donde se esbaldeiava: remoto cortejo joga a
pedra debaixo do pé do meu boi, quem pensa que sói, a doer
nos olhos dos outros é mais apimentada? Zazatrás, nó cego no
gogó da excelentíssima família e respectiva vovó! Quem pensa estar
sendo? Eu como um? Toma seus mais ilustríssimos desejos por
auspícios! Meu padrinho me mata ainda pagão de tanto rir, mantém
a conversa a sangue frio e a conserva em lugar fresco e úmido!
Como prudente este promete. Esta terra. Este país. Esta noção...

Quietismo: apatia, patavina e paliativos com os polegares nas axilas como uma panaceia, ou uma palinódia da farmacopeia... O cão latindo ao ladrão dá o tom de lá e por inaugurado o século do perdão, anistia, amnésia, comprovando por absurdo porque o contrário seria tanto absurdo ainda. Para cima de quem gospe lhe cai na cara, golpe errado, se limpa por dois: não me chegue de predisgosto que aqui ninguém subterrâneo como um esgoto. A ponte é para fazer contracto? Algarismos romanos passando pela expressão exercem seus fanatismos atávicos e desaguam no mar morto do fatalismo: portos — terrenos baldios e ermas aguadas; depósitos — até a boca; e autoridade, tema das farsas locais. A tristemunha culinária trança as pernas no centro e estraçalha o contemplastifício a fanfarrar por aí seu bom garranchar, entre alabança e vitupério, com graves expensas da verdade, oscilisça! Nos navios da carreira do triplo périplo, veio de Batávia a estas partes, entre ovelhas e perdizes, um pato destinado aos apetitológicos dum potentado aquisitício, um majorengo qualquer da Batavina, um pato, insisto, que suscitou celeuma indeslindável na alfândega de Vrijburg. Constestou-se a conveniência de trazê-los, aos palmípedes, para cá. Invocaram-se leis suntuárias, anteriores à própria assinatura da Companhia. Citou-se o arcaico provérbio infra aequinotialem nullus cygnus, dos desmandos que se seguiriam à importação de aves tão importunas na voz, desceram até debater as virtudes nutritivas da carne, sangue e miudezas do galinóide. Marcgravf, convocado às pressas para intercalar entre as desinteligências dos altercantes sua opinião abalizadora. O sábio chegou, noites a dentro mal dormidas à mostra, as pernas descascando as pálpebras de cebola das ceroulas, dizendo hein, hã,hum, num dialeto inacessível à vigília porque só em sonhos exercitado... Tudo inútil: levantou-se um imposto sobre a farinha de trigo encomendada por papistas à confecção de suas hóstias. O dinheiro arrecadado serviu para financiar o patife, mais caro que se viesse um hipopótamo, ou qualquer outro campeão de monstruosidades da África. Assim foi que se pagou o pato. Moles e debiloides, débeis e moloides! Deu um toque, mas assim algo como um consulapso... Cada pedradaço, desdentuça. Foi-se qual fosse, de esgar e de esguelha a se desgadanhar. Isto entende-se daqueles que serpenguntam por impropércios e respingpongam alfim de preparicarem atravezes! Peça que socorro, não pode deixar de ser, e olho, senhores: ninguém mais arrepercurável! Comigo quem se desenxavier, arremeleixa

154

esmagalhães. Macrorongorongo, chupa que enxuga!
Roldiaresvosta, Tavares! Guedo por galeto, profetisco estes logos,
semprimordina ramerrerum! Poliedro, prelúdio de um colóquio!
Vamos ver no que dá se o mesmo que é vem a saber o que ser
mais há! Qual o resbulco? Quer me dera quem ser, mas não queira
qualquisera que tal fosse! Ainda há aí ocasião a mais de um ah,
ah, ah! Ahahahproveitem! Spongespilsatsky! Certeza imediata. Um
papo capto através de uma porta entrefechada, entreaberta janela,
me deixou desembuscalberto, quaseresmático, de bruços cadeados,
joalho no soelho. Superfícies de ordem superior, irrupção de graças
infusas. Composição do lugar: chovendo, cabana de nau a pique,
rasa tabula salvationis, e que antropo fazia então! Nós abrismos
um prescindinte? Nem sim nem al. A custódia dos santos lugares
postula a eliminação dos ineptos, a disponibilidade de espírito, a
esclerose das metamorfoses, a higiene de olhares profanáticos, vagar
e saco. E ali, no trivial das encruzilhadas, parado esperando
promover-se a paradoxo — o abelhudo! Meu querer imita sua
vontade como o quadro representa a roda rediviva das
metempsicoses. Quem repetir comigo, ame esta ordem como ao
seu diverso, leva de lambuja três anos de indulgência que estou
tirando neste pedaço que não titubearia em calificar de sofrível.
O sarcedonte de sinopse se escancrodoridátila o belisgo ao
champolionato, a confederação dos tamoios contra a Companhia!
Algum macabeu vai bacamar-te. Gargareja aquele grude que
vosoutros aí em cima teimais em apelar geral! O transmonstro
perverselebra moto proprio: ecce ens, in vitro scilicet. Cave
vernácula. Filho de rei herético e rainha cismática, o príncipe dos
céticos entre os sagitários. É assim que as coisas significam? Mas
então papai mentiu, mamãe corrigiu errado, vovô voou, titio
avestruza a cabeça no buraco do tatu. Arcobacilenas reverbereniçam
contragólgotas a constagosto, o bronze se cinzela e bronzeia o
parisemble, euclisdêntrico a bazaróvias. Raspa o papalelo.
Contemplários, isto é uma ordem, não um sabá: neste volume,
a eleição outra de um estado além daquele que se extrai com raiz
e tudo é matéria que requer sequer corcunda consideração! Presumo,
e oito desbrumários larvam meu presunto! Behemoltk! Assim se
bleia um endividro, estrito mércio com tetranítidos! Ganhar uns
cobres, badalar uns dobres: é só discurso a metade, o resto me
deixa por contágio regresso. Lhe interessa orquestrar vespas? Esses
elipsódios tanto não são a equação que exprime a condição do
problema quanto menos tudo que os desmentisse estavam

experimentando. Dando um arco da hipérbole, descrevem a
envergadura tal como antes do dilúvio? Curvamo-nos ante dois
focos entre: intersecção pontual dos diâmetros com as redes do
último reduto. Suponhamos que esta passagem seja imaginária,
compositio loci, construção de uma linha por pontos pênseis entre
ponte de fuga e pundonor, causa de uma notável propriedade que
se me der na esfera revelarei antestempo de durar um padrenosso.
Recupera o fervor dos acessos de arrepio, mas sumir assim com
a pinta do que vai ser de tudo isso! Logo as substâncias que confiou
passaria bruscamente a delastrar dum valor finito a outro valor
menos sujeito aos usos e desabusos da realidade. Ponto múltiplo
com contacto: quando é que se sabe quando a matéria está viva
e o objeto pensando? Contacto de primeira espécie: consigo mesmo.
Al parece que não o atingirem o através acertando no meio do
entanto. Segunda espécie: ver outrem. Construção de raízes:
divirjam-se, o rocambolesco mirabolante a malabar! Zum! O eco
depressa o cem em um, zamzumim! Tais são as elipses que têm
eixos proporcionais e dirigidas cf. as mesmas retas. Terceira: consigo
de novo. Não dava nenhuma novela essa vida minha: nem por
uma anedota, sistema de paralelas a partir de grandezas variáveis,
boas para determinar a POSIÇÃO DE UM PONTO. É o caso
de atribuli-la com dissimulacros? Aborismos borbotetânicos
desembarganham molesculúsculos, mas não me alfonsa: maladito?
Minhum. Pelo poro que a boa bisca de uma agulha belisca no
exterior da superfície, filtra a luz de uma fagulha que me faz piscar.
Assim o ponto multiplicando cissiparidade com as estadias da flecha
zenônica assina a reta qua já vem rodando, assinala o volume: a
linha fraca toca aqui no ponto forte, e naufraga soprando aos
dezesseis ventos escombros pela Extensão pelásgica. Um deles
somos nós, sumimos, é certo, porém que lápide ancorava nossa
presença? O ponteiro semicolchincha: dá para pontificar sem sermos
reparados. Num ai em ponto, galga a catarata de degraus que a
escadaria tangente prodigalícia. A vara alta na mão choncha,
rechoncha e rechonchuda. Espera que alguém lhe gertrudes?
Construir uma elipse das apóstases que iam só até o ângulo,
disseram, e já davam a volta por cimalha. Neste andaime não vai
longe o galalupe a ponto de pegar o trote: vivem nos tapumes,
aborígenes perdidos nas vias das dúvidas. Os massoretas
encontram-se entre os massagetas tentando persuadir a barbárie
dessa gente às suas picuinhas diacríticas. Limpo a mão na parede:
INTERDISTO DENTRO. O pedaço da terra, cercado de terraços

por todos os laços: pedacite aguda. Ali, carnaço; aqui, cartuxa. Bazófia em pãfia é uma pinoia, larápio! Ainda vou me descartar dessa tranquibérnia calafobética: mais uma falcatrua tipifica o salafrário. A esquermuça deu lugar a mais um disparate: não era a honra dos numes telúricos que estava em jogatina; era apalpanágio dos criadores de mentruz dos arredores! Itamaracá, meu sistro de pedra! Nada tendes a fazer no sítio, um minúltimo para deixar o istmo: chicos, ainda a convernança não chegou ao tinteiro. Não fastiçais as condições, deslisonga o berço, não se tabulece! Usado assim toa a insulto, chanjando de sacamala: para quem gosta é terrina cheia, para quem não quer tem bastante! Lá não esteja quem tal falado tenha! Perna para que os bucho! Salubre, amirgo! Cosmostempassodumbre? Tudo descartopázio nesse estar de alhaço. Entra pelo osso de um ouvidor, sai mercador por um dedo de tris da boca mole do pão duro! Bichos que tapam a toca com o corpo próprio calam a matraca de qualquer fanfarrão simulóide! Se almofa, — fica almofada, se lamba faliscam a baladalada, se engasgarejam, como sair da enriscada? Insultos se dividem em morais e intelectuais, mas uma chapoletada religa a circulação aos devidos canais. Em cimalaias, o milagre do vinho; em baixoventres, o vinagre de milho. Sampaios e guimbarões sararaivam cabisbilhotas abaixo. Procôncio, pilão! Reto é o ponto mais curto entre dois caminhos. Não mais, arraiagirassol; papos de tucano, São Nunca! Só depois, a pátina, o picumã, o pó. Na derrocada final derruba a rocha e se despenha junto. Darreboldão a amálgama tripafúrdia estarrece o argumassento cambalacho. Artilhérias contra Astralasgrado! Se piscar, não abro o olho nunca mais. Engraçado: se cair de quatro, não levanta, e sai pastando uns pasteizinhos de amargar. Engraçado ainda é galinha pondo defeito no ovo. Careca apanhando chuva. Bater em cego pelas costas. Briga de foice no escuro. Correio com sapato apertado. Roubar e não poder carregar. Coruja cercando frango para não deixar o sol sair. Papagaio falando polaco, engraçado é a única maneira que eu acho para não parar de rir quando tudo já foi gozado. E afinal para que serve isso? Para enfiar no nariz dos curiosos presentes. Para que serve isso? Martelar o dedo do carpinteiro. E isso? Pegar no pé do perneta. Isso? Dar bandeira para os homens. Isso? Dar o contra. Isso? Ser feito. Isso? Ver o anterior. Isso? Passar por nós. Isso? Pôr a cabeça no lugar, entre as coxas. Isso? Largar âncora! Isso? Que mais? Coitado, muito obrigado! Ora que tristeza de cena para a ária de volume tão alto... Quem foi o cínico que engoliu a âncora, e agora nós estamos com uma mão na polpa e a esquerda chupando a unha na boca? Réis coaxam na caixa, um punhado, um punhal bem puxado, um murro acompanhado de gestos de esparsão, tudo em muita puridade que aqui quase tudo é segredo de estado, segredou-me um secretário fazendo psiu de dentro da moita. Entendo que jandas são essas esfinjergadas: loção, poção, agouro, olhado mau, tudo serve para manter vivo o engodo essencial destes logradouros. Entendo quejas de pacandas para ofir este gargalandão a quem dedântico! Guaraquiçá! Fé que desde que pus os pés neste escurral não disse uma certa, tudo assim, a pontagota, a prontasacolo, em fragmose! Também pudera que outra via tomara, se as próprias dúvidas aqui desmaiam ao primeiro exame! Fermentilham os enxórgãos, se esparramanchão, rescontonhecem defrente palmariz! A certeza participa da luz divina, escala dióptrica grassando em degraus. Cada tapume, um coice. Cada topete, um cacete. Cada pernalcho, uma caciquice. Cada tabefe, um cascoete. Consegregam o fastiscalfo. Dilatejam os revestígios. Pertinácia morre longe... Lustra a água um solavácuo, cravo em sentido látego. Summe distinguuntur, assunto, assunto, assunto... O crepúsculo púnico aterremonta fofocas, o real é a moeda mais vil desta praça, tudo muito genérico para ser verdade, cada um ali desempenhando seu papiro como um hieróglifo. Me enfiam um trabuco goelas abaixo, confesso tudo e ainda reclamam do sotaque! Se não me deixam entrar, como me xingam de extravagante? Se não fosse bom em desvelar, me ganhavam brincando e dormindo! O problema com o mundo dito exterior, vulgo realidade objetiva, é que não faz distinção entre tanto e tanto faz. É natural o tamanho que está? O rio está roendo a pedra até entupir o leito, donde vem chamarem-no Tolete, mas o que o tapa é seu próprio pulo, o recanto mais aprazível destes parques não se chama Buraco do Metesetemedos, que lhe pôs Maurício para não lhe bolinarem nas mudas de carnívoras que engordam com moscas batavas para não estranharem a dieta que terão que suportar quando chegar o momento culminante de enviá-las Atlântico acima para as cortes da Europa pasma, que não lhe pouparão aplausos às suas mandíbulas florescidas de tanto mascar mosquitos, transmitindo as diversas espécies de peste que contraíram nos cafundós... Basta algo ter um filho para lhe porem nome de fidalgo! Estipula uma calamidade e depois — pé no estrambilho! — tergiversa... Bazar é seu! Ai daqueles que testemunham o que não viram, aiai daqueles cujo debaixo é meu, aiaiai daqueles outros três que me malharam aqui!

Bíplis, trípolis, quadrúpiter! O verdadeiro aeropagita enclespydra
o pseudeurofagista. Ainda há patifes em Brasília. Fixa está a ideia,
mas a cabeça vacirílica... Que faz um nome destes num ar tão
a cristal? O pedreiro, toc, toc, toc: a pedra — ela psiu! A forma,
primeiro peso. Não há bisonho, ninguém desocupado, tudo muito
quieto como fazem quando, puros de álcool, trabalham nestas
partes. Entrouxemouxe o estrambóide, cara de anguejo
dormingonho? Prefiro papar o miúdo, na quirera está a nata da
quimera. Desfaça a tez, abra a caldraba, vá de gar, perca o minho,
siga o douro, pedre o gulho! Pensa que se fazer de pênsil leva
além dos parênteses? A Levitação da Corporeidade. Lapis trahens
ferrum. O lenhador: pã, pã, pã... caracumbas! Entrementres,
esquadrilha a Abominação da Extensão: grata a sombra a quem
assolariam tantos lumes, planta posta nas imediações do tanque
réptil, o larvadouro! Voou ela, e eu — logo lá vou! Cada vez
mais desesdepredessa, cf. se diz! Um pontífice aqui para impor
jugo ao rio e trânsito de mercancia ser! Alqueire de lá para cá,
torna o detrás durante o através. Um rito de pedra daqui, uma
groselha de prumos, um par de palmos de arromba, segundo aquele
que disse... O oleiro, schlept, schlept, nhekt! Ébano magnésio faz
gato e sapeca do metal que mata, óbice magnético! Dor, no éden.
Ser, em casa. Voz, debaixo dágua alguma. Relógio, contra
matusalém. O fabricador de balanças deixa para o final a edificação
dos fiéis, assim como dizem nossos maiores. Que fulano é
mesquinho, beltrão é cainho, sicrano — biscainho, ziz, roqueroque,
crã, plim, zaspt! Giz! Aqui o açougue das feras mortas sem sangue,
azeite no açoite e perniscos para que vos serviram? Obtura a fome
com este chumbo bom para o prumo! Lapis hic est quem posui
monumentum capiti cartesiana, ductus quibus aquae ducuntur!
Nunca quis meter um número na minha cachola, queria viver num
mundo de qualidade, agora tardio. Como reduzir a menina
pitagórica dos olhos a uns ciscos, cálculos miliares, granizo de cinza,
grãozinhos de granito? Litteras mittere, societatis sollicitudo non
dilatura; omnia videre, scire, posse, secundum constitutiones
priorum. Não podemos fazer prestígios, senhadores escabinos. Ubi?
Ani. Tardam piastras, roendo o pão que ló amassetou — tafebe,
tabique, trastulho, tapume! —, vesgo de tanto virar adverso e fazer
as vezes de invés... O Nome da Coisa. Não somos como seta
de zarabatana, flecha movida a bafo: aquele que diz, ele é quem
o disse? Não contém zenões. O grande vaso vai ao forno, e daí
ao mar é a Certeza do Passo. A Desolação da Casa. A Manifestação

da Carência. O Aparato XLIVagem. A Sublime Porta. Bem-vindo
ao úmido tugúrio! O Colosso de Horrores está no 1/2 de uma
Vastidão, úrsula, cume e Culminação da Desgraça Alheluia, cfe.
o livro Como a Sabedoria, jaz lá faz mais de mil degenerações.
Ó analfabética aletria, odorípara Beócia, é matéria esplanada. A
Consagração da Mediocridade. O Palanque do Desfrute. O Condão
do Repente. A Ultrapassa do Limite. O Florescimento do
Desplante. Ecos sem fonte, ocos, por assim dizer! Quem se foi
que nos deixou assim? O Cúmulo da Aberração. O Movimento
da Negatividade vai encontrar a Testemunha Chave, desencadeando
os sete olhos dos cadeados, efeito causífero! Fundibulários com
penduricalhos bugrelhos vos enxuvalhotam? Sengos ou alheios?
Alhos. Pandilúvio, contra sedentros. O desacerto dos Ápices. O
Morronamento das Cúpulas. Tiquetaque com um ziringuizum
esquizagzito no fundo, berlinguindon! Ecce signum vobis: porvir,
certa, certa, certa palavra! Veda saber pelo pouco que não me acerta
nem vale junto à sentença inapelável da suprima instância das coisas,
para cujo desiderato se conta com o desprendimento das partes.
O varredor, xlep, xlept, xlepft, ao que lhe retrotruncou nas barbas
de serpilho o roscfosc: glub, plug, glut, isso é pelo aguazil! Lá
no canto, bruxuleia o escrúpulo esdrúxulo: para extrair o sabor
de dentro da mente, ai que algonizar tempos de muitos dias!
Empanzina, ermilitão; estafermo, bonifrate! Abrem-se as cortinas
de fumaça, trevas se fazem ver altaneiras, encimadas por uma
embaixada. Assim, efetivamente, é. Nem se compara, comparece!
A Mancomunação das Manifestações. O Triunfo do Asterisco, a
Artimoia da Caça. O Prenúncio da Puberdade. O que se
convencionou chamar o Resplandor da Consideração. A
Contaminação da Pureza. A Ascensão do Sustenido, a Anábase
do Carmelo, o Ostracismo do Conteúdo! A Pedra da Filosofia,
sem retoque. O Discernimento das Inclinações psaiu prejudicado.
A Contrafação das Cutilinárias. A Vagabundância dos Primórdios.
A Concordância dos Prismismos. A Abundância dos Dias. Lá vem
no diantifrício, o digitado diz que aqui de todas as vaidades a vaidade
que faz força é que mais se acabala! A Vigilância dos Persegringos,
mediterreando malícias. O Triunfo dos Trouxas. A Quarta Fachada.
A Jurisdição dos Brutamontes. A Ferrossimilhança dos Detestalhes.
O Percurso das Calamitates. Impulso para a Queda. O engraçado
mora longe. Atalhou a modo de exemplo: adonde? Suspenso me
consideram desde que à viva flor dos meus altos estágios — atentos!
Caia! Caia! Por que não cai? Terceira via não existe. A terra

escorando meu pé não escorraça país que chegue para minha ênfase
e lhe diga psiu. Toc, toc, toc, a forma está? Se estiver, salta, se
não — abra! Com os cacos se mantela uma até a casa vir de volta:
quintal desse jaez, zero plano! Doze tribos perdidas se acharam
aqui, e se fumanchuspam. Ainda não bem feito? Ainda bem
que não. Biombo e parafiso, al não me parece. Palavras dos dias:
erva de medicina. A Casa da Santidade. Taba, taberna, tabernáculo!
Aquilo que não é assim, contrafeito seja! O mapagalho fosqueia
o último palpilite, poderíamos dizer. Por que não o fazemos?
Pergunte para o python, assim faziam nossos anteriores: catarata
no olho de cobra, serpenteando cai adivinhando, prestidigitação
ofídica, a senhora dos saguões bustrifedônicos, guardiã dos tesouros
ocultos... O eixo da roda, diamante rude de lapidar: construir
qualquer pentaparelólio, como se diz, é mais fácil que mamar no
cilindro de euclides. Que não é euclidiano logo ficará maquiavélico,
a partir da curva, a primeira entidade na vida dum geômetra, Ideia,
intuito. Reto é a ideia fixa, a ideia é fluxa: curva! O ponto, axis
rotae: primordia. No princípio, era o ponto eixo da roda. A síncope
na estabilidade deste pico produziu o traço que não fechava,
bombordo: um hiato! Estibordo, um rastro de lesmas e arestas.
Esta linha não estava destinada a vingar no meio físico propício
às órbitas parambúlicas, virambólicas, elypsesleep! O ponto era
neutro: apenas o lugar do equilíbrio onde a roda praticava seus
exercícios minuciosos, apoios de frente sobre o solo seguidos de
prodígios de malabarismo e instabilidade. Acabariam por tirar o
ponto do seu mutismo visceral, o de fazer pedras calarem? Um
nadinha introduzido no côncavo do ouriverso — a reta pode. O
rolé não está ao alcance da ralé euclidiana: redondo no circuito,
área rotunda, órbitas balançando pordedentro dos anéis deixados
por seus iguais... Sala armanda, cabeça chata, considera o arquim
como teto: não me punham baforadas nauseabundas nos vitrais
da minha nonobstância! Quanto mais me toca, conquanto me
destarquínia: o que balança é apenas bagunça. A Caixa da Água
me açude feras balneárias, lápides preciosas — um dique. A Luz
dos Olhos, ninguém é mago. A meu vítreo ver: firmamento fervilha
de carros, fêmeas legendárias, figuras bestas, plaudindo. Currus
rotat circa retrorsum, espaspalhantão! Esfera e cifra, a barreira
almondegária lhe bate pelos gargomilos como a quinta onda do
saltitânico. Marta o rastelo a pedra da preciosidade, a que cf. um
livro muito antigo não se acha além. O Espólio das Guerras consigo
mesmo. A banda me adona! Lá entrei por acaso, e perseverei não

querendo. Toscanejei, é certo, pestanejar porém nunca me viram
os que piscam junto. Excrescência celular, vidros especiais: punctum
remotum, K'lsatotek! Vê no espaço, imagina a partir das duas
dimensões dum desenho o que será o sólido, o objeto, a máquina
que esse desênhimo antepiça! O paralelo sampcha-se! A razão
mecânica se vê, a alma do mecanismo está para ser vista: tornam-se
necessariamente despistórios por compressão recíproca! Economia
de matéria norteia o empreendimento, incrível porque compareça.
A sombra nas portas do ser. Refrente à estampa disto. Me separem
a diferença em nomes de massa, títulos de substâncias, amálgamas
de pastas, balbúrdia de sarabandas, salada de mixórdias, a goma
que gruda a cola no chupa sumo da sacola, a argamassa de cimento
entre o piche e o emplastro, gelatina de betume a chinfra trinca
em soluções de continuidade numa destrincheira. O nome que tinha
sido posto como pedra de eleição foi exonerado por um golpe
de vento desses acasos de estado que se fazem mais repentes à
medida que as propriedades específicas vão desertando dos campos
onde jaziam concentradas para irromperem a leste donde eram
esperadas tirando dos impérios bugrúndios — RODAS DE
DEVASTAÇÃO! Em águas turvas, criaturas da terra firme são
mais gordos e mais fortes. Vivo é quem dorme no fofo! O forte
é perto, daqui ali o mais lerdo dos porcos chegam antes de ficarem
magros. Fraco é o bárbaro, o branco é grande, veio de longe,
sabia que os simples são mais calmos, mais cheios de enfeites,
entusiasmam-se a três por dois, soltos de protocolos e bobos de
dar à luz a água na boca de qualquer cristão, brilho branco na
ponta da língua. Lhano, o verde refratário a todo descortinício.
O certo é que os reles andam tontos de matinas até vésperas, loucos,
vagos, tristes, ora lentos agora lestos, prestes e leves, dextros entre
os rápidos e as elianas do capim íngreme, longos se as torrentes
se prosseguem torrando, reto se for adrede, lindos se puserem
acintes, tantos forem quantos careçam, brabos quando estando em
quatro vierem menos, cinco se insistirem demais, adoradores de
odores, hirtos sob as chuvas súbitas, rijos na moleza, moles na
peleja, salvos se as circunstâncias não arrocharem o recheio, fartos
quando tudo está morno e denso, suaves consigo, mortos quando
o belga fala espulheta mais alto e põe vivo como raro dentro do
vidro. Em breve, nada mais falso que seu doce, como alhures se
disse. Pingo de uricalho, balão de chilanças, petitada ligeira, com
— se nada mais! — tentam. Meigo não chega entinteiro. Legrai-vos
os poucos que faziam outro! O curvo passa ao largo levando víveres

para trazer por sífilis. Olá da ilha! Quem se atrevisca para lá —
dá na linha? Cai no sólido o bólide arquimédio, deixando no
depósito um primóide de compassos espasmódicos. Simetrias o
perseguntam, formas retas que restaram o restauram no ângulo
da onda, aparece um, passa uma situação adiante, propõe um
arrângulo. O gengisgonço é metódico, método sendo a manobra
mais farisaica de escrever torto por ficções jurídicas. Mancho meu
devaneio por intermédio de paralelíadas, isósceles mas se
aproxeguem: jogo de paciência, consigo. Comigo é palmo e pausa,
quando digo que consigo, consigo mesmo. Limpo a parede na
mão: joia judia a burilar, lapis pretentiosa! Superioridades do cálculo
sobre a observação, discutem. A supervisão qualha aqueles ali. A
partir de um osso, montar um colosso. Definitio: que monstro
resulta? O alicerce da ressurreição, um osso incorruptível,
praticamente aço. Lança a mão de ressurtos astronômicos, toma
a peito a tarefa. Força-se a ser, faz por onde. Vê se da prosérpina
vez, não me pesqueniniza! As ligações são peligrosas, dimensões
transversais ameaçam o posto onde reina o ponto nababescamente.
O lugar oscila e se deforma conforme durante se lhe acrescenta
vapor ainda quente das cloacas naribundas: digitales advertuntur
impressiones. A família das Curvas de Nível rogacéus que paradas
sucessivas sejam plantas. Perspectiva! Deste lado que está mais bem
colocado: forma ganha nem força, peso arreganha. Não está na
loja A LÓGICA — filial do empório A DEPREDAÇÃO DA
REALIDADE que só explórica os ramos mais baldios do negócio
de Generalidades! Ao prato cheio, automatários, a isca esfria. Af...
unda! Fui pedir uma notícia, deixei lá aquelas duas ou três que
guardávamos zelosamente para instantes menos esclarecidos:
ofendo o sólido, insinuo um plano entre a linha de resitência e
o ponto nevrálgico. São operados, omita lamentar. Opto sortes.
Exausto de vilipendiarem-se, quiosque atandianta me mudar para
o prato vizir se a balança só com vosso ouro se abalança? Não
me corrompa a rara porém grata oportunidade de endereçar-lhe
a seguinte blasfêmia: na presente obveniência, culpo-me do que
não me ocorre. Tanque obturado por uma ova de caimão, o mar
oceano me obumbra os quatro continentes dos horizontes. Quatro
orbes me solicitam, dois esperneiam, o terceiro: orai comigo. Ó
de láscar! Borrão de óleo engaiolindo a área tolda. Paspatawinawupt!
Cadaosso me fracassando com uma pedra mais dura que caroço
de abacate, nada igual a previsto, a cerimônia quem orna? Parede
e meia não sufaz para torná-los surdos as minhas súpricas! Saem

ovacionadas por ovelhas abelhas que apenas ninguém mais julgava ovos capazes de polvoroses, meus bugalhos em suas tetas, fogo nos meus bofes, engoli o cachimbo, agora o que vai ser dos sentidos meus cinco? O mapagalho, mascavo quenem mascate aceitava, tosqueia o último palpilite. Está na hora de dar à onça de beber, do apagar da vela, do dar um duro danado, pagar um juro comprido, pregar murro em ponto de faca, sair em ponta de bala, bater na porta errada, das tarifas — coração: fazer das suas, a pior viagem! E se durma com um buráculo desses, agora é que a música não me cutuca! Me estrepto, perantepé. Boa parte, se der no jeito, já fica o inteiro pelo endireitado. Desço de novo a formas larvares de existência através de uma atritude súspita, tudo e tudo como! Davantagem! A glória do nome: nada mais mingau e pelado de verdadeira natureza que os desmandos das coisas em volta de sua presença! Purga a enfermidade da argila demótica que há de luzir e enrubescer como ferro de brigonha antes de virar paçoça, desmantela os desvários organismos do pensar humano, os números oratórios que desabotoam essa fechatriz: descende do espaço, da distância, da extensão do lume caudaloso da lonjura... Subfruto de sua própria busca que lhe fazem, transita, corrói, corrompe, supera a medida interna da metamorfose. Parasse, coisa maior teria se passado. Um olhar depois, depois de olhar, vejamos. III dias transes, pancho sobre sua chance, veio que cedo o vejo. Surprésimo? Exorável sejas. E real? E o comprimento da onda? E a etapa? E? Queria poder ter em meu alcançaria o poderei de nossas alcançavas! Pernilúndio deixo por quantuluscumque dos mounstros! Prestindigita um prodígio, muitos augúrios gozam do prestígio que fanáticos grangearam junto a diáconos, epígonos paralipômenos e catecúmenos diagonais: cubículos filiformes quando os diáfanos undícoias rigorogizam aborronígeres nulíparas para furáculos burídicos, faro no ralo pós do raio! Vem a me estender além do simples átimo, formos enteados em seu corpo de Ser! Jorramíngula, gaioela! Em branco o duro na rúspia: raro sasso, naufrígio, turvo e trusco! Me enterroxam se andar do jeito que anda diva não me faz passar gando e gadando! Pesamemuitos! Xucrasulca, pouco que nem tudo é tamporco! Me rebelisca um tris, e estrelaiça um agudo: dias fastos com golpes difíceis, farsas nefastas fáceis de fazer. Contanto não me suetonho: proprium obvii sibi a se vertere! Farto deste vasto, salta um peixe e pisca a rol de vista: olho bispo, perene atenção gratuitária! A contemplação não dispõe da mínima consideração: a teoria termina com o desfile dos arquétipos, a

procissão dos equinóxios, a parada dos colapsos! À medida que
conforme passa, quem mais se destaca passando, apesar de levar
tanto tempo para ser percebido, quando se percebe, faça-me o favor!
Retrocontra e sempredentro, talmente e qualmente, o calcanhar
desse carcamanho tamborila seus sóbrios sarcasmos na superfície
faceta da nossa susceptibilidade! Pasmo perante palmo a pasto, solta
um gesto evasivo: o enríspido! Cada um mais vérico que o que
o precede, allegro tropf amargo pero nonmenos precioso! O breve
clâmix abre na trégua uma brecha que se fecha em cunha, o peso
se agrava nas superfluices privas de ser. Direto, reto, ré! Relação
entre Coisa e Nome: entre medida e medido! Nada me interessa
mais: uma palavra dita aqui dista de mim tanto quanto até ali.
Rerum novarum dictatoribus decet inadvertantur ut tacerent! Tanta
razão ninguém tem que seu oponente nenhuma a tenha... A
lambisgoia, e dos xeretas dois com ela: batraqueias mixtam
ruimbomau, o ganso manso ao pé do mastro gasto: Monstrosauro!
Perto, prestes, rente, junto, dentro — sempre o mesmo Grande
Contra! Melhor uma flor mitridática que qualquer pé quinino.
Dai-me um trono no teatro, lhes monstro o que é ver: frapo-lhe
o ucrâino a poder de fiapos bem faíscos, raciocídios, vias a espanto
espento, e outras cartesiolatrias... Foram tal as prechinchas do
gargalhamingas que só as retratando como ronco fino e guincho
grosso chega-se a dar ideia — o que parece. Transpolion! Libo,
e o corpo plumba no abaixismo! O anaxiômedes sai na prox
blasfômega pictagoresca: lobrigo que me repetiram um membrete,
o do emparedado suando frio e tinta, discrepância entre a chama
estopim e a cinza, que faz que não expluda? Cães aos ladrilhos,
uivos aos búzios, também e também. Informe em crassa classe:
trata-se de hermenese, Gense, I, X. Enganei um bobo numa casca
de Occam. Manja de bichos? Qual o regime desse hajimepópolis?
Fiquei do mesmíssimo tamanhinho: me reconduza à grandeza
anterior. A quimera dominada! Quisera vir a caber em tanta quanta!
Retrospécie, sanguifica a carnificina! Modifica, substância
transobstante! Versifica a lista em prol de um rol diversificado num
roldão, evento medido por um dito e mudado por um cujo. Padece
de pareceres contrários à partícula que lhe apertence:
mutatransmuta! Além não continua aqui! Aniquilim, identifique-se!
Especifica e qualifica mas não justifica. O modo desta presença,
passível de reticências! A transgédima transfiguração, diferente
somente enquanto se refere à forma exterior mas nunca quanto
outrotanto, quem diria, quem foi que dissesse? Incertifique um

transeunte como intermediário! Retifica, unifica, exemplifica!
Transfica! Fica... O transtorno no intercâmbio transparece? Só a
carne mal passada, a gesticulação tresloucada, as circunstâncias do
ambiente são irreversíveis! A substituição só dá de raspão na vista,
sujeita a prestidigitações, o remanescente transcorre por conta
própria da fase imediatamente posterior. Do pão ao nume, a vaga
de um lume nos clarifica! Massa caia na pasta, o chão não passa
da mão qua alcança! Não tem cangalha que me sirva, matraca que
gire, pedroca que atire, paróquia que aguente! Ir daqui até lá é
muito mais do que comigo! Maré só dura quando o vento muda,
bolor não pega na pedra que vira: navio vem olhando e, por via
das dúvidas, disparando todos os canhões contra a masturbação
mental! O plano das águas procede percutindo a mesma técnica
até gastar a tecla. Gluk! O guardarupa xingou demais o você que
teima em ti se revirar! Estrongo, Brasília bichada de tatus! Pode
ser ou está de chico? Magário. Anoitecido que foi, ouviu uma
voz que lhe dizia: sai daí, peguei e saí. Parecia mais um monstro
que outra coisa mais apresentável: pip... Occam! O mais estilista
dentre os estilitas da Babilônia se candidata a nefelibata. Ovo,
trago-o disfarço sob mil pretextos! Me taxam de obscurantista:
precisa ver um primo meu. Aquilo sim que era treva, ele é que
colocava uma sombra em cada boia clara para ninguém botar uma
claraboia: fogo e brasão apreços pedrosos. Na horizontal, penso
um pensamento vertical. Para subir na vida — ir morrendo por
baixo: aquilo de sair para outra é geroglifo e genuflexo desta estação?
Por uma escada desgraçadamente não subiu, não marionetado por
cordões de insulamento, mas ascendente graças à multidão de suas
próprias fortaliças? Outro receba o episcobato que pouco se lhes
deva! Por falta de almoroço não foi, travessouras sobram de haver,
ora que se tira daqui? Uma base, a mão, uma teima? Curiosum
est quaerere, sed temerarium definire. Fofo de saber muito, mofo
de não fazer nada, folga botar pedreganho no meu fregamilho...
Girafoltas e viragotas! O tempo que se desprende na ida, se recupera
na estadia, se repercura, se persecuncta. Resp nego consequentiam:
non apparens, sed realis et propria. Assim não vale, assim: o
sinal de senão, resulto ao último qualibre, liso só para evitar artrito,
ut antitypus! Um, dois, trans...! Toco o pau no Ser: incorpora
meus golpes à sinfonia dos seus contrastes, que inclui no mesmo
tópico — os inventários longínquos, as desavenças dos sinópticos,
os trancos que vem aos barnabéns de barrancos, as pororocas!
Projeta uma sombra da Lei — a figura exata é uma barafunda,

— de suscitato Lazaro, de absoluta adultera, de caeco illuminato, de caelo allucinato, de aqua in vinum mutata! Me asseverou que o litígio entre a ideia e a coisa era muito obediente a uma simples lei de projeções, mas o projeto de lei morreu na casca, ou em casa, ou em Antuérpia, me foge a fórmula desse regime. Desde que se proglamou por um deus, só faz ficar arpoando moscas com um estilete agudíssimo, additur ad momentum, numerum et pondus narrationis. Incrição marmórea: HIC FUIT LAPIS. In locum suum se restituebat, ad seipsum redens. Et quasi peregrinos per plaginas pertransire usque consumatio doloris legendi! Saccum est, scaccum mattum! Mortuus rex, celulam operire jussit, quod invenies intra? Ipse et simul quam antea: oculum sanguinolentum aquam et cruor vertentem, a Hypnerotomachia Poliphili! — adendis susceptis, sine tirocinare nisi mittere! Enquanto uns amsterdam, e se não concertam? Convivo um tempo feito por obra e ordem do espírito, e que tempo não é feito, que tempo existe por si só, quanto tempo consegue escafander os galparélagos e as ardimalhas dos experimentos físicos? Calor, forma mais elementar de comunicação entre dois corpos: mata! Percepção, forma mais profunda de participação: o mal, a ignorância! Alergia, primeira energia de toda letargia: gargalhada bárbara com um pé às costas, esperando o primeiro vaso que sair no estreito do ruflar de sua própria sombra! Jusquemais, Extensão Baldia! Quatro elevações de atenção: o chão em volta, uma. Depois, os "melhoramentos"; em seguida: a linha se perde no céu firmamento e emerge no flagrante da contemplação, deixando o campo livre para as fantasias do processo reabrirem sob nova direção, mas sempre a mesma substância, nunca trans, nunca além, nunca mais!
Dor de ilusão, livra a cara de quem te capricha! Enquanto o imobilizava, me estrangulava: quando parou, o ar estava sem mim! Não presta: ferro malha fredo frio, medo gargalham cães! Mexericos e fuxicos me levantam a voz: determinar o coeficiente de silêncio necessário para transformar uma subsurce em grito de alantermas! Cães de caça maiores que as presas específicas procurem um cheiro fininho, cães menores que as peças de museu e troféu levam na cara o grande vento do fedor das vítimas! Menórias tem maioria de votos na vitória! Como algum dia, alguém tinha que ver o ar, torná-lo palpo sem tirá-lo do seu elemento, assentar suas bases fora do éter, mostrar-lhe um terremoto, um monstro aquático e uma exceção órfã de regra, respirar enquanto poder! O instante

que a razão irrompe era breve para ser, mas uma vez que o patrocinador se sentia bem dilatou a dura e a mora obtendo incontinente uma crise de anacronismo agudo: diariamente me acabrunha a derrama corriqueira das coisices, e nenhum senso me significa além de fome, tosse e tromboses adaptativas. Occam, eulálio, o bem falante, o grilo velante, o grito de elefante... a brutamala desceu para gonçá-lo! Para Resgatar os Santos Lugares Comuns das Mãos dos Infiéis. Valgaburga, transMutter! Tem que ser, só se for, precisamos. As professorias dos anacoristas, sob o trepanácio de São Patrocínio, desnorteiam e nordesteiam o malefício de São Bonifácio, mártir dos segredos da confissão. Onde ficka Hermenetrimegildo? Acki. Passe um trácio, em resíduos e isidórios, embaixo das portas de trapérsios: abra, Ão! Simplício, a complicatio in persona, dias não dou nem dois para deixar de onda e mudar de ideia antes que a próxima venha: o eco se prospalongra: A janela bolança, a porta oscila e a sala manca. Noite pardeja gatunos, arranca latim da garganta das feras caninanas! Aceita esta receita como sua legítima resposta? Lembra-te que és macaco velho e em pó de mico hás de tornar! Aceita esta resposta como sua legítima prerrogativa represália? Lembra-te que és lesma e em meleca hás de tornar! Aceita esta afronta como sua legítima parcela? Lembra-te que és lapso e em segredo hás de tornar! Aceita esta oferta como sua legítima pretensão? Lembra-te que és uma lenda e em exemplo hás de ficar! Aceita esta lambuja e lembra-te das homenagens da gerúsia! Lembra-te que não passas de um momento e em manabumento deves ficar! Aceita um petisco, o triunsviraldo? Lembra-te que és começo e enfim hás de ficar! Que és isso, e em nada disto hás de tornar: Os Louvores do Agrião. Tudo que é agridoce satisfaz o paladar estimulando a mente: como doce, se tem partes com o vinagre, como azedo se sabe a mel e muitos açúcares mais? E tudo, em virtude de reconduzir os transeuntes à condição de ingredientes: toda pérola — seu dia de ostracismo, que necessidade se tinha de retas para traçar uma curva, sem as quais porém nada sai dos cones para a glória das tabelas manuais! Parasita, basta distar uma parassanga do seu estado de sanguessuga para pegar as manias da sua fonte de víveres: lágida a lápide sob a laje! Contratrato: ama teu semelhante. Teu próximo ama teu sósia como teu séquito à reencarnação de Zósimo. Domina quem me denomina? Um Lacústrico falando em pequeninês — awauf! — não comprende o silvastro, o ilustre não entende o indez, de tanto pagode, com a cabeça indo parar na conchinchinha!! Está com o miolo mole: só capta segundas intenções quando entra com o pé esquerdo, cultua hábitos que não se perpetuam, por que toda essa zoopsia? Muito comum isso de jogar um anel em alto mar e achá-lo dentro de um peixe pescado na véspera! A casa onde a água mora cai e recai e sempre é a qual. Piscou! Sabe alá o que é isso? Apaga aqui, acende além. Brasas, uma atrás da outra, fechando, uma porta para abrir a brasa seguinte, verruga de fogo ardendo, na contratampa. Controlo uma bola de vento além do período regulamentar. Durante toda a experiência, afetando ingratidão: saindo de perto sem pensar em tirar aquilo da cabeça, o esplendor gigante desaba pensando em mim. Mãe das contingências, adota um estilo mais conforme a este afilhado! Quando de imã arrasta uma onça de ferragem? O astrolábil junge o pertêncil com o longe retrocéssil. Dei-lhe uma olhada tão certeira que o vi: a inteligência é essa introdústia de não trabalhar, que só tem criado problemas para comer, — mero pelo plantado no nervo! Virem-se, eis aí uma lâmpada, um imã e a areia, pingando dum tubo. O ímã atrai às flores do campo, vale em formato de U, cabo representando um não! Bicho desses mundos que se escondem por trás da prega da dobra, dengues, donaires, prendas e melindres! Esquerda: a cabeça, direita: o coração! Imóvel, o título do eixo. O espectro visível, a queimaroupa, nu, na essência! Azultramarélio! Alma a temperaturas árticas: espírito, Norte! Ação erosiva dos ruídos e do mormaço sobre as marebundas do mar morto: retro jaz coextensivo à Extensão, enfim cedendo e sendo assim! COMEÇOU A IDADE GLACIAL. Que foi que o gosto viu na alface para preferi-la à carne humana? Sobre o indiferentismo em matéria de tantofaz, chegaram tão antes que melhor a seu talante seria dourapilulante! Desprotegídios: fritz, franz e cris! Como uma espécie de iolanda que eu salvasse de alguma infância, não botam para foder, parece galinha: fodem para botar. Anjo em carne se conzagra, alma no cárcere, aura em casa, sequazes do seu quase a quase. Assinácios, em cima, em baixo e em rodolfo. E por este teor o que era fácil resvalou-se e por este temor, um zeferindo a referino — bem pergamadinhos! Videia macrocorônguia! Para a eterna quaresma das casernas, falta prepárido. Arcoarisco, anarcoíris! Outros tenho-os vistos torturados e atanásios, sem dar um VI pio. A repulsa abcdedicta movida a nojo, estamos quitérios. É forro de bodó, é ferrote no bozó — e outras admassinistrações por aleluiaminição! Se tem nas redondezas quem tentou trazer este mundo para um clima mais proporcionício às amplas generalizações, esse todos sabemos quem é. Quero ver quem adivinha qual o que desistiu. Ainda hei de estrangular o primeiro gringo que me aparecer mexendo nas minhas coisas, essa é tua — coisa nenhuma!, tira a mão daí, filho de uma égua iugoslava! Tão nova e já levantando celeuma e levando uma cantada! O Monstro, porém, estala a língua a cada sete sílabas e vomila uma fita de frases perfeitas no sotaque carregado pelas nações descidas dos sótãos do sertão. Tomaster matresnotas? Contine-se, canhoteiro! Uma sentinela acaba de sentir Occam se espalhando pelas cloacas do templo, a casa não está para vender: se era santa para eles, que não tinham culpa de tanta nudez, que dizer de nós que sabemos até separar a essência da existência a que Deus a votou, parecer conforme quando não passamos de meros inclusives... Quer sair aí ou no tabefistão? Limparam, por intermédio de um guardamapa, a boca suja do rio que se chamava antigamente já não se sabe: se nome o tinha, eterno olvido o tenhas! Uma doença, como efeito, marca em minha pele o compasso de seis pontas, o resultado não se fazendo esperar. Queira ter a bondade de entrar, qual seu apelido nesta extensão onde cada joão vira joca na primeira geração, josé gira zeca ou se desgeringonça à moda da cuca? Como vagões mas estou pouco cagando porque o eu se recusa a transformar a voz dos peidos na ação de merda que consiste em bostejá-los. Uma coisa se enrola em volta do meu entendimento, se enovelam as volutas, desanuviam o espaço além da graça: navio ao longe metendo a vara nos panos, mandando brasa nos barbantes, maricas hasteiam bagas harpoando vagas! Como uma cor muda uma pessoa, me atchinge por tabela! Cora da vergonha de estar morto já que cadáver vos acucaracham desacordado, nada me desacorçoa. Provo por a mais não poder ver ou perder de vista: que tal levar uma aferrolhada no osso tê da testa... É qual e tanto! O tal negócio: por um ponto a tangente não tocaria a circunferência, desembanjando-se em coevasivas inaceitáveis: tabula salvationis ibi legitur, hic jacet! Quando ela já tivesse sido goiabada, só então: levanta futuração, aquarum poculos bibisturris! MXDLVIII. A colheita deste ano foi esmagadora, ver tudo limpo: prazer de quem varre! Sete mentirosos se aconteceram uma noite na taverna. O mais antigo no posto e no caneco disse que estava ali por acaso, pura ocasião: amanhã às mesmas horas estaria em casa debaixo das cobertas e por cima da patroa. O rival em frente pediu tempo para lembrar da última vez que ali estivera. O recém-chegado apostou uma coroa como não perdia as faculdades com dez vezes mais o que bebera. O

novato observava atento a mesa, de bruços nela para garantir o
máximo de proximidade entre o observador e a coisa observada.
O saltimbanco de feira virou para o velhaco vizinho e piscou tão
discretamente que apagou a lâmpada: na confusão que se seguiu
só uma verdade deu de incutir. Intunc quaestio ipsa falsa est! Mete
um N no sim. Um S na frente. Um R na ré. Um B na testa.
Um C na perna. Um pé nas costas. Um F na gafirofa. Um X
na China, um sim ao lado do ser! Um U na cuca. Um Ventre
os dedos. Um A no esmo. Protomatemática. Um 7 na conta. A
latrina sob o latrocínio do patrão, Questão das Investiduras no
Conciliábulo de Latrão! Um 2 nos degraus, um cós na trilha!
Photismi de lumine et umbra, ilumina tudo ao mesmo tempo: de
latitudine formarum ab latitudine acquisitionis latitudinis motus!
Dualismo persa, olhar e piscar: não bate preguiça sem estuprim!
Fogo de pedernal! Cai e pira, picirico de cicaba! O próprio é muito
comum: uma presença isenta de qualquer falta, cuja vaga absurdaria
o próprio óbvio, pior que é consciência, a que só se nutre de
pareceres! Salvare apparentias, livrar a cara dos fenômenos: adquirir
essa lógica, acelerar os Planos Fleugmáticos, Campos Magnéticos
e Catalaúnicos! Arte de Escolher Nome para Si. Quod ego sim
non discutaturum: só um analfabeto teria lá seu atrauso, muito
de respeitar, por sinal e tudo mais, quando pisco sonho o mais
curto possível e logo tudo tão claro! Argento vivo, lápis brasilica:
arte ponderária! Luz incerta, sai dos lugares errados, fura a nuvem,
força o painel. Perdi um punhado de sentidos, tracipício onde o
príncipe se pracispista! Fiquei muito sentido! Todo um quarteirão
de mortos! Primácio tem colher? Entendimento em ascensão, à
luz da fonte do sentido... De Ponderositate. Restitutionis via
integritatis substantiae testium auctoritas, methodus conjecturandi:
índole, o senso requer escrotinho, elenco! Me seguro aqui para
não cair, só então percebendo: o que mais falta lhe faz é um chão,
bom de pisar é pedra, o resto é queda, ruína, jeito meio sem graça,
gesto parado no meio! Separa o ioiô do trigo, joga tudo que vai
mil e tal! Nada que enferme meu pendor, posto que eram! Antes:
aqui, depois: por lá, sempre: al de lhufes! O calor coado através
de minha frieza intelectual chega triste até aí: fêmeas atônitas atrás
de porra, purra, puxa! Sintinela ensinala, psefospecta de ademanes
malabares — gesto de adeus dizendo volte! A dor pura. Dor, cristal
no dente. Luz doendo de onde o olho aldeondo: vou, venho, volto
remisso! Crepúsculo, aurorasavessas! Professor de cinzas, alunos
de vermelho! Meça o tempo que levo franzindo isto para ver como

é mais apanácio tirar pelo natural: só que não dá camisa para o quereleiro, querendo ser honrado sob tudo quanto é nome! Elétrico o tempo, sobre o ímã, quantas questões a levantar? O mau hálito do magnete? O estigma da pedra heracleia que tem para fazer doze trabalhos na era do ferro — quando próprio de pedras é repousar, virar a substância vulgar em ouro — quando passa a se chamar filosofal, e filosofar! Tabula plumbea: circulus, symbolum hieroglyphicum sapientiae cherubini! Por um desenconstro, arruinei o edifício, vim com um olho de cura e a pedra já levava umas boas eternidades de luzlambuja, e lá vai fumeta! Minha madrinha nasceu em praga, roga cada uma, em peste há de tornar! Descrever o beliscão de um ímã como um golpe. Puxa o corpo da terra a chuva, saúde, Magnete! — propenso a levar ferro — quando o mais fresco seria ficar olhando ou mesmo nem prestar pestana: pedra aflita, rocha apaixonada, penedo pênsil! Paralela a se partir no elo mais tenaz, Lei da Ordem das Coisas, arrisca timtimportimtímido um infinito que já tinham dito, ora, rapaz, comporte-se, toma um copo de jeito, vê lá, hein! O magnata do ferro esbanja farpas, pfode? Lamenta não nadar melhor: a ponta de pedra penetrou fundo, o sangue envergonha o nilo, pode atrair seres indesprezáveis, senhores de molares prestes a todos os paladares, luz no olho apolvorando a profundeza, A DOR ultrapança o sofrimento, já — eu! Um membro desta substância inflamou, e era a forma: cinco a tris! Um ser de câmara: não tem mais nada que preste, para a gente ficar a conhecer só a si mesmo? Massacrã, crã, crando! Isso me aquela, m' isto cancelerna! Conheci em meu crepúsculo cardíaco que o Senhor verte os trabucos de sua graça e a abundância da sua piedade sobre a cabeça que não pensa, mancha de prazeres, filasofreres: pertranslucit! Quaestio de Euphonia, evadimônio especulontanho, D. CCC. LXX pirogas, jangadas e canoas cananeias assediam o galeão que assola o golfo. Infeelingz! Batata: O escalpilhete estalagtigtag na estaca — uma aposteose. Quies media: sulge e preambula! VIII dias de velância e guardamento, frio... Frio, ainda... Morno! Esquentando... Úmido! Achou! Splaft! O humor destas gentes é descorregadio: entre cara e buço, coube a caralhapuça? A Pedra da Invisibilidade faz se ver através como se por um diamante: o óculo de alcance, alexandrez! Não é que o sujeito ocupa uma pose magistral? Lugar substituindo a casa: sucede que alguns ávidos de pensar certos problemas — se isolam... Víveres nas vísceras, charada dechifrada! Um S nesse J. O S num B. Chega energia no órgão, frapa na

garrufa: cronch! —, naco de tatuquara na caganveira! Vence o
prazo: patrisilfra de avenstruzas caraibitas, pingapiranga,
xingacoalha! Calma na toca, na kawa do bicho, na boca da malóquia:
vistmos um sinal e não. Pegadas: ao vidro, três e a quarta — um
esboço, aqui alguém começou cada vez mais a devagar —
reconsiderare. Papelgaiadas, na cara está: só não sei onde a cara.
Aprox, ímã! Apelando é apelido! Na suçarramatana de
malamitatiaias, — papamingau, águapipi! Espatifa a palafita,
borrifando de borracha! Pitoco, saçanha e asazena! Toca pau de
tacape nesse gongórdio de média pataquatro: um dekampute medula
na medida de pacotito! Parinama lixa, relincha! Guinzaia? Relance
nana e está. Vodinadruma esgoronte! Luz, buraco, noite, calor,
longe, sempre, tombo, tempo, esmo, fundo, luz, susto, espaço,
ruína, ídolo, vidro, nome: 5! : 9, percurso a dizimar com método.
Tão claro aqui neste desvão que nem consulta ao caso amarelar
o vermelho, apurar o ouro das cinzas, avivar o chá de camomélia,
vislumbrar azulilasmas, tão claro aqui estando neste setor da sombra:
cortiça de carne, couro de carniça, mais que cela celeiro de seilás!
O período invisível, os picos, píncaros e píncaros a fio, fuifiu,
ai, ui, e fim! Interregnum interrogans, realça número sínfono o
retrolapso ao metafisco prossimíscuo! Passe o eufemismo por cima
de uma dessas anormandas pejorativas, a fluxoflexão que me
atrapassa! Plasfêmia, caldapalavão! Mãonarodágua, fulargamaça
argolam uriçoca, seguido por sangudo, tremegestos irresolúveis!
Translatio imperriti: o filósofo que me habita não mo confundam
com! Pelomênios: taba rásula, a divina periódica! Ia acabar
acontecendo: na pentagônia, enventaram o antiquadro, o
desredondo, o nãoângulo! O glutão de glosas floriosas dissípula
o ser de sua aparência, vibra em peido de quebrar vidros, lendo
sempre o texto dum livro nenhum! Documínio, o frio da periferia
argurui antigústias: arbeitsésamos! Um T no Testamento, crucial
sobresaltre me ganha! Levedo e halena, esta crase, crise quase,
discobrusco! Mostrar a hajimônia ao impessoal, constrolações
caribe! Invisibiliza-se a mais aindas, pesquinínçoras e pisquedizes
me companhitram, a mim, mônada, mania no tudo: eu. Persona
persica, ficta et picta! Coalhônio? Alexis, axilas, alferex! Ax do
ó, agnia em itaíma! Geraldo e particulino vando, vamos mendo
sombrismos a dumbra, dantros de cimaesmo! Albalçamam
esmaragdá, ik'n tatum! Argosma água e unda por toda uganda!
A esquerda, esse zero! Alto lá tampouco com um sinal de reduzir!
Devagar com o 4!, — que o X não briça em servinco! Apontem

a, b, c, — e F! Arrecongonham a disponsa amarfanhada pelo trote
dos acontecimentos! Diga 33, reze tantos padrenócios, — e arre
mania senão estivermos em casa ou no evangelho de são nunca!
O que se moventanove — atlasquiça murmurismos: um jâmbetro
sacaroleja o espirralho, o calamista skentalros! Gegememeios,
comiguignosco: a harmonia que há entre 2 pedaços da mesma coisa
que se encontram, se entregam e se encarregam de prevaricar,
provocar e provar que se pertencem! Troncosérvias e controvérsias:
orates está em casa, traz em pau de vorossoca defuntos e definitivos!
Gustacavilapit! Escova, escova, escova! Almaimã, seu dia de
gazinafre! Modele-se em tris : o arrepio, o apito, o panículo. Em
vaivéns: desmaios e vômitos místicos. Em poses, as metamorfoses
do colosso! O palestrista titiriteiro limita-se a um ecumênico:
acondessa o que acontosse — acontece às cinco horas, e cinco nunca
foi conta de mentir! Imã versus eco: não percam peso nenhem
latim! O prol visante antepensamão o que as vindouriversárias
desmantimilarão! Paródia não só: metáfrase. Eu metro esse
persperto, metralho esse targum! Vergo o termo, hermes, o
metagogo! Puh!, o barrufo vermelho! De herba mentem portante,
jacinto nos labirintos de nepente e chicória nos olivais de santarém:
frasis ipsa virgula condonis vertebat! De quaestio a osmosis: diálogo?
Está a como. Secos e séculos, molhos e molígulas concorujam a
busla. Como está? Maismei a hora! Posso ser? Pode. E eu clides
e prestes a clistorizar a arnaltomia, telescórpio calcásias charonhas!
Ali: cai de repente o que já estava. Susto, medido em arrepios;
horrores, calculados em calafrios; pânico, avaliado em milhões!
Máquina de armavancas alticulatras: o equilíbrido voscila recalcitros,
um sopapo no soprasopa, um cascau no comelambugem, um
paulatina no escutafilhadaputa! Perdia a fala, o siso e a luz do
dia — usos da alma que se faz de parmalesma para farturar a abertura
da boca na negação da porta! Nada mais me resta que prestasse:
aqui me abondonam, abanando esta muscária pavonina! Se bem
o verto, isto aqui já foi bem mais lindo como rabo de um bicho
do que este nosso frescor de hortaliças, roxo, azul e amarelo
dissonando seus ancenúbios! O som deles é menos isso aí que
outra coisa é um completo desastre: mérito da mente adivinhar
que a luz ia acender, pecado que não haja dado. Ocorro! Ocorro!
Que o que deva sucedar-se — instale-se! Quando mão e coisa
se disserem do mesmo jeito e do mesmo trejeito se dissolverem,
convosco talvez esteja eu contando como a um imã que viu ferro
em mim e me acoçoroa e me assedia e me insiste e me teima e

me chacina e me controla. O cortacrise queiramancia contracompadre: memphis como creta ao náufrago ávido de primos sufrágios? Clange o tique dos tímpanos, barbárie não é documentário! Me dera um cupim de colchão — curas cubiculares, fantochão — e que! Metropata recembelmonte a presbeuma toupinambaoults que veio com a estação das chuvas e como os consecutivos algurimentos: leb simba katekumn tungalingam, misteiriço que nos alterega, pfíngaros a spynctros, quarawana lapsa numa dombrowska do terreno! Escravo, tudo que é teu é do senhor! Aprendeu prestidigitação na casa dos olhos do senhor! Lá ganhou nome, tempo, prestígio malabar. Alimentado, vestido e curado pelo senhor durante dez anos! Hipótese: ele escapa. Escapará? Quem engasga não engole, quem ultrapuxa não mede torcicolos a olhar para trás, quem fica, cuide bem do que enxergo! O que desponta é ser nascente! Numa palavra: isso é tudo, e basta um pronto para o chega às raias da mais estreita insuficiência mental! Espantos que te carreguem nos camelos da lembrança, — mártir do testemunho, andromeandro do que imajo! Quem tem patranha, não morre baganha! A diferença entre morrer e matar é? O arquiaqui. O efeito se prosta aos pés da Causa e a adora, deusa boba que não olha a frente donde pisa, paçoca onde as salamandras engendram caraminholas que com elas mais se assembleiam! E o cu com as causas? Hermeneu, a Pedra dos Intérpretes, rocha avulsa em presença duma aberração incógnita delata seus processos, num icasmo passageste! A Fonte das Vezes. Corpora archetypa: por apolo aposcopeu, índice em riste e em mim! O barrido não estava no tacuíno! Pelequizo uma pinha de carcabúçolas! Copto o não será. Cartesii monogatari sicut esse potuerat, non ita fluit: cogitare até o esse. De noite o sangue vai para a cabeça, de dia para as mãos: essa tese é tributária duma senhora hipótese, onde escusa botar defeito porque desfaz! Uma palmeira sai por aí, lasca de luz debaixo do sovaco.Lilaralaliralah! O roxo no plano, o verde no agudo, o presto no esgoto, cárcere de parênteses e pareceres! Brincatendeirora! Dado um ponto P, fonte de R, L, M e outros logradouros inconfessáveis, conduzir uma carência até os extremos limites de H, onde todos os elementos e seus avatares tendam a um lugar rente do leste de AF, para daí partirem caminho de W, único muro de lamentações onde se conformam suas lágrimas em semear na pedra. Vista um, de vista... Ou trés. Concluio: aludo... Encerro. Precisa ver a presteza de traço com que operam essas instantâneas transformas: não se transcorre segundo sem o correspondente registro. Natural esse original? Deu, dê! Foi, amém! E, viva! Saiu, fique! Sai! Sai! Sai! Estou cagando e andando para o boneco. Enfim, isso é batalha naval ou pileque abeberígene a pique? Escrever sobre fenômenos infratelúricos. A fé, a graça e outros flagelos grasnando impunes como a esperança, a alegria e o amor devem ser banidos a golpes de reflexão, cada vez mais genuflexos! Paz na terra dos homens da mais súbita instantaneidade! Dialética, apenas mais um dos dialetos da mente. Formigamento no pé, até a pleroma do saco e a pletora do vasilhame, ampola potável a modo como que de bacia ou cesta, concha ou gaveta têmpera, quilate e calibre dum cálice vítreo! Na planta do pé, o pé de planta penetra. Todo fenômeno é legítimo, o que existe tem direito a continuar assim até que a morte o separe da essência que costumamos atribuir-lhe: existiu, valeu! Está aí, aí esteja! Ainda bem que sou da mesma natureza dessas coisas que percebo senão nada seria destas séries suprasitas! Birita, água na cuca, empurrão por detrás, coceira de dentro, espirro de rapé! Já pensou na ausência de meios como o momento mais propício de alcançar todas as coisas? Não? Então, não derrame pitangas que eu torço pelas gabirobas de piracicaba, eu desço até os mínimos detalhes da arena para dizer hinc leones, eu deixo mamãe sozinha para assegurar tua continuidade! DEDIFICATÓRIA. A atitudes mais radicais, os pensamentos mais profundos. Estrago estratégico fazem ira e ironia na higiene dessa tal ideia, ingênua da cabeça. Centesauros mastigóforos, essa fila vai para sofia? O que chegou até aqui, não custa muito avançar outro tanto. Lúgubre! Mórbido! Macabro! Um nimbo envolve a forma do prototroço, onde olhos mortais nunca botaram o tropo de um soslaio: quiabo! A Ideia Mãe, sempre a mesma fuga sem cura: lapa erótica, astro errático, cilindrêncio! Himnoses psitácitas rembram-te, azerbaidjam-se, casaquistam-nos, ostra e margarida entre as mandíbulas de mandróbulo! O dísputa satrapurno toma impulso sob um certo inspéctulo, cf. meus purcos recarsos. Ásia dura de roer! Qual é o charlatão mais em voga atualmente em tuas encruzilhadas de cordilheiras, capitais proparoxítonas, períbulos templários e púlpitos sinagógicos? Atesto e dou martírio: consto de legendas áureas, mesquitas aos milhares ecoam em mosquitos os enxames de meus mil nomes. Falaram em séculos, passe na caixa dos milhões e pólen na bosta dos dias de ataraxia, tédio e malaproprismos! Meio revela o altorelevo, o distinto da qualigrafeira dos belestristes: as batutas patetas da batata do meu meiocórdio! Penduram-se as enxuteiras mas os schultz —

não! Todo meio se baldeia, coisas sem papai nem mamãe. Tem cabide neste babelneário para o cabimento duma fachadariz, entre tijolos e baríjulos? Bufas operam, Occam — bulhufas! Vai de mal em farra a pior na marra, burbulha um murmunimento, balestrando! A mente levando em procissão de triunfo um alto lume — arrasta uma carcaça que francamente por onde passa os abutres atropeçam o nariz a nojo podre! Um personagem da meia cancha do mistério me envia uma carta enigmática; ao ler, um pesadelo vento macarronca das mãos e a atira nas trevas exteriores onde a estas alturas ninguém se arrisca. Pornossinal! O caltivério ensaia famosas aparências. A pua, o jarrete, a ilha cavada à unha: o cadaverfalso acampa no plano, guerra é guerra! Uma carlota crânica munga e resmunga, donda e retonta! Um real de água, uma duas reias de coisas! Incendíbulos aquecem este ponto de ocasião, caldo da pampanela de alcoolista, fábulas sem escopo. Indigisto! Discretamente descrita, não se amarra em qualqueira arrimo e se derrama por cima da porcaria, o absoluto mal passado e acebolado! Vezes tantas me apliquei de amnésia que só não me desmaionese porque o memorando não sai da minha frente e já sai me lembrando: anda, dança e se manda dançando e descançando, o nadarilho, amásia de Sua Eminência, o monstro. Não passa de quincidência, ou passa? Buracolabúrico: esfera de gude grude! Apodreço neste buraco branco — meus gizes, minhas gelosias, getaminas e armênias claras, epítetos do meu centrespírito perífugo, catando pora! Aparecebo um ofúsculo, tropeço num refletictaxe, suspeitam-me de anemia e me arguem de animismos. A Lei do Todopoderoso Pão Partido, a Lenda dos Sete Cachorros Magros. Coisas são palavras que uma bruxa petrificou: Leo o Poldo, senhor da pedra polida, Jerevásio, o da pedra maleducada, Max Hilário, levando produto ventre os benefícios do seu vicevendido fruto, e tantos outros, todos titulares, todos proprietários, tudo a valer. Desraspante, acirraçuceno! Um menino correndo pode significar muita coisa, mercúrio levando a palavra paterna até a destinatária, a fuga dos deveres de casa, a busca do melhor tempo olímpico, uma salutar reação contra os lentos hábitos dos velhos, um menino correndo. O objeto estende a sinédoque duma sombra, arbustos galhardos! Natural que alguns aleijões se produzam no Suigênisis, I, X. Doce de eu, cheio de nove horas me malhatmagando, um risoto nas costas da boca, canja de golinhadalguém! Toa é a lisa, a lesa e a louca e, antes que me aqueça, a progenitora do retrospectivo! Espalhaguete! Vladimirkung! Vertenchalgue! Quatro golpes, galope, titã na porta do galpão de isisabelba! Fuga a tocata de cachola, mascate mascando nhoque, mate de minhoca! Aires Perínios, heurekaraquire-se! Adusumcartessi! Para isso, sou o pedigrilo! Abolilboquetinanasenhora, arrivodevedersi! Em gânglios de arácneos, intervenção súrgica! Química, coisa de cozinha e esbodegários! Não me atrevejo julgular a gengisberila da florisbela! Caguiu? Gilfo, arguz! Pinf! Bistyx! Atentem para a ênfase do papai degas, escanguruto a carcabuzar da fonturna! Lalia, o prototropo, cratério nos solicismos da latrinolatria! Festa de Embalo dos Deuses, escopia! Carece ter peito! Carece cabeça. Carece mão. Caráter carece. Fona a gaita de boca de um sorrisoto no coto da abonecanha, uma inana de inhapa! O sistro lapidar lapidar! O toque da pedra tira a cisma e desloca a cesura uma sesmaria aviante. Totem-me Toth! Sursispense, paparipassu! Estrangula para viver. Ele, quem? Deus? Só em manganos de colette! Abandonai, logo ali nos aguarda! Veneniculo arcelesma vidizinho, planomaquinando para perder um ponto e pôr a dispendiar toda uma campanha! A marca ainda a trazem na cara — duas máscaras, projetraduzindo o sorrisório da trágica nas pegadas dos esgares comédicos. Caciques de siracoisa, já pensaram em deixar de serem a si e passarem a ser apenas um veículo do vosso destino? Solve et coagula, ora et labora et euntes embora! Lhepergusta? Ocurrupacopacopaco! Carrarapago! Povo algum tirou dos sonhos uma grande ciência, nem mesmos esses indus gimnosofistas que parece não terem passado a fazer algo nem al, uns milênios para cá, além de olhar na cara da alma: não se cria no calor, criar é buscar calor. Pulaplural, pulula! Orapuãi: em estado de aqui — o estatelado seilá. Jardim do éter, mato feito a machado, machadadas, na porta — um emblema posto e prestes em prontidão, tenaz a significar: vedado trazer cachorro. Separafuturo presente ficará, cúmplices do simples e simbolizados no complicado da intriga: vamos xavante de mirabolanda, panimancho de barrasanda! Cássia deu, diacassandra! Casas e mesas potâmias, na mesmorância: as manadas das redondezas cresmisçam as touceiras das bergamarmotas. Do efeito para a causa? Voltar? Pelo menos, um mês! Onde aqui significa até Z, lá tem sentido? Somais. Perjo, muiçolengos pertrinchergam, levitatantorentemotos... Extravagabundo carrapaixão, adebinalde, de baldastres! Almôndegas nojuntamente justos: alfândegas, deveredagar, sainhando de finóculo! Qual se! Faz tantos tantofaz, cegasfacas e calendas ferozes: vai chegando o perto do próximo próximoperto, propércimo, perso! Undongocomungo! A

chancelaria aquimênida cambaleia, uma cambalhota empróstata um
tom demótico, exato o de dizer inté longo: Ocidente — o oco
do mundo, onde o óculo corroa um sol. Entretém seus
entrecetantos, sobressalta insquantâneo, gimnosofídios,
econoclastas e cínicos antropógrafos, — à direita — garfanhões!
Traje? Rigor mortis. Degabarivalde remoindo patranhas dantunhes,
cobratransmarmitesistram! Oboé faz ABO: terraoásispedra.
Tartufaruga estralismanga obsoliscobsidiana a ondaliscas
gongranorrégias, quanto? Undanto! Florquandocereja! Outrora fiz
da fauna meu recanto dileto para as fainas de saber: aguça a dor,
afina a pena, requinta o sentir, furipica bitola, tarimba e gabarito.
Contiliquém, camargaleão! Sustentaburro a pão de loló. Ceteja o
que for, alaúnde quer que estiseterreja, ainda nos sítios
arrecomendícios, tranquilos vos sintais e tranquilos vos considerarei:
conhecer-nos-ei. Querem logo saber onde eu moro, onde eu me
movo, onde eu vivo, onde eu me masturbo. Logo eu! Mim, o
motor imóvel, o mestre em continuar vivo através das vicissitudes
mais comprometedoras, o ubíquo, o universátil, o próprio, a mim
carece dar um nome? Vezes e vezes, sem contar os arreveses,
transcende, e — amiunde — é só isso, de aspirar, soprar e ir ao
vento ver se se flutua, como se! Abra, Ão, pai dos Superlativos!
Chapadózio, requanduzem teus traciturnos azarejados! Num gesto
de horoísmo da parte do juízo, olhar dentro da trindade e ver
o truque. Adiante defronte do restante, restos atrás do restaurante.
Ver, identificar, saber — festa onde ziguezagues alistam um ego,
o perto onde o longe se aloja com quem mais se lhe parece. Aqui
perto, o longe cai e se aleija, ficando assim mais ligeiro da banda
da parte do lado concernente e retrospectivo a estas paragens acelera.
Difícil? Olha para cima. Ver como os corpos conseguem ser celestes
sem perder pitada da sua proeminência. Como luz Órion.
Sabe a Vênus, aqui jaz nesta fenda carradas de alhures. Saturno,
então, nem se fala, antes se a perde: não cabe em sic de incontinenti.
Continências, tenente! Mais alto que o comandante quer ouvir!
Valha-me uma função, nunca disse um refrão: enfronhado nesses
lençóis, não vai perder o tema que se requis para convir conosco.
Digo alto, não esses voos de rastos. Faça-o, meu filho, e gênesis
serão seus filhos. Passa a ausência gesticulando. A relação se quita
dos pressupostos que a desgaitam. Prevalunga a perceba, grave tanto
mais quanto seu apalponente lhe amplicou o conto de estar.
Contracasário, conferir com o aspilquenta mais irreconhecível dos
seus arredolores: ainda não estando, sustar a tempo de sansalvar

o dito pelo compenitente será o benedito cujo. Quanto mais me
repalpito, mais me aproxemismo aos limitíteres da minha nulidade,
a substância zerocaindo, tornando mais e sempre necessária a
afirmação de mim, uma vez que minha ausência se absurda através
de uma definição, participo como mero apodíctico, nisso emérito.
Difícil — essa superfície de alisar o impossível: tudo, bem mais
maleável. Que um improprério emprenhanda manhanta empresa
— nenhuma surpresa: que uns e não outros o pernultimem parativos
para fiúzas de igual flamboeja — coisa é que só não pasma
como também assombranceia, fantasma porquê. Os restos
mortíferos e os vestígios vitalícios serão profanados familiarmente
perante o jazigo, entreaberto ao dia e de noite escancarado à visitação
de nossas senhoras mais públicas, com inúmeras passagens mais
dramáticas que as na gramática aramaica. Calquenosca um ponto
cabiscima nome e fim: não digo já. Agora ainda sobreloja uma
zatzitwanandança, castelongo todos os consolendos. Mais que a
um desses deles é dado meu ser, me imoloque que te esmocoiseio.
Descolomuse as costiledonhas, costure o que costumirar. Pire.
Bobe. Roque. Não se possa dizer que não está dando, isso está.
Mas, se dizia às dúzias e redondígios. Muito por menos: se procura
um mortovivo 69 raios me sei que nãos ou nunes vistes: me saio
como saístes, de Saís sabeis por um tris a um traste em riste e
— de tão saturadamente ressabiados — numa Paris de saber serei
pirâmides sansaridânidas. Dá no que constado tem constipado:
tiraram o negativo do meu quiser, a cujo empenho aposto a minha
compostela. Como se diz, dizia ele, e era apenas um: condilaque
suas emulsões. Curto fala a raça boa, e cadamente vindo — vieram.
Ótica vê o defeito: culicatikt! Fácil dizer, fazer — dízel! Amarrota
esse nó, caqui! Quem foi que disse — de hoje não é que de longe
mais quanto melhor enxergo? Quanto de senso ainda temos?
Apenas, mesmo. Quando muito. Não tem de quê, quem houvera
de? Dinossurexit, energia emergindo! Qui cito saltitat, ananda
satisfecit. Explica picas: o que complica pacas é que não esclarecem
porra nenhuma! Perfetabestia! Não me vem com essa — que eu
vou com outra nossa contra! O nome bom das coisas vem de ser
conspurcado por esse marasmo de agouro a sangue, vidros atirando
pedras nos telhados de cardanho, constelação tão andromedária
como o menor lá à la sétima maior e nona disparado. Mister um
tal qual malestar? Traço físico: uma mão não tem. Nome: Maneton.
Apelido: Estrelopiteco. Evento inesquecível: a passagem do pulso
pelo fio da espada. Impressões... Mesmo que quisesse, eu mesmo

não poderia como quem pudesse. Cego houve, o que não ouve
é surdo. O Mistério do Nome derrubou, gotas a gólgotas, o
sobrenome dos píngaros genealógicos da Sequoia das Generalidades.
Desvencilícia vencilha, nada avarentos no vandalismo do alheio!
Ultimando preparateios, melindre miando um que outro meandro,
o espólio realcança a gergometria espúria. Moringa de goborita
pega de jeito: que é o objetíssimo? Manhanta devida desistança.
Pode o que o povo não, o Pudor Público: que a raposa sabe muitos
truques, muitas arlequimanhas, a toupeira — apenas um, por onde
a pegam, porém. Na casa de Desiderius Imaginarius, já caí
deslembrado: a cura através da amenésia, essa extensão pratica
muitas direções, qual, quão, quando? Vem para virar: virá. Vire-se
para cá, porvirará: a ver. Meu. Tem um nome que significa: eu
sou. Isso quer dizer que os Outros não são, não, eram o Não,
erram o Sim, e não serão. Negócio é ser estranho, nem mesmo
Outrem, entre as nações, levar porradas num saco de pancadas,
viver se concentrando em campos outrora magnéticos, procurando
arrancar alguma fagulha das pedras donde tantos tentaram arranjar
uma cabeça de arma. Um pacote de pedras! Estranho... Quem
quereria pedras? Um é seguro, dois já arrisca um infinito. Isso
não deve ser visto dessa maneira. Quando é que já se viu lesma
bater palma quando a geleia em pedra guloseima? O ponto de
aclamação! Catarata no Nilo! Monstro à tona da nata dágua! Só
um cego não me viu, os demais o fizeram: lugar onde todos têm
razão, melhor não ter nenhuma. Pelos binóculos de pinóquio, até
os mais píncaros dos pináculos da paróquia, sempre e mesmo
sempre, a partenopeia guerra pela teia do pelopenúlticimo! Depois
de me ter entregue aos horrores do azar, a palavra mais forte manda
ser a mais fraca das coisas: eu. Se você estiver bem perto de alguém
que foi morto, foi você quem o matou. Que será de tudo? Meditação
guerreiro, vísporas de cambotes! Partem do preço posto de que
tudo é possível: nada acaba acontecendo, o acontecer mal começa.
Sabem que fui eu o primeiro a ter acesso a essas verdades, criado
mudo, crescido surdo, envelhecido derepente como um vinagre
em tonéis de carvalho & cia? Provar que compreende, só traduzindo:
a outra coisa desta aqui. Desgráucias escautiledonhas, em todo o
perímetro do parreirâmetro: o mundo, seu instrumento da cunha
paranhos, antes de fazer de um instrumento albuquerque camargo
— seu mundo de vasconcelos mota. Porpragrande! Nem todo
sofrimento é respeitável, já como dizia aquele velho carrasco
mongol. Para sofrer bem, é preciso, garantia estar à altura das

perguntas que lhe cabem: dói? Não esqueça que estou fazendo
isto para seu bem. Como não pode haver dúvida em minha presença,
sou mongol e como bom tártaro que me considero, acredito que
os mongóis foram chamados pelos Grandes Senhores das Terras
e das Águas a levar aonde o mundo perturbado chega — as bênçãos
da paz mongólica. Uma que outra aldeia incendiada, sim: rebeldes...
Uma que outra donzela estuprada? Concedo. Tudo, porém, porque
heróis há muito afastados da sua base desenvolvem desejos cuja
urgência vaginas destroçadas não deixam margem para dúvidas.
Que importam algumas lágrimas, mesmo que milhares, se gerações
sem cômputo desfrutarão dos invejáveis melhoramentos do domínio
mongólico? Ora, como sabemos, seu papel corria no sentido de
atalhar, ou pelo menos atrabalhar conjuntura tão bentrapilha. Muito
justa, portanto, sua sevícia. Quais, porventura, seriam as
consequências da sua culpa? Outras? Ora, dá cá o escroto, e
deixemo-nos de metafísicas. De persona persica. Lá vem isto, o
próprio, com seus issismos galopantes. Ad personam persecutoriam.
Ah, alguém... A assim ser, antes muito outro estar, gente nada
aqui! Xalom, haraxol! Sem termo de comparação, meu pensador
nomadiza, pendor tendencioso! A mãe da lepra substitui o tenente
da paciência e a água duma sede inútil: quebraram doze das tábuas
da minha lógica, virei mosaico. De discursus Medium Viae. Astros,
pedras, para mim, a mesma coisa, aos astros, para as pedras, eu.
Consistem? O eremesmerista, solispsita e isolarado, se vê cada vez
mais individro, monge é isto, num mundo cadavezmente, ora sim,
senhor, — vejamos e viajaremos. A estes jogos, quem preside?
O de Arrancão, Astrúrias e Navalha! Dura, espaço. Como um
tempo: o tempo se prolonga, espaço feito. Tomanotas: adaptar-se
às condições ditas pelo adverso, polpa sem vontes. Gênio, gênio
puro, burrigênico, purificado a fogo: cristal. Abaixo o mito da
frente, e coluna quinta: futuro, sim. Guerra entre ideias: pela
sucessão, pela legitimidade da bunda assente em árduo trono. Uma
hipótese me afasta de todas as respostas. Um só querer, só um
querendo: talo nosso verredisto requerimento. Creia, sem
perguntar como. Que transmitir que nada depois do maussacroléu
de todo o bando de pombos correios e calombos voejos? Feio
— o tempo. Cúpula, sem abóbada dentro! Perder não sei: todos
os meandros que enodoam górdio não saberiam levar-me além da
capital portátil dos nômades. Macalunho! Dá-lhe, malhai-o,
Massacre, massacrossantificai-o! Tudo, tudo, tudo, tudo, tudo,
tudo, tudo, impossível de reconhecer, inconcebível reconstituir!

Persefa por que não tamanhinha fragrência, de novo, e mais uma
vez, devolco! Isso, já, vai! Tudo, talvez, MATAR, agora, na cabeça!
Tão bom matar esse, um bicho, barato — abolir tanta cabeça!
Dá-lhe pau, porrete: cacete significa caralho aqui por estes magnetes.
Cavalaria, queira quem dissera, tomara quem diria — um por cada
si! Conviria. O falcataclismo de alguns deriva disso que em algumas
línguas, bom passado do futuro o tenha! Pouco a pouco é dizer
coisa com coisa, pena não ter palavra para não ser! Norma de
impérios sempre foi expoliação e assistência: neles, um olho! Lá
está o cadáver: o mais visível dos inviáveis fez misérias e todas
as calamidades no tema mais próximo ao do que improviso. Astro
sito entre a sensação e a percepção, um exame ligeiro, sem exagero,
até que sim: não seja o escriba como o gramático que priva com
todas as palavras, e as tem atrouxemouxe presentes nos léus da
retentiva: esperar que apareçam, estranhem, se magnifestam através
dos nudismos de seus distrâmites próprios, as que ferem aquilo
a que se referiscam! Se bem me ricorcheto, ricardo era seu regrado
recato mais córrego que muito horto, rigoletos e irresolutos! Tanto
cacique por aí querendo cunhar moeda. Em MDCXLVIII, seca
em Itamaracá. MDCXLIX, fome: Maranguape. Inscrição: ora, vê
se pode! 80 dias às voltas com tudo isso, fasmas a casteliçar os
antasmais do sentido, misturas a sacarinagem da groselha com as
safanadezas avalunças. Que digo? Picas. Pacas. A cena faz um aceno
só, um oceano assim, templos nada incolumícolas a um que outro
dos Artychewsky — archotes! Cara de poucos amigos: fala feia,
para nós, pelo menos, é fome. E fome é fogo. E fogo faz assim.
O lince relincha, o guincho emite um belisco! Ralha com tudo,
nem arranha. Arreganha? Uma escala. Sila: Caribdis. Figa. Bondade
sua. Neste meu vaderretrós de todo comércio humano, a despesa
fixa, a renda líquida, a limpeza pública e o defunto fresco, e faça-se,
com tanta encerrimonha! Aqui-delrekka! O barato mor da paróquia,
lugar para todo mundo ficar de pé junto, chinfra mor da diocese!
De patriarca para afilhado. Prestação de contos, hímen da mais
puta das hienas! Range a voz plangente, plange a taquara rachada
pela cárie de um canino. Poneso pelocomesinal, apalpetit! Tomando
a prepúlsio — o imprompto, ora — vão amérdica! Na bunada
não vai dinha? Correndo todo o estádio do espaço, uma grandeza
espalhafato. O grande Outrora, como se comporta? Eu dizendo,
eu não fazendo. Todas as perfeições a este pedaço! Responde
fazendo. Não levanta uma palavra, mas quando descança o faz
carregando pedras? Uchi vira, coxa mata! Relógio algum funciona

tão bem quanto um relógio antigo, tão bem sabe ele a quantas
anda ser exato. Que diria llírio o Procelário numa das cartas que
com ele desapareceram? Aquele naufrágio encheu o reino de
constipação e pôs pelo país uma gana lascada de sofrer. Agora
que a noite das cobras caiu sobre as águas, podemos, andando
nas pontas dos pés sobre ovos, falar sobre fantasmas. Pegando
a dianteira direita, a quem é errado dar? Aqui é dado errar. Se
idôneo, cabe a mim ser a firma reconhecida? Dar as más novas
e as boas vindas a personas non gratas? Provar? Afinal, que é que
está me acontecendo em tudo aquilo que estão pensando? Exemplo?
Martírio? Veneno? Verdade? Então, tudo não passava de um truque,
vulgar como um passe malabar? Mas, como? A latitude não era
para ser o relato, ou fazer-lhe suas vezes? A história da múmia
de um ser sempre pensante, enfaixada com serpentes? No tratamento
de coordesianas, quantos nós? De largo, quinze, para cima, nada?
E sobre a arte da guerra, nada? Caminha como se não maquinasse,
como se a necessidade universal o dirigisse, como se a lógica das
coisas o exigisse, como se a dança não passasse de algo que se
sucedesse, como seus pés não o acompanhando, como se o espaço,
como direi? E instantreinstant! Mais forte, mais, quais suas
impressões de tamanha fortaleza? Porracazzo, já viram esbórnia
tão erzegovina? Ainda que mal padeça, que pode ser feito por
vossassessoria? Não é a altitude mais filosófica? Quem aplaude
num piscar de olhos? Monsenhor auribundo, qual das duas mãos
menos obedece ao chamado imperativo do sentido categórico?
Quem é o culpado de existir eu? Meu pensamento? Alguma coisa
que eu comi ontem à noite? Quem sabe? Poder saber — um dia?
Sem fazer? Por que é que ficam repetindo, faça, boas prolfaças,
se tudo está já feito e restam saberes? Que tal não? Ai. O que?
Não, nada. Abstrata-se apenas de uma voz do calão local, destinada
a expressar: tire o pé de cima do meu. Pensamento deixou sombras
no plano da matéria, palavras: mossas. Síndrome clássica: informe
de descomprimentos. Não sou a persona certa, certeza não me
concerne: menstro Occam me ratatatazana! Com o mais pungido
vigor da presença da eternidade nessa nulidade — que é o momento
presente, lágrimas no lenço e mãos nos olhos, compareço: perdizes
carregam no pescoço a medalha do patrono dos perdigueiros, antigo
cão, agora santo, distribuindo fartura de bênçãos e dentadas! Cobras
de sangue frio carregam o calor no veneno. Pessimistas, perante
o problema, olham para baixo. Realistas olham para o problema.
Místicos, para o alto. Logo eu! Por que não restou nenhum relato

persa sobre as guerras médicas? Explica-se? À luz da lógica?
Tentemos? Como é que um povo, avarento de seus avós e coruja
do seu futuro, iria admitir assimassim a derrota do melhor dos
seus esforços perante um bando de pés-rapados, uma pena atrás
da orelha e ferido o joelho esquerdo? Qual a vantagem de quem
conta? Quem conta ganha? Conta, porque ganhou? Ou ganha,
porque contou? O que quer dizer essa parede? Onde está meu
turgimão? Onde se meteu aquele maldito, comprido e malacabado
criptanalista? Quem vem lá brilhando um cristal? Como se chamava
a criatura daquela cristaleira? Vigilabilis? Automaticon? Exegesis?
Quiçá? Tussà? Para onde foram todos os que me circundavam?
Ilha, isso? Desde quando um rei não tem onde depor a múmia?
Quem sou eu? Qual pergunta corresponde à resposta disso? Não
disse, monstro das profundezas da incomprensibilidade? Tivesses
ouvido os acordes dos clarins da fama de que eu teria sido capaz,
outro seria aquele artyxewsky-pechisbeque, que não um cartésio
qualquério! Persa? Nenhum? Exéquias? Pirotécnicas? Tem que ter
dois lados? Pobre sólido! Bifronte suponhamo-la, o reverso,
Senhores? Quem venceu, louvado sendo Deus? Não vos mandei
combater os elementos? Sois o que sobrou de uma vitória nenhuma?
Aqui estando, em outro lugar — ficar pudera! Até quando vai
durar o eco desse golpe? Esse aparelho o mede? Como puderam
viver sem isso — tantos ancestrais? E que faz aí esse cara com
a aumentada quinta? Desse desempenho, que me dizem os
cortesãos? Já mudaram de corte? Ainda não? Achas ótimo conselho,
ó viveiro de conselheiros? Ecoo contigo e te rimo, como sempre,
ou desta vez, valho? Que há de mais num relato persa reportando
doloroso lado nosso das guerras médicas? A gente vai puxando
tapete até as visitas estarem bem acomodadas. Vão medir minha
dor pelo meu grito? Outro metro. Se bem me lembro, muitos
outros eram nossos respeitos. Colheres, garfos e facas, a eles!
Momento satura, abundando esse corpo: para um levante, nenhum
fermento como veneno de cobra. Antonifica cada guimarrão em
sales de amargalhães! O meio justifica os lins, tudo pó dos mesmos
barros! Se latitudes e longitudes tivessem existência, como no mapa,
impossível caminhar. O leiro racha desbuceteando uma ilustre
catarata, a pedra ribomba o eco virando catacumba — menos um
rio que um mar, e Mar Um o nome que lhe davam — fenômenos
naturais infestados de seres fantásticos que ali depositou a
iconoclástica cabeça dos homens, ilhas encantadas que evaporam
em bruma ao primeiro passo da luneta. A Fonte dos Males.

Resumindo a impressão que me causou, mil palavras.
Absolutamente iguais, dita uma, todas ditas, a uma. Sabias? Saibas.
Onde ler sobre mim senão dentro? Afastamento acirra
animosidades. Quer ver se alguém se livra da meteorologia? Estar
além do raio de agência das doenças infantis transmissas por insetos
domésticos? Relaxar os limites da vida? Deslisar incólume pela
fachada dos espelhos, descarada? Isso é vida? Meu pai vivo ainda,
eu já dizia: meu pai dizia. Estar, prévio ao fazer. Sou o antes,
o Antunes. Uma das especialidades da nossa cozinha local é a mais
deslavada ausência de tempero: pau, e pau lhe damos, quebrou,
pagou! Vivemos procurando soluções apocalípticas para questões
da alçada do bom senso. Frondosas as fronteiras entre gouveias
e mendonças! Tentação. Erro. Corrigenda. Tento. A casa três
estrelas vende tudo por menos, menos estrelas. Teu corpo — terreno
fértil, acorda com uma promissora lâmina na barriga. Ou está
pensando que essa mão toda de obra serviria apenas para locupletar
os desvãos do nosso nihilismo? Se mixou? Não sabe pancrácio,
Meireles? Ai de quem conta com o passar do tempo. Fica dizendo
que é uma coisa louca para dizer que enlouquece. Em virtude de
vir por intermédio de narinas adrede perfumadas, fragra.
Informaceuta, o perfume de veneno de cobra! Renaisanscessant!
Vendo cores, não me tratem com pedras químicas sentindo muito
a dor do lado esquerdo, não me sarem a hérnia a coices de erva:
eis o meu estado maior. Se pensa isso que faz e lhe faz tão feliz,
é morar, precisa ver as casas que Deus tem, se amsterdam, se
rembrandtam, se tecnotitlan, a cidade como dependência de uma
pirâmide, cemitério de um só. Avante o dinamarcosauro, menos
um outro, que o mesmo diferente! Discorrecorre num cobrecofre,
veneno de cobra circula pelos caules das canas de baixo
para cima, de lado a lado, um vento de tempestade. Palavras
desnecessárias não são verdadeiras, não me ocorre realmente como
a sensatez pode medrar em meio. Por outro lado, os tempos
primitivos, os espaços críticos, prosseguem acometidos por todos
os ingredientes de uma variável, encalacrada em estacionamentos
indevidos. Dias passam, nada acontece: a história não é palpável,
se move por meio de máquinas. O farofôlego crepinta o
bomsombomsom: tupequeninihil! Dindobrandindo, o inaninhado
inimigoin: centauro alazão estupra a ninfa, pânicobuceta &
sangueprofusão. Dobre. Pancobre. Tachimachikashimashii!
Extultícios bradando agora haveriam de convir como já lavrava
o Pai da história, vieram da Lícia, através da alta Galícia, todos

são lícitos, sendo incrível que mentissem todos esses testemunhos, sendo tantos. Quando se escreve uma carta, sabe-se exatamente o que dizer: a ilusão de que se dirige a um público universal é a essência das letras, e abstrata é essa essência. Paustriaembora, palaciovilhão nunca deixa de estar em farraguardanapos. Mais o ourivivinho no ocaboca — a sombratromba: asperfeisona terranascida costuruma resistorce no regengiscantro. Gistroregislo conseculenta confenorme, arcoisarcarca construitormes, semeprexemplo: Pérsiagunta almapriasma, xocalhofídio estertorta escolápilis. Aquantapérsiagoente! Porroporá flechanárvorenervo! Dimprevesúvio! Nervarvorew! Trato malagasto, com velhasques não quero trastes! Passarinhos fazem hálito no frio, asacompasso: para não se perder círculos traços. Peço aos que disponham de prática dessas coisas apertarem o cerco — e bom parto para suas mães em prol de quando os parirem! Isto é um tubo digestivo: comporta o vinho feito de carne, o pão de pedra, a vida e a morte. A existência e o sucesso da medicina depende de que sejamos máquinas: prova-o. Não quer dizer que exista. Aposto almas em. Posso ouvir seus agudos, encharcando minhas fibras: fios de cobras. Minha dor bemol, ai, se susteniza! Tak! Mal acaba de picar a coral, piscadolhos de takpascunhedobre! Onde andará esse tique para não dar contucto? Sei quantos se espantalham de me ver em anos entrado tantos, olho camonizando! Melhore esta série. Pronto? Então, entenda isto: nada me importa mais a não ser senão minha carre. Ou por que acha que estou envergando ferraduras novas? Tudo, tudo, nos seus lugares devidos e tempos quites. Mas onde pôr tudo? Profundeza ou profundidade, quem mais fundo? Pior não serão melhoras? Me perder por uma palavra? Uma lasca de ideia? Uma salafra? A memória não será megera. Envergar óculos de vislumbrar coisa & gente, longe & junto, já é parte de um de lírio: de repente, um vapor respira, pode quebrar, e um pano de linho clareia tudo que ah, ah, há! Pensar certo: problema de grafia. Já frequentou saltos antes? Não? Então, suba! Ou como é que pensa que cheguei aonde estou hoje? Só continuar não basta: outros verbos mais capazes, conspirar, infiltrar-se! Como vê, estou lhe questionando só por que me olha tanto. Como um daqueles que viram o rosto e tiram os olhos das cenas menos edificantes: se alguém lhe der um tapa no olho direito, aproveite o esquerdo para o fulminar com a catadura de um raio. Sabe com quantos paus fiz esta canoa? Com a caravela do meu pai, que eu desmontei. À caravela, não ao pai. O resto? Está tudo aqui. Doutor, se sois

sutil deveras, espelhite tem cura, quando aguda? Estou nas últimas,
joelho em brasa implorando assistência técnica na rocha viva, me
chegam espelhos rodando, como nuvens, se bem comparo, com
as quais me identifico — coisas de vidro, VIDRO, imaginem, esse
truque fenício: como lentes, angustimensam os seres, quando
espelhos, reflito — visto com vidro não se pode realizar. Sentido,
ordinário, marque! Vê este nó, prestes? Uma mãe minha o trouxe
de Górdio, quando, através de um véu duro de ver, voltava da
lua de mel. A ventania que faz lá fora está balançando muito o
madeirame da galeria: em Babilônia, os jardineiros estão suspensos.
O vozerio periga ir dar em oitivas loquazes. Escuta a ponto de
ouvir qualquer suspeita de murmúrio nas moitas circunvizinhas?
Qualquer momento vai acabar com a luz. Talvez a exatidão seja
um valor contestável, até chegar à conclusão que só dentro de um
texto existe felicidade: penso muita coisa junto, penso tudo de uma
vez, se não tomar medidas. Enquanto sai de si, caio em mim,
me achando ileso de tão raso. Ponho essa ideia firmemente
na cabeça, até afundar no chão, — carramanchar-se-ão! O indolente
sofre as 7 provas do parto de um frenesismo, uma das coisas mais
engraçadas desque inventaram as cócegas, essas delícias próprias
de quem avança de joelhos e recua de cócoras. Por que não começar
cada, com nada mais? Seria capaz de se passarem séculos antes
de um poder parar de escutar todo esse chover de nosso senhor:
quanto mais nos dividimos em grupos, no afã infrutífero de forçar
o adversário a um jogo disperso, mais perto estamos de ficar
sozinhos, lutando por nós mesmos, isolados da estratégia geral
da estrutura universal, guerreando por uma única causa, isto. A
luz... Lembrei de um cheiro, qual o gênio? Gnomos, elfos e
guibelinos: garfos, colheres e facas. Relevem esses fulgores, garatujas
de lume, assentes a título de marcos miliários, entre as cruzes que
abrem à guisa das vezes de exegese. Era um povo tão preguiçoso
que só falava palavras oxítonas e deixava para parábolas o que podia
ter sido profecia: a mesma fila nunca passa duas ocasiões na mesma
fita, precursora portanto da pirâmide precoce erecta pelo faraó
Apriori, circunciso por déspotas esclarecidos. Não só diante, mas
durante. Antevinhei a possibilidade. Faltou-me sensibilidade para.
O futuro vem de fora. Dentro, está que é uma atualidade só.
Receia molhar suas artísticas tranças nestas águas de betume,
boneca? Geleia não aguenta o retrojão. Sete anos olhando uma
parede branca: à procura de um ponto preto? Brinca com palavras
como se as coitadas fossem só suas, não esquecendo o fundamental?

Muito mais lugares onde esconder as coisas que coisas para esconder.
Vivos vivem de elogios, festas e vivas, assim como os mortos se
mantêm às custas de velas, flores e pêsames. Tenazes, alicates,
torquesas e outros apetrechos mecânicos, calham como luva para
arrancar a verdade da alma através da dor do corpo, a prisão do
ventre, o aperto de mão, a chave de braço, o estrangulamento.
Causar espécie não faz meu gênero. Gostoso — agulha no nó deste
nervo exposto. Se exagero, corrijam-me os corretores e serei tão
justo quanto o corte dos seus coletes. Um precipício virá para
nos salvar. Eu sei. Aqui dentro. Ali fora, ele sabe. Durando, quanto?
Durango quid? Assemelha-se apenas ao meu achar que parece.
Como proibir todo preciosismo, a mim, ourives de águas e pedras
abaixo, tímido aponto de classificar o próprio evento de fazer
presença nas tabelas de percepção de outrem — como Teatro de
Exibicionismos Impertinentes? Livre enfim das categorias de
Aristóteles, por cima de cujo cadáver urge passar, o que não obsta,
já que o Filósofo está morto há muitas frases afinal atrás, e só
a liturgia que se pratica em volta de uma múmia ainda mantém
no Egito as aparências piramidais. Confortássimos artritributos
galestres, os considerandos de berbrezerragens, julgar eternas as
essências e fundamentais as relações efêmeras entre entidades tão
expostas a toda sorte de assédio crítico. Estar caindo de sono e
cair na primeira linha, não é dos menores méritos desses flecheiros.
Um plumitivo provisório trina essa regência efetiva, triando-a em
una e prima. Era um só, e se faz muitos, por via e virtude das
linguagens que pratictacta. Esse resbalão de desvarios, como ciência
de tal desvão de desvios? Cai fora, Pai dos Burros, há carnaval
por aí que não previste nem preveniste! Quando o tesouro estiver
vazio, transforme essa arca em sacrário. A caixa já está conformada
com as homenagens que lhe prestam: só não sentem em cima que
correm o perigo de dar com a bunda ao chão. Em Marcangalha,
fomos derrotados pelos elementos: elementar, caro Maurício! Em
Itabira, pelos azares das intempéries. Em Uapés, pela própria
paisagem, tão eivada de acidentes que um bicho geográfico acabou
com nossa história. Ah, nos fosse dado pôr-lhes as mãos para
investi-las da dignidade de Finados, esses Fidalgos entre os
Inexistentes! Fazer-se Redento do Senso — uma das prerrogativas
da Extensão. Um mar de ideias me separa de mim e da minha
vida. O ideal leva uma pancada, o império dos fatos leva uma
pensada: essas flores cometem o desplante de voltar brotando no
Dogma. Ao trambolho, não tem cangalha que sirvatandava! Mando,

remando, tresmendo, cf. o Edito de Itamaracá, o sistro de pedra,
o sinistro de interpretar. E lá vai, e lá vai, e lá vai, e lá vai, e
vai lá — isso sai por si só. Isso é tudo — apararências são da
lacançada da percepção, maneirismo cólume a toda casta de erros,
o vazio, o mundo, o eu — e os outros. Depois do alçacincinato
de Embernebaldo, paxá da ralé e intendente de todos nós, herméticas
estiveram as coisas entre a Podólia e a Volínia: ninguém sabia o
que dizer perante tão patente imcompetência em sobreviver. Havia
um escriba persa disposto a registrar as efemérides das guerras
médicas mas os poderes o pressionaram no sentido de se dedicar
ao truque indiano da corda, donde extrai até hoje sua merenda.
Pedaços do pélago atapeçam palhoças, em volta — paliçadas. Meus
bloqueios são poderosos, muralhas de madeira, muro manchado
de lamentações não sobrará pedra para abater a serpente persa.
Cultivo uma arte que começa por mim, uma parte da peça passa
uivando, outra. Como nada acontece, disso dizendo, prossigo
perseguindo. Enfim, o mundo interior de cada um é apenas idêntico
a si, e portanto incapaz de fenômeno. O que lemos daqui — uma
inscrição sabida de cor. Nossa é essa! Recuso prover alívio a chagas
tão justas, a feridas tão fundas que — nelas — se perde toda a
culpa — perante a dor tão forte de uma falta feita, feito um passo
em falso. Ignorância? Isso é crime? Absolvo. Tomada da posição
pelos homens do monstro, o 2º da Cavalaria Desmontada. Gistro
o mexistofalante e regislo o ventoinvelho, arcoisercarca espadaptada.
Conseculência confenorme. Constróiturma, semprexemplo.
Interravales inteligentalha desvendez. Pérsiagunta almapriasma,
farofídio estertora escolalápis. Baptistmos exurbebrutamontontes
escalacalipse quasarmazém. Álcoolalá, nerververvos. Quaso é a
cegoseguinte acontececoronha. Mon. Homemom. Monge,
tostemonja. O espinhoritmo da manchamusa, corvorpo gorpso
bolachasanguedemula, sapatapasso de tábularolha. O catapulcancro
trancabronca as cobracabroezas: trocatroia por uma bombaocada
para cadaunze. Aquilatacálculo. Olhego para ulmimbrividigo,
quevedevo vendavândalo quebreca a obradobra, cobrabobásbaro.
Nerververvorosa, gotagotamorre. A togomorre baboborel.
Tantalicodecomida trabalhanse? Egoipsogo arcarrâncaras no
espedrelho. Calvalálcool, caracaracteco. Escredeverde esbortugago,
áleacabala, áreárea. O homorganisbo semprestecem marimaia,
arquiteto de um pintateuto, atatitudeth nevenihilin. Calmachute,
moringapavão, portatento. Signalmalazar, colobórvulo limiália
insupersurpresa. Pulolugar, cortopolegar. Pãopele. Searapente, de

serraponte. Cutucacanga, cantocutuca. Prantopião, — opeixeráfis!
Unidoninho, um brecobraque brecabrocha, um cobragulho,
galgorango. Quaseponto, a pedrastantas, globolugarismo.
Balangandanço, balinguandagem. Esjaponjapão, coroacrônica, em
craniosso. Exercer é azar, vidrovir. Topaposalpo, totaltotalpa.
Quanto mais se sabe, mais medo se tem: porisso, os mestres não
lutam. Sprecispício desdobrez numúlclero? Dedelinda, deliranda
delirenda. Abacatomatoxi. Passopassáparo, alegraveloz
ouroferonte. Descascasapo paredepressa. Murchomúrio,
menínivelhotentote! Campocão, erigordorem! Ovoboca. O
minervosotauro negrociente jejurava em garrafa,
madeiramadrugadeira. Pântanotapavoz — pregoculp! Ambívoro,
amplívolo, o riscopisco — principrócio de caveleoparque. Teoantro
— petropranto. Asperoximou-se de regalápagos, argamassaranhã.
O serpapílio restoespondeu a passarissas da farrarrainha —
camamoinho aboacabado. Sindúlias, pandúlias! Consumbro,
Krakatóvia! Emborrão, colotorvelíneo canceranta.
Colombocatacumpra-se essa fantasmagônia! Cadapeça do
caboclabeça é quatropromessa, demetemônios, chaminarete.
Viverdecobrácoras, Memnêmis, Telamondo Expanso! Pânico —
acélgama das almas escoltas da águam assa. Terrátreo, impolvid!
Ajejoelhum, escortiçalátego. Devagaparece. Menhumenenhundo —
acasúlcar, acabaminhotauro. Prontopressa: atlastaruga
bom bocacho. Penetraprestes feitojunto esculhangongras
espelhadândulo. Subismos sucumbimos, sururucarimbos:
panteraprima vulneravulna. Persafume, esculapitão em
gulardanápolis — engenhomenhuma, oganhonenhum.
Extrapalustre: pacaparece, acoicócegas. Lendabrança,
brincanotredamos. Mongolotombo brigadedolhos, anticacidanta.
Cólchegas, assimpléssimas. Tapapétala palistradapensa.
Gregrografria, alegrogue. Acontecetestreluz. Hipocampodje-se,
sandarábolas são nossas! Resfolegarto mascacobra, descubracontra.
Quanto costumecobras, qualto compracomigo. O trabalhuco
instraguará nabucolucro. Conversas, comparsas, compadres persas,
a brincacesa! Invenenervo, oceoinopompa. Omeletemor combater
Artífice passarandália. Gigonteante, simultimidão. Tersempre o
mesmomestre, muito ruinho, nãobom, nombão. Mestres morrem,
arte peraltesmanhece e gera monstrosmestres. Salgalixívia espantojo,
pondotudo! Marromã ecavacua, descalçadacável. Singrasimula,
grasnasalomão. Setentestrelo — equipélago. Quisco? Prisco.
Sossilgasilingem. Dobreganhe. Rasgunhesemprente. Onholhonhe!

Sacaravana, transportolim. Rosáriorodício, relógioresíduo,
redúzias. Questão cristal: perseguiça lembradeslumbra.
Perspicapaz, carganjo loquaresmáticos, parrasáfara perolímpedras,
acoxalá. Assazassim, de própriopósito. Comundengo, qual
alqueirequirera? Lambdômen cavocabarrufo, não se come
peixeseixo, não se contaponto, não se compramexa em
mascaculinórios. Istrombentas! Barragriga, razcapassatrás.
O mongolonde permanauta. Tetérrimateteia rouxorinol, intro
auroferte: abite. Abem que te avisei, bemqueteviavistei. O
madraganão segerbergem, jornadagorda, luagaia axistrono.
Amansalandorová. Alicárceres não morrerrámorram.
Bocabilboquê, garanhamão o pentecostume! Venerandavaranda,
cifreChipre. Buracoboca zonacoral, pedralaço britapedra.
Vidanegócio sem graça para quemquervai. Vampirilâmpagos — o
própriopapa. Círculoguarda joianinguém, itchibun! Ladatainha,
tinhavicunha porque tinhateve! Lagosta largabosta, venenâncio
deseslastra sangueganso. Comprapalha, marrabança. Lagoaleoa
cachorroeira, beleza lesa beleza. Lábiolesbo, labirimeminin.
Incensoaceso ananarinaz, chapéu chamanariz, chinfraxis.
Mongoluscofuga contracanto contratacampo, portada quasepartida,
condorcarimbo — taraíratomba! Terminaganha lequemate,
mesaporta, casaquadrada, balalau! Merendamerda,
invenividivencível! Barbagroselha desempenhadespenhadeiro,
casulocoliseu no signocinco ostentatintas, oitentavezestrinta!
Pertencetempos, tomarapura perdurapedra pudera
meridianomediante. Altoalô, ortalistas! Emboarabeba, castigaturba!
: quid stas, lapis? Verdadearromba, de officiis ofidiorum:
encabússola empapuia tapuça moripuxava! Pororocha, parçagrasna
pescoçoderdoso. Tudoquanto tiver havido não haverá
mistersentidomistério. Tempoáguas narcarronaram
borramanchões, este muro chora, rebenta, muro, acerca e aforça
de lamentar! Transvisoformar dragulões: atrapalhaçagens a
mesmafossa turnamescla as insuicinuou as despalpicte granaus de
conelhários, afoites a outrantos e contraltos afeitiços a estrépitos
alpistres, lapidibus pugnaturos! Passapelomenos, pelo meio,
chegamais? A vessodevezes, quatro honras de bruço da tarde,
trampomalho. Ver é desdecomo, desvendurar assimbom! Deixar
— tendem de ser, pressaprisa não morrerão — estes atritos.
Morrenão. Rigorditordo, de resesguardo, caboconta do
mioriscárdio: raspfigurem, despaldeiros! Todacidade nem se pode
fundar, condibilis urbs, inexprimibilis sermo! Gritoquanto

gabaritotanto — meiaculacha estrebolacha a lógica, clamor
rationalis? Pantanismos, outras animalias do perpétrio solo,
álibicerces casafornecem, gentezelante, só porque nela se abrigalhão,
geladodentro. Borboleta flutuaboca no ar, os in aere papilians, uma
cabana chupa meu caralho e minha buceta: meu grito por uma
gruta! Transeontens, pedalestres e perdelastros, milesmas vos
emolocossigem entre os cromeleques, kluntch! Sei, dirão: só? Junto,
eu cerno: às cordenudas, corneteiras! Prosquepõem joias nas
roseiras: tatakarichardr! Obeliscos esparsos por aí, aparentemente
sem escopo, quasi insignificantes — retumbantes. Avatar! Daí a
tropeçar em mim é um passo. Lido, leso e louco, o fretígio. Fumar
pelo nefasto prazer de ficar defumado. Grãgraúdo, conheceu
graalpalpudo? Né que ele não anda? Decifre-me recife, nos remances
dos rotimanços! Ninguém, tá? Pois é, isso sim és que eis! Ó:
vai-não-vem, ziringue a zarangue que mais deuses lhe pague,
dezástrástreves, buscapé, estopim! Retrocíproco, o triclociclot.
Analgébrico — a + b = não dói! Cheiro de mato vagabundo, fiquei
cheio deste momento em diante, vagabundeando lume: uma quinta
aumentada — a gota que mancava para entornar a garota, in medio
ejaculationis! Entrezentristece querer chegar ao embaralhafundo da
mirantônia, gong! Fechamento de gargomiláceas, língua
ossotogária! Complexos cartesianos. Cartilagens monocotiledôneas.
Mostrar o que é. Pelo contrário. Facilidadade a criança tem de
ver um abismo numa dobra de lençol. Para a minoria: as usum
desphinorum. Na cara da verdade. O relógio. Uma coisa para dizer.
Considerando. Miserere como quiserdes. Como Hermes. Como
Maria de Lurdes. Como calhorda. Anquio sonoplasta. Fora menos
alto, quantos davis engolias! In praesentiam tuam — ambulavero,
in conspectu tuo — sedebo, impossibilis ero — omnia tua si
negligentiavero: este monstrengo fala por si e por cícero. Ao norte
— choveu flechas a noite inteira, ao sul atrás, — aquilo que convém
a saber: trinta córregos dessas dúzias não davam um rio, a pompa
dum nome como das antas, das tantas, não sei das quantas, feito
este que nos aparta das soledades andinas da cordilheira, aruandas
dos quiçá de adundas. Nem bem quis nem bem fiz, estavam aquites
todos os alicates: já fala por mim, mém fala por falar, só fala por
si. Cruzes: patos batem palmas, gatos catam calmas, alibimentos
crus. Nozesmoscardadas, deusesnoscujando! A terra
descomprometida. Subzuiderzeedios: zero, à míngua de brígida
dealbar! Sangue novo na inflamação: fechabodega,
abandonalquimia. Gritar vivalma, vivaviva alguma aguenta:

iniciativa ao longo da gritaria, quem não gretagarba, bem que EU
gostaria! Hieroschismas! Fazendavista, homem ao mar, barco ao
léu, à salvaguarda da valsadágua, em salsa à moura parta! De que
se trastevéstrix? Cá se fala jônio, por óleo que olha lá lhe untem:
aqui fala jonas, terror das joaninhas entrecoxas. Bene vixit qui bene
latuit: BENE VIXIT QUI BENE LATUIT. Me amajornesceu!
Papagaio... Isso é cascata. Um grito de dor levando passa a pior,
a piar. Pratotípico. Eu o dia que Artyxewsky tivermos filho, occam
chamado. Urge Budapeste: bruta béstia, comendo a buiabesse, limpa
os beiços com os guararapes. Gohanrango, rongorongo!
Classipantas! Nada faz Deus para acabar com os ratos dessa sacristia!
Papo por um fio: palpo de aranha. Furado. O ladrão tirando quase
tudo, e deixando tudo no lugar. Alhures parece nome de falcão,
alcunha de cão de caça. Compara pompeia contra uma pinoia. Para
a penúltima núpcia, falta a noiva de tudo e troia. Tudo só uma
coisa sói. Títulos a esmo. Quem me acertou? Quem me desconcerta?
Muito grandes e estão em dois. Do riscado, entende? Tête-a-7!
Diferença é distância, medida no espírito. Unciona como x — o
F. Lei? Quanto mais lacúnica, mais draconiana. Lei só para dragão,
dose para camaleoa. Bem no meio, dentro do possível. Viu minha
dor por aí? Por desenvoltura? Não sou eu que sinto. Sofre uma
dor por mim. De dor, quem vive? Murro troncodevelhocarvalho.
Na nuca. Ver a deus sem óculos. Perco ocasião de ficar anquises.
Mal de pasmar. E mal posto num ângulo do arco. Do caso. Para
as traças. Susceptível a flechas. Cartésio: Nosso homem em Brasília.
Dizer que fui quase cartuxo, o fantoche. Filosofia barata, apenas
uma vítima do perigo: bafo maroto de arroto batavo num prato
de pó de arroz movido a feijão mascavo. Arquipélagos de marcos,
lucas e setas. Mete na cabeça que só pode ser assim: batata: não
é bem assim. Resta saber. Ainda não. Assim mesmo. Muito que
bem. Já, mas não ainda. Comecy lalguma lacunha? Lá vem para
me pôr a par, o de que se trata. O com quem se fala. O que
é. O que foi? O não foi nada. Pasmo deixe para profissionais:
atinja o atleta o estrelismo da minha apatia. Ondediacho vai achar
outro noves fora mim? Françantártica, primeiro produtor mundial
de inutilidades. Avarias no casco do crânio, crônicas familiares,
fraturas aguçadas, dores se generalizando! Tempestade em água
de coco. Sistro, sinistro. Itamaracá, paupedra, cuia palpável, seixos
de Pável. Uma valsa de palmas para a salva dos mapas: 21 tirocínios,
polvarinho a tiracolo de polichinelos em polvorosa. Plumas.
Caveiras de cavalos e cavaleiros. Alta a sombra das bandeiras sobre

as covas rasas. Rolando, rolando, orlando levando de rondilhas
e roldões arnaldos e arlindos. A olhos brônquios, guelras
esbugalham orelhas. Lógica perfeita, lágrimas portáteis. Há divinha?
Ih, magina! Afio a lente às pressas, deixo Praga às avestruzes, indo
fazer misérias com as mil maravilhas desta papirossa. Confiro as
horas. Meiodia sai mal tratante de um arcabúzio, mancando vinte
cinco minutos para as seis. Formigas. Lente. FORMIGAS.
Tamanha família, TAMANHO FAMÍLIA. Reinício, raciocínio.
Me numismata de desgostoso. Preparusky! O touro glodita a
transgladiar o gluglugrudista. São pelo bumbo. Salvo pelo gongo.
Chicote, couro de asno do alembratejo. Lombo, homoplita da nação
cassange. Preso por ter fugido. Preciso por ter ficado. Quantos
cais este oceano permite? Excesso de bagagem? Omnia mecum
porto. Flechas embandeirilham carroções em círculo: penas novas
de cacatua. Quem não há de estar numa de cultivar essas criaturas
de outros climas? Ninguém pensaria eu em buscar aqui. Em guarda.
Em seguida. Em surdina. Em plumas de peleja. Paresse. Me
desencontro aqui. A aberração se salienta entre os assaltitantes :
Acromagnoleão. Batiza rios, riachos, bichos, diachos. Sabe lá com
quantos adjetivos formei meu primeiro substantivo? Nenhum! Do
verbo se faz o sobrenome que hamurabihitita entre nossas casas
subliminares. Um sujeito muito pronunciado. Sou folgado. É só
dar folga, estou folgando e me afogando em volta: minha
recompensa, uma expectativa frustrada. Um mero objeto de prazer.
Sujeito. Verbo. Objeto. Um esquema e tanto. Estou que é ver
Brasília: matracas batráquias, troncos áureos, falópios amarrando
as trompas, prestaportô. Brasíliocartésiomaquias! Concordo a
lombardo: adalborto aberto! Cismas na bruma, a proa urina.
Aquarela do Japão. Juncos singram Singapura. A planta do incenso
pinga uma lógica novinha em cada folha, insania pingens. Ilha,
onde este arquipélago se resume. Ilha, virando golfo. Ilha. Ilhas.
Nenhuma ilha. Amanhã cedo, todos nós, amanhecendo, nos
conheceremos. Venuto a volo, velospístices! Breves! Cada momento
de despedida — eternidade roubada à viagem. Leve meu bom dia
como grito de guerra aos corsários noturnos. Uma penúciapelínsula
dentre algum lilás, e um anzol: narciso se resfria, de tanto se fitar
me contemporiza. É um oposicionista, mijo na cara, mujo na casca.
Exagiro. Esta terra tem dado e vendido palmeiras batendo palmas
ao passar paradas, pintadas e bordoadas: grossas cócegas. Onde
o amor entre coisas e palavras? Um meio estranho e meio para
chegar à vida inteira. Pela frente, águas desaba Escandinávia. Ao

lado, terras, etc, etc. Ao alto, um madrecéu de nicarágua pendura
pílulas. Que fazer com uma mera possibilidade? É de comer esse
vazio? Se non é bono, é pelo meno belo, vero? Dei de colecionar
fracassos. Persa em Salamina: pepino breve. Apostei em Troia.
Em Aquiles. Ganhou a tartaruga. Chega. A doença da nossa época
se chama progéria. Esta é uma rotundifólia rangirrostra, não muitas
como ela neste hemisfério. Alfanfarrábios, descondolembrs!
Konywaty a-pulsá! Lâmpada de lado a lado, de assim, de aladim
assado: pode dar aos pobres, essa palavra quase não tem o que
significar. Em Toledo nascem turmas cujos atropelos são movidos
a dedo. O prato é cisne, bombom anefertite! A tartaruga, zebra,
truta. Cãogato. Gatocão. Gato. Cão. Gato. Gato. Gato. Iguauaual!
Guai a te, malodevoruto! Rasgo voraz. Chegou mais rápido que
uma coincidência. Mais rápido que um giro mesmo em torno de
si, pé num tema e uma pista falsa na lama: tão zápido quando
olhei paralítico já tinha desapático. O nome restringe e o calor
espicha, vox eliminatória. Passo a fazer parte da retina de um velho.
Imagiraginem. MenteMoloch! Ipanemai-o, Iânnis Panimáil! Terra
de Mém e de Tomé, mim de só! Frente a, frequentemente, frente,
nem, porém, sempre. Criar como quem projeta uma sombra. Por
necessidade. Jamais verdadeira loucura, sempre idiotismos,
imbecilidade, tolice. Um pensamento isento de ser preciso, digno
de todo o desprezo. Asneira. Que se passa no crânio dum asno?
Asno, asno e asno. Desprezo, em si, sem objeto, mera atitude:
por assim desprezar. Corda roda bamba. Macanolatria,
suigeneriscídio. Tudo que é antigo é verdadeiro, tododitado é
antigo, logo sou cruzado, filho de um cruzamento. Descuido
repentino leva muito tempo naquele preparando. Naquele dando
duro. Duro naquele dando. Naquele andando danado. Naquele
consistindo. Naquele personificando. Naquele quando. O
preparado fazendo quadrados no vulto que a cabeça dá em volta
de si mesma. Assustado quando suspira se põe a tremer que nem
vara verde, assoprada pelos chicotes abstratos que o vento epilepsia
nos ramos dos arbustos. A febre do sol levanta a temperatura das
fontes. Harmonias na vertigem? Harmônicas na viração? O x de
um raio, no bis de um busílis. Quando, senão através, se chegou
até a chegar lá? Desista, enquanto é tempo, faça como eu, o produto
deste lugar, o fruto desta pesca: quanto mais piano, tanto mais
temprano — piaste. O efeito causa espécie, mais de um é tendência.
O gênero Lineu. Vaga alusão a uma dor pula de cabeça, efeito
da velocidade: a invencível armada evapora, como por encanto.

Picantetroppo! Custa a crer, não é de admirar toda essa essa essa. Êxodo rural, périplo agrário! Pão, em Troia, em prantos, se come: desaparição do tema do Ser, em terras por aparecer. Cada estrada, uma escada, cada uma, uma de cada: plantaforma de hierarquitétipos, pierrô da discorbélia. LAGARTIXAS se fazem crocodilo. Retroses grudados, corpo em outro se derrama, corpoverso, retrógrados. As tripas podres do Eu: monstruosidades se escondem por trás do eufemismo, deixando cacofonias transpirarem, delícias. Um frio na espinha, um frigorífico na Espanha! Mortos parecem estar tão bem nesse ameno horto. Súbito me causa muitas vontades. Um salto. Cheia de todo o querer. Querer. Querer. Quer. O querer pretende apenas que o deixem poder em paz. Quer em si. Qualquer querer queirós. Qual. Quis voar tanto mais quantas penas tinha. Fez-se em plumas, a desfeita. Persuadiram a outros elementos ela convir-se. Tempo? Um lustro a cinco acima do azul a zero. Pedir uma impressão emprestada, guarida a um resquício algébrico, aula a uma sumidade, auxílio a uma potência naval, em vias de assumir de vez a coluna por um, Batávia. Aqui são terras de em. Lá, fora ou além. Ali, o tipo acabado do lá chegado, em si chegando. Conhece-se a esmo, a palma aplaude ídolos. E por que não dizer, e não deixa de ser? Jargão da seita. Presídio pinta cor de burro quando foge, debalde. Íris cavalga o branco de Ílion: cliente dum clichê, zerozerosete masca o chicletes do será. Todo esse esforço em me tornar puro espírito, e agora vêm os especialistas dizer que não resisto ao próximo espetáculo. Queimo tudo isso aí, teimo em ficar irreconhecível. Quem me busca entre as cinzas de mim? Soletra que te soterro. Brasília, enlouqueceste Cartésio? Sou louco logo sou. Mostre a flecha, olha a pluma, digo a tribo: kawa, kawim, maya, mayym. Cá se torturavam as visitas: nada ficou para fora, tudo depende do seu tesouro. Roeu, não roeu: roo-o eu. A câmara de tonturas dá para o parque de sevícias aquáticas. Afogamentos simulados. Prados mínimos. Simulacros isolados. Soldados. Soldados. Soldados, por tudo quanto for de lado a rabo. Mimo o, outrora, monstro, agora, período. Penas desabo, de sólidos o balístico: desastro pálios, gangrenando balenos. Imbres stellacopegnias collascantur: tellonias mecumpartas, lá dizia o presépio com seus cardápios de presunto em cardumes siameses. Morre o senso, mole, mole. Fica a sombra feito viúva, órfã de fiúza, chorando suas vias das dúzias. O turista estrebucha, tranvariado por osso de mosquito: o mais duro e duradouro, perde-o, quando pinica. O salto paracelso, em rompes susto : sopro e resta a treva branca. Plastifico mucosas, de superpetisco. Penando, alma despenteada. Satoris não são sorites, assunto, os recursos: a Legião Estrangeirada, a Região Estrangulada por um aluvião. Conduzolimites: morsas, remorsos. Cabalo. Falhou e ficou tentada a: a cicatriz está para a chaga, assim como a brasa está para. Provou, ficou provado, gostando. Fala xadres, chinês, sursis, crochês, tricôs da viuvez, Prioritário o Prefeito do Pretérito. Assim como. L'argh! Falava mas mudou. Tomaríadas, quiséridas e infelismences! Em cheques todo o matagal. Anos a fio coçando uma pedra. A toa está à solta toda. Em pânico, roedor? Catatônico no escuro: quantas sombras fazem uma treva? Quem vem lá andando pernas de pau, gritando em línguas mortuárias, falando a parcos pulmões, pálpebras piscam e o olho leva a fama? Requinte de precisão, coincidir com o objeto. A droga invisível, o paraíso artificial. O sistema está nervoso. Os meandros do conceito: poucas coisas melhoram com o tempo, entre elas, o vinho. O esconderijo perfeito a Occam pertence, o significado. No dizer de. Atente para o estado das almas, infernal. Para não ver o que está acontecendo, o camaleão inventou o álibi. Himalayayoga! Caiu matando no judas dos confins, adeuses às armaduras: retirada dos 10.000, pinote federal. A interferir. E, deve ser isso. Contanto que. E, deve ser isso. Tonalidade guerreira. É deve ser isso. O intermediário portenho. Dando corda. Bola. Tudo. É, dever ser isso. Expectativa de hostilidades. Isso deve ser, e é. Melhor a fazer agora, licor fresco e nem sombra de bolor: o colorido da temperatura. Pirotecnia de performances, variedades. Quod vide. Pauta sua conduta, ato contínuo. Lida com os farelos da mesa da fartura, farol, lerolero: deprecia. Segunda chance envolve noções de licurgia encomiástica: ritmos eufemísticos, paideumas onomatopaicas. A jiboia inventa a dispepsia, o tamanduá, o estrabismo, o polvo, o habeas corbus, o tatu, o subsolo. Desperta, sonhando: teatro na imaginação. O x, psiu: a hora — H. A diferença sutil sucumbe sob o peso das conjecturas, pisando nas palavras tal qual se apresentam. Mãe de quem chama, medida de segurança: equivalente aproximado, afastamento rápido do local. Abastece-se, fornecendo: regra excepcional, carreira espinhosa. Por que me ufano? Designa tanto o quanto quanto o tanto, porquanto entretanto. Doenças famintas exigem azedos, pimenta ou sal puro: incremente o pedaço, voto propício, açúcar mascavo. Abre com garfo: o homem de Cristo, o velho de preto disse que tudo isso no fundo era uma cilada.

Melindra-se com malabarismo? É portador. Só por excessos se cria, não gosto de quincidências masiadas. Folhas. Inverno aflige folhas. Verão. Folhas. Primavera? Folhas! Coisas não quer dizer que. Quer? Passa rápido, dizendo: por meu nome! Ondediabo terei deixado meu significado? Leva desta vida — o que não se disser. Sul, o fundo do abismo? Absurdo. Oeste, abismo algum em cima: fim da linha. Do chão não passapassagavião, até não mais poder: se cair. Presença, trajetória, ímã: concebe um abismo sem fundo. E sai donde, daí? Por diante. O mundo de Axstychsky, o mundo de Ihstychsky. De Xostakowitsch, de Xoxitlistichl. O mundo de Xxstychsky. O mundo de Xxxxxxx. O mundo de Xxxxxxx. O mundo de Xxxxxxx. Xxxxxxx. Xxxxxxx. Xxxxxxx. O mundo, Xxxxxxx. O Terror, antro de perdição, partido sem candidato. Xxxxxxx, eu correndo o perigoso: só um xis, e não tenho mais um só bis, coincidindo. Fé, um gracejo: queda a pedra tem mas é para a frente. Uma ova: espelunca. Capela sob a invocação de Clio. Xxxxxxx's orbs, nobiscum: DLXXX perorapronobilibus. Novo mundo todo diante, frase no bolso: o oeste, dando nas folhas desse inverno, fala francês pelas costas, que tal eu falaria. Recuso-me terminantemente a ser puro espírito, também precisa, no derrapadeiro dia, ser sã e ser salva a carne. Vinde a mim, como a um oráculo: curiosos se danem. Pretenda. Calcino, congelo. Fixo, dissolvo. Digiro, distilo. Sublimo, preparo: dirijo os catás alquímicos. Incinero, fermento. Multiplico, projeto. Converto, materializo. Longa data. Esmagadora maioria. Proponho um brinde: pym na zdrowy! E toca a catar canjica. Qual foi o movimento? Philosophica Poranduba, Amphitheatrum Cartesianum. Colossos loquestres, entre si, se celebram: candor de narcisos. Contemplo leopoldo, o gervásio destes girosfaltos. Egologistas, tolelegistas e sigopistas assas sinalizam miragavilhas de magia, antiqualhas e velhacarias: leio na palmistória, a mão, mapistério, do destelionatário. Miscelâmina: Renatus Esquartejado. Carunchinchina não cresce mais chicória, CLAUSURA. Lógica das loucas saracotricoteia, máquinas maquilando. Voar para dentro do outro, forró a ver: sua antromonja, Autonomásia chamando. Nocte una de talibus, ego, alter ego, Occam contra. Mutilando máscaras vai se deixando individar em deslumbrarces vislumbriguentos: é galo de raça em andrajos de briga, seu traje de gala. Magis cum minus, minusculum: minus cum minus, ridiculus. De conta que serve: guai até, ananises! Escoto nem picto de ouro, císnico a cura de manias mímicas, nunca será para outrem.

O que quer que lhe seja, mas sempre produto da boa vontade
alheia, da parte dos (para ele) outros, polítropo. Me abraça e eu
te abatiscafo, combinado, pirulítico? Pensar agruras varre o
esplendor do dia: beleza da vida daqui não dá para ver, tesão de
eternidade. Lepidópteros crepusculários, às alparcatas jubarrotas!
Vult et fert: duas vezes tentou, tentou duas vezes, vez e vez. Desistir
hein? Sic non ut ipsa, satis una est de quibus. Seguem reforços,
sigilo de estádios e saúde aos silistrógimos, descálcio vai escasso:
fome, pensamento péssimo. À guisa e esquerzo de desportos
guindastes. Isto é, trabalho para tatu. Com uma condição. Duas,
a mais bem do condão. Vão-se gastos, desvão-se rastilhos a tanger,
dançando repastos: tartarantelas estratosferem, o distintivo saboreia.
Certeza, chances demais: santos desconfiam. Arquistocretos
contracurversam através de golpes, cortinas de fumaça e de peso
pairam entre céu e terra, a lucidez é feita de muitas coisas obscuras:
para quem não enxerga, só resta o clarão. Dentes ruins me
polvorosettam os sonhos com bestas recentíssimas, sempre mim,
esta arquibesta reacionária pugna contra bestas recentíssimas, das
quais até os erros são algarismos elegantíssimos.
Questcequevoulezvous, senhorvedette? Cervelle à recherche du
temps perdu, pâte d'autrefois! Lhaço: um estyl, o lampso.
Avecquestionettes. Estômago ralo, goentam nenhum
clochemanymorse. Até a merda da selva américa já foi descoberta:
agora só falta o óbvio. E dizer que este dizer que. Pênsil bem,
com esses descasca véus, prazeres desmancha na boca. Le Néant
de Heristal x le lion Damnstresdamn: auxnaturel, mon capitain!
Dúvida, a mais impune atitude do espírito perante o enigma. QUAL
quer que seja, QUEM não quer: deseja. Eníssimo, em uníssono!
Sensato: promulgam-no cônsules, natimorto jurisculto. Continuar
liso, como sendo o puro cujo dito. Exceto para fazer felizes:
excelente; para criar, deusesmendeleievem! Bondade de me
acompanheirar? Isso de vomitar na correnteza: arranjos errôneos.
Entre o paradoxo de idolatrar momentos, obsessiva a curacólica
de durar: cometas. De solido intra solidum. Terapêutica, vai fazer
efeito na rua. Extinta, pero, intacta, transeremita-se. Raro o gigante
que não corcunda, capenga que não olímpico, coringa que não
se descarte, gioconda a não calcar pontaporangas, a pés galgar:
ser rã e salva, são e ser relva, reperspectório. Arguo, argumento:
um frasco, de tudo que pensem de mim, DE mim, como se eu
fosse uma fonte de pensarem. Me proclamem totem, proclamem
fragmentos! Só para verificarem uma coisa sair por aí, pondo para

fora os poderes que me apavoram. Aqui, entre duas mãos, pedaço, coisa verdadeira. Trabalho diviso, gente partindo-se: frã são ciscos de assim, fresco de mim! Quem tem tamanho desprezo pela aparência, só pode mesmo desaparecer. Antes disso, o desprezo aparece. Que ereção! Divide-se em categorias, o problema é reparti-lo: despovoado. Um tambor redondedilha a chuva e um também. Fico puto dos cornos com minha história: faz uma cara. Exato começa em n^{os}, certo? Só para fazer n^o, Ora, n^{os} não são nomes: nome cola. São dois. Números são muito mais. Ora, invejam! O que foi feito o foi para não fazerem mais, não me façam mais isso. Gnocquenstein, ansterpermanheimat! Internato fraugla inventruz, imbroglio in villamarylund! Unmoinechinois, çassemblelenom! O mal, quem jamais o viu, de tão perto, que pena e pena, não tivesse, e pena, e não tivesse? Lente cresceisentimentos: nientem-se! Imbecível! Acordaomortagolpesmartelais! Regra grotesca, escolho cavernoso, in tutta medésima questa ísola prosérpina, maledetta, meditabonda: meses sem tocar argila. Como convinha. Indiferente os vê se diferenciando: fim do expediente. Dono de casa zela segredos, disse fechando portas às custas venezianas, aceso a isso e os fogos. Monsieur posez là une de ces questions avec pasmal de response. Corão? Suratas! Autismos, sorites: captationes benevolentiarum. Aqui, me, como um nada feito, forjo vozes entre albergues a abrigar labaredas e alabardas por alamedas dispersas: simonias e cinismos. Grandes vultos? Conheço-os, um a um, como a uma palmada, pelo volume: os que chegam mais tarde à verdade tem mais pressa no dizê-la, aguça o espírito com uma arma cega porque branca. Tronitruão, pressemplixêmplios! Afpfeldheintz? Tal, quem sabe, vez? Notável o atributo que coisas — vida de reis, anomalias lógicas, entreveros indecisos, quadrilhas espaciais — exibem de notas a tomar. Casas, isso tende a muito estável, obstrui trânsitos: atentados de soança, ouvidos tímpanos. Me fere, n^o! Já se nasce cambaleando de tanto saber, ou? Noseastonto, nin-yo! Yingpnotize-o! Mérito algum em termos nascidos, algum em acidentados. Grande maniqueu, com monismos, por aí, osso na boca, em vez de? Ainda bem que. Ótimo, então, ainda. Canja: coisa de relativa criança, craque quando. Não perder movimento? Inventem catás, sequazes. Em adegas, não; vida, não em livros! Diluí-lo-ia um seiscentista, NADA MAL, palmilhando, MESMO ASSIM, pegada por piscadela, braças cruzadas por quem, um a quem britam estafas. Cartaz troféus! Posent-ils-par-lerolah? Boinasauras anostra

claustrofb! Fatiga cabeçalhos de ventania essa perfeição, à toda
monótona? Combien d'icelles commencent d'arriver parce qu'eux
il s'en c'est-il faut, savatte? Cosita sere spente sono IX. Não
confunda trocadilho com pesadelo: do picadeiro ao tombadilho,
Picadelully! Exausto de calor, no mundo da lua: este dia? Coisa
nenhuma. Filípicas, pronto de apoio: entranha intestinal. Como
tal, tal como: insubmissionários, refreitórios, transes fililiputinos.
Elegantemente terminam as tripas por um eu em flor: capulário
escandilabro em farrápulos de esôpagos! Rolar, bambino ao colo,
sobre chão de cascas de vidro, descascando pedrarias? Oraremos.
Plaudite et aprendicite, implausibiles dei! Isrealidade! Mercê de
Fortuna: pior, como? Este dia tem coisa, nenhum como os outros:
cheio de virar assim, enxerto de enredos, de meios, medos, persas
e receios que comprades, comparsas dos meus compradores, levem
a sírius o que arre, apenas, paralelo, e tragam medeia como quem
lamenta profundamente a aleteteia da América, Ideia, Cassandra,
Idade Média. Este dia tem coisa com outro, a ver com o além.
Uma alcunha: Alemanha. Charadesmanchamarão! De rapta Europa
a bove, bósforo, estupro: marta mitra salamandra e zibelina,
wienervultmorse! Varrão ou mecenininha? Passa entre estes dois
pontos, grãos de pérola, bagos de uva: frango, mal passado. Me
eis ali, ficado, feito pingo, molhado como um pinto, domado a
ferro refrigerado e torrado a figo seco. Léu, o leão na xícara, faz
vista glossária quando a toa, lelé da cuca, faz pé firme em
desvesgoelá-lo, o bom de beleléu, de viés e atravesseiro.
Desesperolopes sem calça de souza confessa ao repouso quem é
mais aquantas: só então sossega, sócio que, sósia de. Lavarento!
Ateus! Porventurosa sou paterfamilias desses gazofilácios apáticos
de debêntures? Feito do mesmo barro donde o catatarso de ísis,
Órion, osíris, xisptéryx, tirou-lhe teores pânicos dedentrodos
terrores picníquicos? O ermo abunda en abandono: espirro, e lá
se foi meu espírito. Anda crasso pondo erros nos meus planos:
ZAGADKA. Hoje de manhãm, só sei que não estava aqui este
engano: deve ter vindo de outras tantas eras, obra prismas em
verdadeiros paralelismus membrorum, priscas? Lição pretende
ensinar, me deixando claudicar desse jeito, Wanderer? Errar, vagar
por aí, ir e vir: trans-mito, TÃO. E se trans me muito, muto.
Gegengesang! Vira a mesa, trocando por favores as regras da cena.
Estimação. Erro de. Membros da Junta externam alarmes de um
levante, da parte dos arredores, na junta dos membros. Nada têm
a temer. Medidas de capacidade a caminho. Minhas mais singelas

reservas: o ridículo promovido a escândalo. Por metro, taquaras
da província, com dois meses e meio de idade. Dionisomancia.
Arte de adivinhar, quando bêbado: o caminho para casa, por doçura.
Talassomancia. Arte de adivinhar, espionando o oceano, depois
de uma onda, que aí vêm ambas, e é só bundas que ondula.
Arqueomancia, adivinhar por força de antiguidades motoras.
Micromancia. Artes de flagrar coisas grandes, por via de incidíncios
mínimos. Ecomancia. De profetizar a voz, pela rima e revoz. Onde
uma porção localiza altas reviravoltagens, só assume missões
suicidas: Problematomancia, corrida de obstáculos, contra o tempo,
por sobre obeliscos. Leucopáginomancia. Diplomancia.
Filomancia. Não é um adivinho, apenas um amigo do adivinhar.
Leroleromancias. Por assim ouvir dizer. Antomancia. Coletânea
de divisas já charadas, afetos mata-os, aos leprosadores dos
controsáurios! Yukatán dismancia Nichiren. O processo oracular,
que não padece interrupção, ou entupindo a chaminé debaixo dos
pés: me atenua os traços mais atrozes do temperamento, para esta
ocasião, especialmente, e me olham e me orgulham. Eu, ainda mal
lhes constatelando, e porcamente, ao estar de fora, me apelida de
Inclusive: doido de pedra, caso de morte. Dionissonâncias
metamorferozes! Até dores durar de doerem: mania única,
anómalomancia. Da obra dos outros como Objet Trouvé: finders
— goaikeepers, Jaspers — lousy whispers! Deve ser morto esta
noite. ass. o miguelomaníaco: de rente se tornou declarado, nítido,
óbvio, evidente, ínvio, Sílvio. Entre cartesices e certezas, piratarias?
Telepatético! Urgh! Gruh! Occam, esta noite ipsa. ass. megalítico.
Passa pouco de hoje, o dia tarde a sair de noite. Quem o viu,
viu o morto? Soares? Alves? Araújo? Almeida? Meireles? Brito?
Maia? Viana? Silva? Abreu? Galvão? Mendonça? Amaral? Ruiz?
Maciel? Vasconcelos? Aguiar? Vieira? Barreto? Saraiva? Camargo?
Martins? Barbosa? Guimarães? Macedo? Gama? Sá? Figueiredo?
Magalhães? Freire? Azevedo? Menezes? Fonseca? Dantas, Borges
e Teles? Pinto! Miranda até Rezende! E até Bragança? Portugal!
Zagadka: urubamba. O ararifeito. Dado por monstro, foi-se:
enforcado, esforça-se por ser. Vão-se os percálçulos, no sentido
de abastecer Occam, me desembruto em abater Occam, apontando
o suicida, com potencial de fogo e numéricas superioridades. Cubro,
descuro. Vai-lá vindovém Dmitridesmircartes, com aquelas suas
malabirintites todas: Bardesanes, descontentando umas flechas;
pacômio, jogando em boca pedras de pipoca (não erra uma), o
nome de um eremita começa com minúsculas, combina desculpas

com o atraso das esculturas de minúcias indiretas; o sr. dr. pe.
Atanásio arquiteta máquinas, movidas a ene singularidades. E essa
eminência patente das falanges da Companhia, qual a sua graça?
Como? O nome! Que rubrica intitula estas paragens, partículas
de passagem, lugar assombradado por uma apalpolítico, inquilino
molesto, nojento como objeto que não se preza muito? Lança fogo
pela pele: um gênio, pordestrastravéis dessa imbecibilidade.
Pergunta Miguel, quem Feito deus? Mede-se gente pela qualidade
dos sonhos, nunca me deixe passar por acordado: tendem a provar
que existo, animal passado e mal assado, despertador. Joga alto,
brinca duro, fazendo pouco, gato e sapato das dificuldades. Deus
e eu, ao mesmo tempo, não pode, aliás, dizer-se, ao contrário,
coisa alguma com alguma coceira. Mal abrimos, nostradamos
abismos. De Occam, funto. Al: al, al. Occam deve ser. Oh, eis!
Repepito! Esta noite, centresper íspirito! Fogo, de brasa a brasa,
queima e requeima, sempre queimando alguma coisa: é a tal coisa:
incrível e difícil de deixar de crer, pois, que outras se pode fazer,
a não ser essa de aderir o intelecto a uma improbabilidade, dumas
ou três, que seja? Durantes, meus destartes! O som muito alto:
a luz muito forte pratica halterofilismos. O calor, caldeu: estorrica
tábuas, tijolos cuneiformes. Nunes(*)! Soterrar. Occam. Convém.
Suspensão animada: todo absurdo ao espaço exterior! Prostar o
monstro vale um mister e tanto fazendo. Pensou, contribuiu:
esperança, figura das coisas por chegar, intróito ao mistério do
outro. Guarnição estrangeira, apelo ao transeunte! Um degredado
no vago, desconfiômetro a fito de vasto: inter-mortos-cedem.
Calma, em assombros formidáveis: a grandes defuntos, monstros
sepulcrais! Intriga, varapau de dois bicos: pedra e pico! De casa,
o teto da cratera: buceta de precisão, assimilando nula. Linhas
Gerais. Conquista do espaço através da mensagem: o vazio como
veículo. Egomancia. Cartésiomancia. O outro é o m'eu ausente.
Ser, sim, mas eis: EU, só que senão. Como seria Ester? Nom
de plume, mon d'épée! Quirera, pipoca, uextliplocht! Eleia, aleluia!
Por um exagero de ser, uma sombra, tornar a. Tudo fazer, em
vista do que dirão. Viver bem só dá direito a uma caixa bonita
e a um buraco bem fechado: só furando o olho do ciente, fica
evidente. Deixa todo mundo pensando haverem dois autores,
atuando aqui mas ali atuando. Um tanto ou quando muito? O
cartesista. O occamista. Fica fula e gaba: chia e, depois, se micha.
Matracalhadores! A essas altura, o Outro está podre. Dulia?
Hiperdulia? Aletria? Síndico e condomínios — unânimes. Não

repara, periga passar a ser, desde que: não sei, dizem. Provou com
engenhos e evangelhos que pode ficar aqui; engulhos, enquanto
labora et ora a boa, pendante que, constrictor, je-me-deléglise!
Será potável? Desmanchaíazeres! Este pedaço, vítima de um
VADERRETROS, valha tabu: aqui, Occam, já, morreu, —
superfície ainda fumegante do seu sangue e tinto dos seus vinhos,
circuncisa a suas pegadas mistas às pistas versas por seus assassinos.
Assassínios! Assassinatos! Quem como Occam. Não vence: não
é de vencer. Passa por ele, passa a existir. Na pedra. No pau.
Papiro. Pergaminho. Papel. Bate um sino contra as paredes, sátrapa
batavo da Gestaposta: insetos inexatos, muros lamurientos,
fervendo de menininhurgentes, como vos parecerdes! Como se
unicam? Assados & ossadas, entre essas umbiguidades, me
apavoresce. Boa metade — tudo: assunto, pânico. Vamos ao pânico,
isto és, ao assunto. Senhor da minha singularidade e meia, minha
transquuilidade depende desta soberania minha, mordomato de
mim: isto é gregoriano. Vai, morgado de Belgrado, de bom grado,
bombom para gado! Mesmo que me matassem agora, sentiria pelos
meus filhos: só. Esquálidos e rubicundos segue as linhas rotas,
com as quais mais concumbinas! Par ou límpar? Arrisca frustar.
Prometendo sempre voltar a seus receptores, escondia-se por trás
da sua passagem daqui para outra qualquer melhor parte. Sorriu
no túmulo, primeira vez. Túnel? Trsnsgressio Cognitionis. À
sacarrolha, essa queimarroupa toda! A neolatras, esta leofagia!
Tiraram o dia para não me entender: enfiúza. Tábua de náufrago
usurpa o incenso aos numes pertencente, por direito: tão já não
vamos deixar destarem. Substância, toma corpo, pronta para a
forma, matéria se relacionando, platônica e puramente. Presente
momento é o meio, pensa? O mais indiciado? Mais ilusótico?
Varejeira age por atacado. O húnico? Meio aparente, meio parente
meu. De Circunstâncias como Meio até as Essências: linha divisória
entre as Essências e outras mais altas, muito ou. Creio, me. Tão
desmoralizado já, tão já não irmos embaumeretz! Estalactite,
estalagmite: estalagmite, estalactite. Para quem vai, vem quem? S'ils
éssayent, échouent, et éssuyent les cousteaux! Incorre um erro atrás
do outro, relonges para corrigir apertos, o próximo em proles de
se mesmerilhando: quanto mais erros a comentar, erros a mais
cometer não poder. Obtura com novos: até um erro abrangescer
o tamanho de tudo, esbugalham. Até o roterrieiro do filho prolixo!
Oratio in Brasiliam. Pro Renato Cartesio. De Omni Re Scibilina,
et quimbundam aliis! En tours de route, offre-le ces cours! Não

comente (1). Calo em sinou a calor, neste cular? Sem comenteiras,
só comezainas. Toma a história nas mãos? Ocurral! Abandonai,
senhores! Mensuro, pelo compasso das expectativas frustras, gergo
e garlingo: pondero tisana, mezinha e tipoia! Uvertire Batavônia.
X parassangas de piranambuca, dedodurantes e transeuntes,
buscavenham, se esquerzo! O crime passionista: em pirassununcas
de gaivoltas! Metodista! Que quero? Aplausos porque existo?
Enquanto faço ao globo o favor, ocular e celste, de existir, aquele
olá pareça entender de que se peça! Saudade tem as custas quentes,
bateu o recorde, lá vai, com sabão em tudo, abrahão de convir:
o que vai fazer mas sabe que deve fazer e o que vai fazer mas
não sabe que fará, se, em vez de ficarem promovendo atoices,
fizessem uma força, acabariam coincidindo? Juxtacolados num
abraço armagazém, a ninfa e o monstro da lagoa negra, homempeixe
sem emoções. Bem de raiz quadrante, alfobjeto pensante: pasta,
pau de dois umbigos; pastiche, maior proeza que ser pilhado pela
própria presa? Gêmeos, e se pegando que nem gorro e carrapachato?
Alguma coisa, dele. Mas não pode nem chegar para enxergar nariz
acima dos sete palmos, com que teimam no lhe soterrar! Pedra:
foice de ume, ancinho de ouro! Inimigos públicos e amásios íntimos,
terminamos tão semelhantes o abismo entre nós serve sinal como
de igual, vizinhos ou parentes próximos só se afastam para morar
pegado ao lado a lado nosso! Idênticos pedem distinção: continue
do meu partido, se me assemelhando cada vez, talmais vis-à-vix!
Espirra reto? O ponto espirra torto! Queplicórnio! Tussis canabica,
febris brasilica, prolaborenobiscum! En tours de route, offre-t-eux:
ces cours! Ponte com dor de cabeça, ambos os dois conjuntamente
juntos! Enxerte a jalmenão o aplainapalmito afrontes natatriz.
Catalunhalinfa, à catifundadupla! Salemaxandria decaipordinte:
porra que umas molinhas amordacéus! Só até ali. Mais adiante,
a sacanagem dum gestozinho chantagista descascando o guatambu:
nem a pé: É pinote: se pincha, baixarel! Oração para se envultar.
Ainda não conheço a fundo, como a palmadamão, a profundície
das palmatérias, que falhas crivam? Rema, coisípede!
Gregorianíssimo coisicídio! Palafitas, para a glória de quem fica!
Caracóides! Proliferam patifes: dar a entender preferem, em vias
de se fizerem contrarrecém da raiva que tomaposse contramim
armazéns clandestinatários. Combien, czar dos Pesares! Mediante

(1) Não continente em comentar, contenta-se com. (1a)
(1ª) A anterior — fora.

detrimento. O dos planos perfeitos imbra e coimbra junto a este
plantageneta, o planetário. Pretúsculo idiliota! Só pensando não
dá para chegar lá: tem que andar, olhar bem para os lados, atirando
ao menor movimento, o maior olhar. Me indigno, para todos os
efeitos. Reta, o pior dos labirintos: altíssimo abismo — o tal ponto.
Nos antípodas da boca, o mar undibundo. Por quem me toma?
Por paralítico? Por narcótico? On. Man. Occam. O cônscio. O
plenipotenciário. Não está fácil. Também não está difícil. Está bem.
Lhe. Escada, síntese perfeita entre horizontal e vertical. Pensar,
essa grafia. Um ponto, o mõstro, aí, se escondegarrincha: o bojo
balão, volta por onde o vulto vai muito. O nome, depois de gritar,
o grito. Aguardem. Impede. Impede. Impede. Impede. Impede.
Impede. Idem, independe. E, quando vai impedir ainda, ainda e
sempre ainda mais, talv & eis. Estados Gerais. Países Baixos. Altos
Senhores. A Paz de Porto Seguro, compensações territoriais. Tudo
— é impossível. Pé nas ervas, cascavel na certa: compota
barcebolonha em cumbuca antuérpia! Caracuneiterrisformes!
Labora, ora! Entre as ervas que curam e as serpes que matam,
selvas. Charústia, localustres! Tolo me deixar envolver por este
raio de rede, arma sob medida ao rés de alguém menor que eu!
Não caibo em minha morte, quem poderia dizer? Entre a lua e
— a terra — o sol, aquela se reduz a apenas esta metade: nós
— parte dessa sombra. É uma pegada, e ninguém à frente. Meminit
nemo, nisi nonnulli! Uma atlântida faz das suas no fundo de cada
palavra, não pode ser incomodado quem está descobrindo a pólvora,
paraíso na caixaforte, passaporte para o passado. Em breve, senhores
passageiros, por via eliminatória às avessas, distribuiremos tarefas
entre os nossos mais sinceros adversários. Runáticos,
versitergeremos, certo. Nome, porém, não trocaremos por
sinamônico algum nenhúnico! Posso provar: tenho aprovação
própria. Pensar por pensar. Some um círio suando de pensar, aceso
na cabeça e as formigas me comendo e me levando em partículas
para suas monarquias soterradas. A existência existe no existente.
A presença presente no presenciar, a circunstância no circunstancial,
a totalidade totalmente no total. Contacto coeso: compactas coisas.
No grande livro do mundo, páginas enigmáticas incólumes ao siso
e à fala. Este capítulo não deslindo nem decifro: erro? Sofro, e
este livro sem textos — só ilustração iluminura. Não traduzo nem
leio: giro e jazo. Um círculo de em volta meu juízo, uma
nuvem, uma caligem, um bafo me embacia o entendimento para
que Brasilia... Ergo. Lentes e idro. Fedor de antas e

araras, pela inhaca se conhece a peste que grassa. Uma fera urra
dando a luz. A onda está parindo Artischewsky? Este pensamento
sem bússola é meu tormento. Quando verei meu pensar e meu
entender voltarem das cinzas deste fio de ervas? Ocaso do sol do
meu pensar. Novamente: a maré de desvairados pensamentos me
sobe vômito ao pomo adâmico. Estes não. É esta terra: é um
descuido, um acerca, um engano de natura, um desvario, um desvio
que só não vendo. Doença do mundo! E a doença doendo, eu
aqui com lentes, esperando e aspirando. Vai me ver com
outros olhos ou com os olhos dos outros? AUMENTO o
telescópio: na subida, lá vem ARTYSCHEWSKY. E como!
Sãojoãobatavista! Vem bêbado, Artyschewsky bêbado...
Bêbado como polaco que é. Bêbado, quem me comprenderá?

APÊNDICES

N.E.: Estes dois textos foram incorporados à segunda edição (Porto Alegre: Sulina, 1989) por Paulo Leminski.

DESCORDENADAS ARTESIANAS

UM LIVRO E SUA HISTÓRIA, 23 ANOS DEPOIS

Por fim, a cobra morde o próprio rabo.

A intuição básica do *Catatau* me veio, em 1966, durante aula de História do Brasil, quando estava dando as Invasões Holandesas e o intento de estabelecimento dos holandeses da Companhia das Índias Ocidentais em Pernambuco e adjacências (24 anos, de 1630 a 1654), Vrijburg (Freiburg = "cidade livre"), Olinda, capital de verdadeiro mini-império mercantil, com grande cobertura militar.

Falei do esforço do Príncipe Maurício de Nassau, Diretor da Companhia do Brasil, em trazer para cá sábios, cartógrafos, pintores, talentos como Marcgravf, Wagener, Post, Golijath, Eckhout, escol de cérebros, para mapear céus e terras, flora e fauna, gentes e usanças da Nova Holanda que, logo, seria, em holandês, o "verzuymt Brasilien", o perdido Brasil para sempre.

Referi que, na Europa, o Príncipe Maurício cercava-se de um séquito de ilustres. O filósofo francês René Descartes (que, à moda do tempo, latinizava o nome para Renatus Cartesius) era fidalgo da guarda pessoal de Maurício.

De repente, o estalo: E SE DESCARTES TIVESSE VINDO PARA O BRASIL COM NASSAU, para a Recife/Olinda/Vrijburg/Freiburg/Mauritzstadt, ele, Descartes, fundador e patrono do pensamento analítico, apoplético nas entrópicas exuberâncias cipoais do trópico?

Interrompi a aula, peguei um papel e anotei a ideia.

A hipótese-fantasia deu, a princípio, uma noveleta/nuvoleta, chamada *Descartes com Lentes*, que inscrevi no 1º Concurso de Contos do Paraná (1968), onde tirou o 1º lugar mas não levou o prêmio por acidentes fortuitos de concurso, de acordo com uma carta que me mandou o crítico Fausto Cunha, um dos juízes do certame.

A vida do *Catatau* já começou sob o signo do equívoco e do quiproquó.

Mas foi bom que tenha sido assim.

Descartes com Lentes era um esquema: trazia em si um princípio de crescimento, uma lei e uma necessidade de expansão, como uma alegoria barroca.

A estripulia final levou 9 anos se fazendo, pólipo, politropo, aberração, inchando, proliferando, intumescendo, fermentando, se esbanjando em bizarrias excêntricas até os últimos limites lógicos e sintáticos do lúdico e do travesti, máscara Nô, maquilagem de caboclo-kabuki, estados caógenos, crepusculares na fronteira entre o inteligível e o enigmático provável, um tratado de Medicina Legal da lógica e da linguagem, museu de cera, um Circo de Horrores linguísticos.

O *Catatau* é o fracasso da lógica cartesiana branca no calor, o fracasso do leitor em entendê-lo, emblema do fracasso do projeto batavo, branco, no trópico.

OCCAM

No *Catatau*, suspeito ter criado o primeiro personagem puramente semiótico, abstrato, da ficção brasileira.

Occam é um monstro que habita as profundezas do Loch Ness do texto, um princípio de incerteza e erro, o "malin génie" da célebre teoria de René Descartes.

A entidade Occam (Ogum, Oxum, Egum, Ogan) não existe no "real", é um ser puramente lógico-semiótico, monstro do zoo de Maurício interiorizado no fluxo do texto, o livro como parque de locuções, ditos, provérbios, idiomatismos, frases-feitas. O monstro não perturba apenas as palavras que lhe seguem: ele é atraído por qualquer perturbação, responsável por bruscas de sentido e temperatura informacional.

Occam é o próprio espírito do texto. É um orixá asteca-iorubá encarnando num texto seiscentista.

CATATAU

A palavra "catatau", de origem provavelmente onomatopaica (o ruído de uma queda?) exibe inúmeros sentidos em português e em brasileiro.

Em Portugal, como regionalismo, pode significar "uma surra", "uma determinada carta de baralho" e até "pênis".

No Brasil, designa tanto uma coisa grande (um *catatau* de papéis) quanto uma coisa pequena (um nanico, um baixote).

Na Bahia, existe a expressão "feio como o catatau".

Designa ainda "zoada", "discussão". E pode significar "uma espada velha".

A multiplicidade de leituras o *Catatau* já traz inscrita na própria multiplicidade de sentidos de que é portador seu próprio nome, uma das palavras mais polissêmicas do idioma.

ABAIXO DE ZERO

Na realidade, René Descartes, coberto de anos e fama europeia, como filósofo e cientista, foi praticamente intimidado por Cristina da Suécia, uma rainha meio desmiolada, a mudar-se para Oslo instruir a monarca, em aulas que começavam às cinco da manhã. Já velho, Descartes não resistiu ao rigor do inverno escandinavo, apanhou uma pneumonia e lá se finou. De frio.

QUINZE PONTOS NOS IIS

1. O *Catatau* é a história de uma espera. O personagem (Cartésio) espera um explicador (Artiscewski). Espera redundância. O leitor espera uma explicação. Espera redundância, tal como o personagem (isomorfismo leitor/ personagem). Mas só recebe informações novas. Tal como Cartésio.

2. A espera de Descartes/Cartésio é uma espera cibernética.

A melhor definição para "informação": *expectativa frustrada*. Toda informação nova vem de uma "expectativa frustrada".

O *Catatau* é uma imagem ampliada dessa noção.

3. Cartésio espera Artiscewsky. O leitor também tem uma espera. Uma expectativa. O que ele — antes de ler — já sabe da mensagem. Ou *crê* saber.

Informação é expectativa frustrada.

No *Catatau*, a expectativa é sempre frustrada. O leitor jamais sabe o que deve esperar: rompe-se a lógica e as passagens de frase para frase são regidas por leis outras que não as normas da sintaxe discursiva "normal". Existe literalmente um abismo de frase para frase, abismo esse que o leitor deve transpor como puder (como na TV, entre ponto e ponto).

Mesmo quando um segmento cobra continuidade (parece fazer sentido), é apenas para contrastar com o efeito contrário, que sucede sempre.

Dentro do *Catatau*, o leitor perde a mania de procurar coisas claras. Então, aquelas que são claras por si mesmas tornam-se escuras no seu entendimento.

4. Se disserem que a expectativa permanente no *Catatau* acaba por se tornar um estado "monótono" (caógeno), digo que pretendi realizar um dos postulados básicos da cibernética: a informação absoluta coincide com a redundância absoluta.

O *Catatau* procura gerar a informação absoluta, de frase para frase, de palavra para palavra: o inesperado é sua norma máxima.

A sequência das frases de um texto coloca uma lógica.

Mas nessa busca da informação absoluta, sempre novidade, novidade sempre, por uma reversão de expectativa, ele produz a informação nula: a redundância.

Se você sabe que só vem novidade, novidades vêm, e deixa de ser novidade.

O *Catatau* é, ao mesmo tempo, o texto mais informativo e, por isso mesmo, o texto de maior redundância. O = O. Tese de base da Teoria da Informação. A informação máxima coincide com a redundância máxima.

O *Catatau* não diz isso. Ele é, exatamente, isso.

5. O *Catatau* (aparentemente) é uma "narrativa" em "primeira pessoa".

É uma ego-trip.

A narrativa na primeira pessoa é a mais econômica.

Eu.

Reduz a multiplicidade do universo ao âmbito de um ego só.

Economia de um quadro de Mondrian.

6. O *Catatau* procura captar, ao vivo, o processo da língua portuguesa operando. E mostrar como, no interior da lógica todo-poderosa, esconde-se uma inautenticidade: a lógica não é limpa, como pretende a Europa, desde Aristóteles. A lógica deles, aqui, é uma farsa, uma impostura. O *Catatau* quer lançar bases de lógica nova.

7. Para o europeu, o Brasil soava absurdo, absurdo que era preciso exorcizar a golpes de lógica, tecnologia, mitologia, repressões.

7.1. O ritmo, não o metro. O *Catatau* registra direções, não assunto. Oftalmografa a passagem das distâncias nas células fotoelétricas das afinidades eletivas; regula a articulação das partículas até estas se descontrolarem, gerando leis de crescente complexidade, que já emergem precipitando novas catástrofes de signos. Por isso, atenção flutuante nas ex-abruptas passagens do sentido para o nonsense, do suspense para o pressentimento.

8. Ao *Catatau*, dois movimentos o animam: um, documental, centrífugo, extroverso, se dirige para uma realidade extratextual precisa (referente), com toda a parafernália de marcação duma ambiência física, geográfica, histórica e portanto épica; o outro movimento, estético por contraste (sístole cardíaca do *Catatau*), chega às raias subterrâneas e canais atávicos da linguagem e do pensamento. O significado (semântica) do *Catatau* é a temperatura resultante da abrasão entre esses 2 impulsos: a eterna inadequação dos instrumentais consagrados, face à irrupção de realidades inéditas.

9. O *Catatau* é um caso textual de "possessão diabólica": um texto "clássico" é possuído (possesso) por um monstro "de vanguarda", que é o próprio catatau, chamado também de "Occam", um princípio de perturbação da ordem, um agente subversivo, uma estática: o monstro é a personificação (prosopopeia) do conceito cibernético de *ruído*.

As aparições do monstro fazem o texto voltar-se para si mesmo: o monstro é centrípeto. Ele denuncia o código em que a mensagem está sendo registrada.

10. *Catatau* é um texto em mutação: *um mutante*.

11. Na palavra "catatau", animal e texto são sinônimos.

12. *Catatau & psicopatologia*. O ilusionismo solipsista (ego-trip) do personagem Cartésio é o fiel retrato, em termos de realismo, do estado de espírito do colonizado, um homem fragmentado, desconexo, perplexo, atônito: alienado.

Um dos fenômenos mais típicos do "delirium tremens" alcoólico é a *zoopsia*, alucinação com animais repugnantes: cobras, ratos, lagartos. É de *zoopsia* que Cartésio sofre no parque, vendo todos aqueles bichos absurdos. O parque de Nassau é um lugar mental.

Todo texto é um parque de palavras, sentenças, períodos.

O *Catatau* é um parque de locuções populares, idiotismos da língua portuguesa, estrangeirismos.

Seu polilinguismo é o reflexo do polilinguismo do Brasil de então onde se praticavam as línguas mais desencontradas: o tupinambá da Costa e centenas de idiomas gês/tapuias, dialetos afros, português, espanhol e, em Vrijburg, cosmopolita, holandês, alemão, flamengo, francês, iídiche e até hebraico.

Outro fenômeno psicopatológico transformado em recurso de base é o mentismo. Em psiquiatria, chama-se de *mentismo* um pensamento que vem por si, uma ideia fixa que vai e volta, *contra* o paciente, atingindo exatamente os pontos mais delicados de suas neuroses e psicoses.

Mentismo ocorre sempre quando o personagem Descartes/Cartésio recusa, repele ou nega um pensamento que acaba de ter. Ele sempre atribui esses mentismos a um efeito do clima ou da erva que fuma.

É a presença de um corpo estranho no pensamento organizado de Descartes.

Por isso, Descartes/Cartésio é o "heauntontimorúmenos" = "o atormentador de si mesmo", nome de uma peça de Terêncio.

13. O *Catatau* é um texto colocado sob o signo da Ótica, Descartes sendo um dos pais da Ótica como disciplina científica, parte da Física. Está cheio de anomalias óticas: refrações, difrações, desvios, que incidem sobre as palavras, as sentenças, a linguagem e a lógica.

14. O *bestiário*. A bicharada, com que começa o *Catatau*, emblematiza o pasmo do europeu (esse desbestificado), pasmo esse, choque e pânico que os antigos tinham na conta de fonte do filosofar (até para Aristóteles, o exercício da reflexão começava por um "thaumazein" ("espantar-se"). Ante esses animais, a lógica de Descartes vai para o brejo. Cada fera daquelas (tamanduás, jiboias, preguiças) estropiava uma lei de Aristóteles, invalidava uma fórmula de Plínio ou de Isidoro de Sevilha. (p. 1-2).

Ver bichos através/atrás de vidros, o longe crítico.

15. Mensagem afetada de elevado coeficiente de ininteligibilidade, a legibilidade no *Catatau* está distribuída de maneira irregular.

ALGUMA FORTUNA CRÍTICA

N.E.: Agradecemos a gentil colaboração de Elson Fróes e de seu site *Kamiquase* (www.elsonfroes.com.br/kamiquase) na confecção desta "Alguma Fortuna Crítica".

Recently Paulo Leminsky, a young writer from Paraná (southern Brazil), brought out his first novel, *Catatau (Chitchat*, 1975). Influenced by Joyces's *Finnegans Wake* and its Brasilian translations, by Rosa's *Grande Sertão*, and by H. de Campos' *Book of Galaxies*, it is a wide-ranging monologue using Descartes (Renatus Cartesius) as soliloquist. The author pretends that Descartes was a member of the Dutch expedition commanded by the Prince of Nassau, who in 1636, with his army, invaded the northeastern coast of Brazil and settled down in Recife. While inspecting Brazilian flora and fauna through a glass, Cartesius smokes a miraculous herb (marijuana) and finds himself dissolving into a tropical delirium, conveyed throught Joycean rhetoric.

> Haroldo de Campos: *Sanscreed latinized: the Wake in Brazil and hispanic America*, Triquarterly, n. 38, p. 59 (Winter/1977).

A más de diez años que Paz dijera que la vanguardia poética estaba en Brasil, hoy, y sin hablar de VANGUARDIA, se sigue produciendo la poesia más creativa. Sigue siendo difícil encontrar, en lengua española, niveles poéticos igualables a los de Augusto-Décio-Haroldo: la sintesis teórica era inmensa. Y al nivel de los más jovenes: raro encontrar experimentos de formulación teórica tan precisa como *Catatau*.

> Eduardo Milán, poeta uruguaio de vanguarda, secretário pessoal de Octavio paz (Rev. *Muda, De una Mirada*, 1977, p. 26).

CAETANO VELOSO

Parafins gatins alphaluz sexonhei la guerrapaz
Ouraxé palávora driz okê cris expacial
Projeitinho imanso ciumonevida vidavid
Lambetelbo frúturo orgasmaravalha-me Logum
Homenina nel paraís de felicidadania:
Outras palavras.

> Caetano Veloso: última estrofe da canção "Outras Palavras", LP *Outras Palavras*, Philips, 1981.

Aliás, toda esta problemática da relação prosa/poesia passou a apresentar-se de modo completamente novo, depois de obras como as de Joyce e a prosa de Khlébnikov ou, em nosso meio, o *Catatau*, de Paulo Leminski. Temos, modernamente, ora a fusão de prosa e poesia, a explosão dos seus limites, ora justamente o contrário, um sublinhamento da relação entre ambas, cada uma com sua especificidade.

Bóris Schnaiderman, *Dostoiévski*, p. 132, São Paulo: Perspectiva,1982.

— Em que medida as traduções de Joyce influenciaram os próprios escritores brasileiros? Em que medida os escritores brasileiros deram-se conta de que a produção final de Joyce era "um romance para acabar com todos os romances", conforme a expressão de Harry Levin?

— Creio que a maioria dos escritores brasileiros ainda não se deu conta da revolução operada por Joyce na estrutura narrativa e na linguagem da prosa. É verdade que ele pratica uma espécie particular de literatura — a prosa de arte (e, no último livro, uma quase-prosa, próxima da poesia), contraposta à do narrador-conta-histórias, que é naturalmente a mais generalizada. O *Ulysses*, e o *Wake* ainda mais, movem-se em outro espaço ou espaço-tempo. Uma das poucas exceções foi a experiência de Paulo Leminski, o *Catatau* (1975), que aplica a linguagem do *Finnegans Wake* numa fantasia borgiana: Descartes com os holandeses no Brasil, no século XVII — o racionalismo dissolvido no delírio vocabular do trópico canabis-canibal.

Augusto de Campos, entrevista para J.J. de Moraes, *Jornal da Tarde*, São Paulo, 30/1/82.

Em um País onde ainda não se sabe qual é, efetivamente, a norma culta, em um País de tantos falares, a palavra escrita na literatura parece não acompanhar essa inquietude. Aí vem à memória de Décio Pignatari duas importantes experiências de prosa: *As Galáxias*, de Haroldo de Campos; e *Catatau*, de Paulo Leminski.

Depoimento de Décio Pignatari, no volume *A Posse da Terra - Escritor Brasileiro Hoje*, reunido por Cremilda de Araújo Medina, Imprensa Nacional - Casa da Moeda de Portugal e Secretaria da Cultura do Estado de São Paulo, 1983, p. 207.

É só pensar na recente ampliação do mercado editorial no Brasil, possível graças à conquista de público realizada nos anos 70. Por outro lado, se estas vias privilegiadas pela ficção brasileira demonstram esgotamento e certa acomodação estética, nem todos os seus produtos têm sido de má qualidade.

Basta pensar no aproveitamento do "realismo mágico" por Murilo Rubião, nos já mencionados *Em liberdade* e *Me segura qu'eu vou dar um troço*, na qualidade dos dois primeiros volumes de memórias de Pedro Nava, no experimentalismo do *Catatau* (1975), de Paulo Leminski, num romance como o cruel *A hora da estrela*, de Clarice Lispector, na maior parte dos contos de Caio Fernando Abreu, Samuel Rawet, Rubem Fonseca, Sérgio Sant'Anna ou João Gilberto Noll. Ou na capacidade revelada por Haroldo de Campos em *Galáxias* de tencionar ao extremo os limites mesmos da prosa, da trama e da verossimilhança realista tão cara à nossa ficção.

> Flora Sussekind, *Literatura e Vida Literária*, Rio de Janeiro: Jorge Zahar, 1985, p. 63.

Rio, 12 de fevereiro de 1987

Meu caro Paulo Leminski,

Apesar de ter ido inúmeras vezes a Curitiba, a capital brasileira do conto, nunca tive o prazer de conhecê-lo.

Agora recebo, através da Criar, seu livro *Anseios Crípticos*. Nos últimos anos, tenho acompanhado sua brilhante carreira intelectual, sua atividade de autor e tradutor. E li seu livro com o maior interesse.

Como tinha lido o *Catatau* há anos. Pena que não pude escrever sobre ele como pretendia, e como principiei a fazer. As mudanças no jornal onde tinha meu quartel-general de crítica me fizeram desistir de continuar na ingrata carreira. Mas a razão de meu interesse é o que desejo explicar hoje, e jamais consegui fazê-lo por ignorar o seu endereço (como ainda ignoro).

Catatau é um desenvolvimento do conto que v. mandou para o I Concurso de Contos do Paraná em 1968 com o título de *Descartes com lentes*. Conservei o original (no caso, a cópia), comigo durante anos e deve estar ainda entre meus papéis, porque desejava identificar o autor.

Votei nele para inclusão entre os 5 premiados, e tentei até o último instante que o fosse. Infelizmente a comissão ficou restrita a 4 nomes, porque Leo Gilson Ribeiro estava internado. E no dia da entrega do prêmio, chega um telegrama do Leo votando em *Descartes* para o 1º lugar. Mas tudo errado: o número estava certo, mas ele indicara o pseudônimo "Kurt" (havia um Kurt, muito ruim) e não "Kung" (não era esse ?).

Não indicou o título de nenhum conto, o que teria resolvido. Só eu tinha certeza de que era o Kung.

Tentei falar pelo telefone com o Leo no hospital, mas foi impossível.

Premiar o "Kurt", nem pensar. Entrou um que, a meu ver, destoava dos outros quatro, que o tempo confirmou. Se tivessem entrado v. e seus contos, o livro teria uma unidade de nível que o tornaria memorável. Talvez não existisse o *Catatau*, ou existiria de outra forma, porque afinal é um volume de respeito.

Mas era um espinho que estava em minha garganta, e eu gostaria de tirá--lo. O prêmio, é claro, não fez falta a v., que nestes vinte anos se afirmou literariamente. Mas o fato é que era seu.

Aceite o meu melhor abraço.

Fausto Cunha

UM CATATAU. FELIZMENTE.

Leo Gilson Ribeiro

Catatau é um livro divisor de águas, aparentado ao avesso com a criação de Guimarães Rosa pela detonação atômica da linguagem e pelas toneladas de erudição explosiva que traz a uma cultura raquítica, feita de livros "nhemnhemnhem" na sua esmagadora maioria.

Catatau não fornece pistas nem mapas, entrega o leitor à selva das palavras, dos conceitos, da mistura admirável de idiomas, das ironias sutis como um cristal límpido. *Catatau* está aparentado também com as mais abissais renovações no terreno da linguística que textos literários de Pound, de Joyce, de Beckett, de Guimarães Rosa, de Hilda Hilst já trouxeram para o magro almoxarifado onde acumulam pó os conceitos, preconceitos e fórmulas literárias, arrumadinhos como receitas de bolo.

Sem compromissos quaisquer, nem com ganhar a vida, Paulo Leminski, ex-seminarista, desvenda para o leitor que se dispuser a interpretar sua subversão mágica do mundo, do mundo refletido na lagoa das palavras moventes, estruturas coruscantes de reflexões sardônicas, de pensamentos inéditos, de graça, de leveza, de um sentido lúdico de armar jogos admiráveis nessa literatura aberta que ele compartilha com o leitor.

Irreverente, espirituoso, Paulo Leminski não tem receio de condenar as duas imbecilidades: de um lado a do grande público burguês-conformista, que só quer literatura do tipo bem comportada, bem pré-digerida; de outro, a dos críticos marxistas, que ele chama de "esquerdo-frênicos", afirmando que "no sentido original do termo, a vanguarda, antes de ser estética, já é política". Posição que deve desagradar profundamente aos stalinistas que lamentam que o gênio místico de Dostoievsky seja um sintoma burguês-decadente... da epilepsia de que sofria o maravilhoso autor de *Crime e Castigo*. Como no *Macunaíma* de Mário de Andrade, entrelaçam-se falas do tupi-guarani, lendas, imagens da selva tropical. Como em *Grande Sertão: Veredas* entremeia-se o linguajar caipira com citações em latim, retiradas dos Evangelhos, ou palavras do francês, frases inteiras em holandês, neologismos saborosos como frutos tropicais que esperam para dar o bote em cada página.

Não há o que contar. Tudo acontece no nível da linguagem, e *Catatau*, é fácil prever, será um material riquíssimo para os estudiosos da linguística da semiologia, da semântica, da filosofia veiculada pelo texto escrito. Desde *Esperando Godot*, sinceramente, não se via uma espera tão extasiante e tão autojustificada por si mesma.

Mas se Paulo Leminski realmente baliza um veículo quase totalmente inédito na literatura brasileira, essa baliza nada tem de estacionária. Seu livro é um perigoso desafio para a inteligência, a argúcia, a decifração intelectual e intuitiva, a simbiose afetiva e mental com o texto.

Décadas se passarão até que o Brasil reconheça neste esplêndido, profundo, perene *Catatau* uma de suas imagens tão radicais e tão perfeitas quanto as transmitidas por *Os Sertões*, *Grande Sertão: Veredas*, *Flux floema*, *Serafim Ponte Grande* e pouquíssimos outros trechos de prosa poética e revolucionária criatividade, equivalentes, em suas devidas proporções, à fundamental tomada de posição de um Joyce, de uma Virginia Woolf, de um Raymond Queneau, de um Céline, a uma forma de ser e de dizer já pretéritas e que só se enfrentam com o "Não" rebelde de uma forma nova, insólita, ousada de dizer esse ser.

Catatau já é uma das obras-primas da língua portuguesa, é uma espécie de Pedra de Roseta à espera de pacientes Champollions. Estudá-lo é uma delícia que compensa. Por ele não se decifra a antiga civilização egípcia mas o próprio Brasil e suas estruturas híbridas, perpetuamente em repouso, venham quaisquer colonizadores que vierem, outras ramificações da sua forma nacional de ser em perpétua mutação heraclitiana.

Ler *Catatau* é para os — como dizer — esforçados, diligentes, libertos de vícios de postura diante da literatura mastigada e que não faz mal ao leitor. É o livro do ano e é, em todas acepções do termo, um *catatau*: coisa volumosa, zoada ou falatório.

Mas sobretudo é, no primeiro significado de *catatau*, uma pancada violenta. Neste caso, em toda a antiliteratura postiça, natipodre, que se cultiva no Brasil, por isso é um antibiótico potentíssimo contra o bem-dizer, o bem-pensar, o bem-escrever. É um dos capítulos do Novo Evangelho, do Novo Testamento que a literatura brasileira vem penosamente, afanosamente, pacientemente, coligindo desde Gregório de Matos Guerra. E Paulo Leminski é um de seus supremos profetas, o que traz um Eclesiastes para a literatura morta e uma afirmação cabal para tudo que nunca foi dito e que aqui é expresso de forma indelével, de difícil decifração mas, uma vez captado, alquímico , mágico, capaz de transformar o dizer em algo transcendente e duradouro, que vinca a sensibilidade do leitor e finca uma forma admirável, plural, de escrita nestes trópicos, agora mais desvendados em sua riqueza fabulosa, codificada nesta, para usar uma redundância, fabulação espantosa.

Jornal da Tarde, São Paulo, 3/4/76.

CATATAU: CARTESANATO

Antonio Risério

Paulo Leminski, poeta-inventor, esteve ligado ao movimento de poesia concreta, grupo *noigandres* tendo publicado textos na revista *Invenção*. Daí pra cá, passou oito anos trabalhando no seu livro *Catatau,* duzentas páginas de texto corrido, fole e fôlego, sem parágrafos ou capítulos. Enfim, livro editado, e nenhuma resposta inteligente da crítica, que eu tenha notícia. Mas, antes de falar do *Catatau*, quero dizer que o texto foi realmente escrito por Leminski. E digo isso porque a desatenção da crítica brasileira, nesses últimos tempos, tem roçado o escândalo. Me lembro que, quando Caetano Veloso lançou seu disco *Araçá Azul*, um mestre universitário fez um artigo, estampado no *Suplemento Literário de Minas Gerais*, analisando o estilo do compositor. Só que, entre as letras estudadas, algumas pertenciam a Torquato Neto. E as brilhantes conclusões do professor giraram a vácuo. Mais recentemente, uma antologia de poetas novos, organizada pela professora Heloísa Buarque de Holanda, tinha, como título, *26 Poetas*. Lendo o livro no entanto, encontramos 27 autores. Sim, um texto de Rogério Duarte, publicado na revista *Navilouca*, foi atribuído, mais uma vez, a Torquato Neto. Assim, garanto que o *Catatau* não foi escrito por Torquato, mas por Leminski. Mais uma observação: diante de textos como o *Catatau*, as *Galáxias* (Haroldo de Campos), ou *Phaneron* (Décio Pignatari), é bom lembrar que, em seus primórdios, o concretismo evitou o texto longo como o diabo a cruz. O "retorno" a que estamos assistindo deve estar causando câimbra cerebral em vanguardistas fanáticos que cristalizam recursos táticos em enunciados dogmáticos. Mas vamos ao livro de Leminski.

1. Como numa *Ficción* Borgiana...

Há algo de Borges no *Catatau*. E a melhor maneira de mostrar esta presença é fazer uma excursão borgiana. Vejamos. Em *O Engajamento Racionalista*, Gaston Bachelard conta a estranhíssima história de um livro que encontrou na Biblioteca de Deijon, na parte referente aos trabalhos científicos dos séculos XVII e XVIII. O livro foi editado em Paris, 1667, e seu título completo é: *Os Verdadeiros Conhecimentos das Influências Celestes e Sublunares. Com a Resposta a Formosas Perguntas tanto Astrológicas como Astronômicas. Segue a demonstração da virtude dos Astros e dos Planetas, do signo das doze Casas. Tudo posto em ordem e em III partes, que contém IX Capítulos, com Figuras.* O nome do autor é — pasmem — R. Decartes (sem o s). Mas a ficha antiga do livro havia sido corrigida, mais recentemente de R. Decartes para R. Descartes. Assim: um livro raro, um senhor chamado Descartes, autor, ainda, de um certo *Tratado sobre a Quantidade*, que Bachelard não localizou.

Diz Bachelard: "Se o tomo do livro, mal composto e cheio de repetições, não fosse suficiente desde o primeiro momento para provar que o livro não poderia ser atribuído a Descartes, durante a leitura se encontram provas numerosas e decisivas. Tampouco se deve pensar que estamos diante do caso de um autor que escreve ao abrigo de um nome célebre para *lançar* sua obra. Com efeito, o autor não faz nada para enganar seu leitor. Fala de um enfermo que ainda vive em 1659, ou seja, nove anos depois da morte de Descartes. Relata uma aventura ocorrida em 1654, um sonho de 1657. Cita o horóscopo de Gassendi, feito por Jean-Baptiste Morin, que anunciava a morte do filósofo para 1650, enquanto que Gassendi — nos diz nosso autor — viveu seis anos mais. Na última página se refere a um livro impresso em 1652. Já se vê, não resta nenhuma dúvida. Não se trata senão de um homônimo, uma homonimia tranquila que não parece pesada de carregar. Nem uma vez ao longo deste livro muito denso, e que se refere aos problemas mais diversos, se cita o nome do grande Descartes: não se invoca nenhum dos ensinamentos cartesianos. Descartes ignora Descartes".

A citação é longa, mas necessária. O *Catatau* gira em torno da figura de Descartes, numa situação imaginária, anos da dominação holandesa, Brasil. Como numa *ficción* de Borges, duplos de Descartes. Do patafísico R. Descartes àquele Renatus Cartesius, plantado por Leminski abaixo da linha do equador. E como, no *Catatau*, também há esses momentos de estranhamento, quando Descartes ignora Descartes ("sei mais de mim que de outros mas tem muitos outros em mim, que eu não sei"), entramos num mundo labiríntico, de imprevistos reflexos e reverberações.

2. Europa nos Trópicos

A anedota do *Catatau* é bastante simples. Leminski fez de conta que o filósofo René Descartes, sob o nome alatinado de Renatus Cartesius, veio ao Brasil em companhia de Maurício de Nassau. A ideia não é tão desarvorada quanto parece. Nassau viveu num período que pode ser considerado a idade de ouro da Holanda. Um país rico, capitalista, vivendo em regime democrático, para onde seguiam filósofos, artistas e pensadores de toda a Europa. Entre eles, Descartes, que lá viveu vinte anos, e onde recebeu instrução militar. Nessa época, deu-se a expansão holandesa, em tentativas de estabelecer colônias no Novo Mundo. Já em 1624, os holandeses tentavam ocupar a Bahia, sendo derrotados pela resistência local, que funcionava à base da guerra de guerrilhas. Seis anos mais tarde, Pernambuco caía nas mãos dos invasores. Conta-se que, em Olinda, pouco antes da invasão, Frei Antonio Rosado, num estilo que ecoa no *Catatau*, profetizou: "De Olinda a Olanda não há mais que a mudança de um *i* em *a*, e esta vila de Olinda se há de mudar em Olanda e há-de ser abrasada pelos olandeses antes de muitos dias; porque pois falta a justiça da terra há-de acudir a do céu." E Nassau governou do Maranhão até Sergipe.

A Recife holandesa foi a primeira cidade do país a ter realmente uma vida urbana. Aliás, o período da dominação holandesa se caracteriza especialmente pelo espírito empresarial e pelo progresso urbano. A população de Recife era variada e cosmopolita. Em 1640, reuniu-se aí o primeiro Parlamento de que se tem notícia no continente. E Nassau trouxe, em sua companhia, artistas como Franz Post e Eckhout, inícios da pintura no país, e sábios como o naturalista Marcgravf, perito em astronomia, o primeiro a estudar um eclipse solar na América.

Numa ilha alagada (Antonio Vaz), sofrendo, como a Holanda, inundações na maré alta, Nassau construiu o palácio de Vrijburg. Havia aí um imenso horto tropical, de árvores frutíferas, plantas ornamentais, medicinais etc. e um zoológico com araras, tucanos, tamanduás e outros espécimes da fauna dos trópicos. Nomeio do parque, o palácio do príncipe, decorado com objetos indígenas e telas da dupla Post-Eckhout. Exatamente em Vrijburg, "oca de feras e casa de flores", se passa o *Catatau*. E o que fez Leminski pode ser assim resumido: ao projeto-Nassau (reproduzir a Holanda nos trópicos), Leminski superpôs o imaginário projeto — Descartes transplantar, para o Brasil, a lógica europeia.

3. Localizando Descartes

À maneira de Newton, Cartésio (Descartes) está sentado sob uma árvore em Vrijburg. Mas o que cai em sua cabeça não é a lendária maçã, e sim o coco de bicho-preguiça. A árvore é o posto de onde o filósofo observa a natureza tropical, fumando uma erva misteriosa (fuxopumo para viver), que lhe foi ministrada pelo enigmático Artyczewski, e contemplando a paisagem a lentes de luneta. Os "instrumentos" do filósofo parecem ter um significado bastante claro. A erva nativa que traga fala de um contato com o novo país. A luneta é seu oposto: "quantos vidros e lentes vai querer entre si e os seres?" Diante da nova realidade brasileira, Descartes, um dos pais da ótica, tenta racionalizar o que vê: "Medito uma medida para as mudanças deste mundo, onças, pares, palmos e quintais, a entrarem por um vidro saindo pelo outro." Mas o Brasil seiscentista baratina o filósofo: "E os aparelhos óticos, aparatos para meus disparates?" Desse modo, ao passo que o fumo é o signo de uma aproximação, a luneta, instrumento europeu, deixa-se ler como sinal de um distanciamento. Aqui, há, ainda, uma reflexão sobre o olhar. Ao filósofo interessa mais o "objeto-em-geral" que os seres individuais. Assim, Cartésio opõe a perfeição das figuras geométricas à imperfeição dos animais, "vítimas das formas em que se manifestam". Como se, por sonhar um mundo sem equívocos, Descartes temesse o visível. "Ver é uma fábula — é para não ver que estou vendo."

Sentado sob a árvore, Cartésio está à espera de Artyczewski, cujo nome é grafado de várias maneiras ao longo do livro. Essa figura realmente existiu. Trata-se do fidalgo polonês Kristof Arciszewski, general das tropas holandesas, que foi expulso da Polônia por suas ideias antijesuíticas. Arciszewski era um dos oficiais estrangeiros de Nassau, ao lado do alemão Von Schokopp. No livro, a relação Cartésio-Arciszewski comporta desde lances de vampirismo até um caráter nitidamente homossexual. "Uma arara habilita-se a todos os escândalos sem ser Artiszewski." E adiante: "Quando Artiszewski disse: dona Varsóvia, faça o favor — e a farsa fez-se de não vir tão óbvia, tal humor me subiu às abecedeiras, tive uma coisa: me despi de rebuços, me despejei de bruços me dispus a abusos..." Mas mais claro é quando o amor homossexual é apresentado na materialidade do texto, em cópula de palavras: "Renatus Cartesius, ah, Articzewski, Cartesiewski, esperado e coberto." Além ou mais que isso, Artyczewski serve de ponte entre o pensamento europeu e o novo mundo. Descartes o espera para esclarecer dúvidas que atormentam.

4. O Projeto-Descartes

As páginas iniciais do *Catatau*, um bestiário, falam o europeu maravilhado com a fauna e a flora tropicais. "Bestas geradas no mais aceso do fogo do dia... Comer esses animais há de perturbar singularmente as coisas do pensar. Palmilho o dia entre essas bestas estranhas, meus sonhos se populam da estranha fauna e flora: o estalo das coisas, o estalido dos bichos, o estar interessante: a flora fagulha e a fauna floresce..." O pasmo de Descartes lembra Darwin, deslumbrado, de passagem pela Bahia, à bordo do navio inglês *Beagle*. Dessa viagem de Darwin, cinco anos coletando espécimes de animais e vegetais nas costas da América do Sul e das ilhas do Pacífico, nasceu o livro *Viagem de um Naturalista ao redor do Mundo*. Em suas anotações baianas, lemos: "delícia é termo insuficiente para exprimir as emoções sentidas por um naturalista no seio de uma floresta brasileira." A novidade dos parasitas, a beleza das flores, o verde das ramagens, o zumbido dos insetos, o silêncio no recesso das matas "foram para mim motivos de contemplação maravilhosa", diz o cientista. E mais: "Para o amante da história natural, um dia como este traz consigo uma sensação de que jamais se poderá, outra vez, experimentar tão grande prazer". Para Cartesius, todavia, este *funnaminal world*, como diria Joyce, tem outro sentido.

O problema, agora, é pensar o Brasil. Descartes é o filósofo das ideias claras, do pensamento sistemático. E a sua lógica cristalina é submetida à pressão dos trópicos. Aqui, a clareza discursiva se emaranha. O Brasil, "país cheio de brilho e os bichos dentro do brilho", é o fenômeno novo e exuberante que desafia o racionalismo cartesiano. Mesmo o *cogito ergo sum* não resiste à temperatura do novo ambiente. Descartes, "exímio dos mais hábeis nos manejos de ausências", fraqueja. E a exigência de ideias claras e distintas acaba tornando-se incômoda e até dolorosa. Os esquemas "clássicos" são camisas de força estourando. Em suma, vemos a lâmina da lógica europeia irresistindo ao calor dos trópicos. Fracassou, por motivos vários, a colonização holandesa, o projeto-Nassau. Leminski dá conta de um outro fracasso: pensar o Brasil em pensamento europeu. Mas não fica aí. Uma miragem povoa a cabeça do filósofo, dizendo dos frutos desse choque "cartesiano-tropical", como diria o próprio Leminski. Brasília, "alegria dos mapas", é um bálsamo para os olhos de Cartésio. E a própria poesia concreta, de onde vem Leminski, está de certa forma ligada a esse atrito.

5. Linguagem

O *Catatau* não é romance nem ensaio. Texto conceitual e poético, além ou aquém de gêneros. Rede de signos: "O verbo acende um fogo, o sujeito vem se aquecer..." Rarefação do enredo. A fabulação é reduzida ao extremo "faço tabula de fábula rasa". E se há alguma causalidade ela é de ordem puramente sígnica e conceitual.

Leminski, como Oswald, reconhece a riqueza dos bailes e das frases feitas, explorando e manipulando frases prontas do repertório coloquial, torcendo expressões codificadas, etiquetas linguísticas etc. (p. ex.: bico sem saída, de trás para radiante, enxame de consciência etc.). Humor trocadilhesco (toda pérola tem seu dia de ostracismo/ o sistema está nervoso). Gosto por inversões silábicas e fonéticas de efeitos surpreendentes (dansálias, nadarilho); por fissuras verbais (tal, quem sabe, vez? / cada um mais vérico que o que o precede); por construções temáticas (convice-versa, contagotagiosas); por aliterações e paronomásias (flama flamenga em fala mulherenga / meias colcheias e colmeias cheias); por pseudoditados (a pressa é a mãe do precipício); por uma curiosa mistura de arcaísmos e gírias modernas (dia não dou nem dois pra ele deixar de onda e mudar de ideia); por citações e alusões a outros textos, como esta a Marx: "Pacômio busca abrigo num arquipélago de caveiras de porco. E radical come as raízes das coisas." Leminski faz, ainda, largo uso da palavra-montagem joyciana: nenhum-gatu, anarcoíris, desafiatlux, vampirilâmpagos, amordacéus, alucilâmina, pesadélago etc. E lança-se a incursões metalinguísticas. "Eu comento hipóteses. Trabalho com hipóteses. Fabrico hipóteses. Façamos uma hipótese, por exemplo, este livro." E adiante: "Livro, já estiveste dentro de um sonho e te fiz despertar porque o sol é melhor que o sonho".

De outra parte, Leminski conduz o texto a uma aventura extraverbal. Aqui, concentra-se no "ver" que há em ver-bal, partindo para uma *iconização* (no sentido de Peirce) da escrita. Veja-se este trecho: "Formigas. Lente. FORMIGAS FORMIGAS". Com a entrada das lentes, as formigas aumentam... e isto é visível efetivamente. Adiante, o verbal admite o concurso de elementos sonoro-visuais, em outro momento de semiotização do texto, quando Leminski escreve *repepetitivo* ou *iguauaual*. Há outros momentos em que a fala de Cartésio desliza na pura sonoridade das palavras, música verbal, melopeia: "Spix, cabeça de selva, onde uma aiurupara está pousada em cada embuayembo, uma aiurucuruca, um aiurucarau, uma aiurucatinga, um tuim, uma tuipara, uma tuitirica, uma arara, uma araracá, uma araracã, uma araracanga, uma araraúna, em cada galho do catálogo de caapomonga, caetimay, taioia, ibariraba, ibiraobi."

Enfim, riqueza sonora e semântica, invenções léxicas, minúcia artes artesanal num texto de textura paranomástica. Lembro-me do que Harry Levin disse do estilo de Joyce: luxuriante profusão de linguagem. A frase se aplica às maravilhas ao *Catatau*. Aqui, o estilo exuberante, caudaloso, é uma aparição, em nível de matéria textual, daquela exuberância tropical que fascina e apavora Cartésio.

6. MAPEAR O CATATAU

Vamos, uma vez mais, a Joyce. A estrutura de *Ulysses* é altamente complexa. Joyce, como disse Pound, tomou o andaime emprestado a Homero. Só que aí passou sete anos tecendo um labirinto de conexões rigorosamente planejadas. Resultado: uma indescritível profusão barroca de detalhes, intrincado mosaico cujo acesso se abre a um leitor ideal com uma insônia ideal. No cruzar e entrecruzar de citações mítico-místicas, históricas e literárias, Stuart Gilbert chegou mesmo a descobrir que Joyce andou dispersando fragmentos de temas ao longo do livro, de modo que o leitor, compulsoriamente metamorfoseado em Isis, devesse reuni-los, sob pena de não lograr completo entendimento do texto. E se *Ulysses* é um livro dificílimo, que falar do *Finnegans Wake?* Como bom joyciano, Leminski elaborou um texto que bem merece uma *skeleton key'* em escala reduzida. Está claro que não encontramos no *Catatau* as barreiras eruditas que tornam quase impenetráveis os textos joycianos, exigindo verdadeiras provas de atletismo intelectual. E, de resto, não haveria muito sentido em tal empresa, tantos anos depois.

Mas mapear o *Catatau* é tarefa para mais tempo e atenção. De qualquer forma, como anotações, podemos falar de seus temas recorrentes, temas secundários que se repetem ao longo do texto. Por exemplo: volta e meia, topamos com Zenão, o eleata, discípulo de Parmênides, e, segundo Hegel, "o iniciador da dialética". Leminski faz uso dos famosos "argumentos" de Zenão. Lá está o paradoxo de Aquiles e da Tartaruga ("a tartaruga guarda de memória o segredo da velocidade", Leminski). Ainda Leminski: "a gargalhada de Zenão chega no alvo antes da flecha!". Aqui, mais um argumento, "a flecha em voo repousa", disse Zenão, acenando com a relatividade do movimento. O desfecho, no *Catatau*, é surpreendente: "A flecha já está aqui, abriram o ovo: Zenão suicidou-se com a flecha antes que alguma tartaruga aventureira dela lançasse mão."

Daqui, os "temas" se interpenetram e se desdobram segundo um método que, em psicanálise, é chamado de "condensação". Opera-se por aglutinações, a partir do que aproxima diversos elementos, ou seja, à base de similaridades. Assim, a flecha de Zenão desdobra-se na flecha que atingiu o calcanhar-de--aquiles ("que flecha é aquela no calcanhar daquilo?", pergunta Leminski) e nas flechas persas que cobriram o sol dos gregos. "Flechas persas, intermediárias entre os gregos e o sol: incendiárias." E ainda: "Tire a flecha e o alvo, fica o quê? Um persa pensando." Só adiante vamos encontrar uma pista(?), situando as alusões ao "Impropério persa", quando Leminski reclama a ausência de um relato persa das guerras médicas. Outro "tema": Occam, o monge herético, inimigo da ortodoxia papal. Occam aparece no texto em linguagem retorcida e arrevesada, cheia de montagens verbais, bi ou polilíngue, "língua estilingue", a meio caminho entre o estilo joyciano e o esperanto de Zamenhof.

7. PLANO GERAL

Para encerrar, digamos que o *Catatau* ocupa um lugar raro na prosa literária brasileira. O que pintou depois das aventuras textuais de Guimarães Rosa? Quase nada. Uma exceção, sem dúvida é o livro-viagem *Galáxias*, de Haroldo de Campos. Por tudo isso, o *Catatau* é uma surpresa e uma alegria. Não só em termos brasileiros. O livro de Leminski deve, sem esforço, ser colocado ao lado do que há de melhor na produção literária do continente. Ao lado de Cortázar, do melhor Cortázar, aquele da *Prosa del Observatorio*, e do cubano Cabrera Infante, por exemplo.

Revista *José*, Rio de Janeiro, nov./dez., 1976.

A LITERATURA DESTRONADA
(a literatura reconstruída)

Ivan da Costa

Catatau é um texto comprido e grosso. É a retomada da linha evolutiva da poesia concreta. É vanguarda. É um porre verbal. *Catatau* é linguagem universal, clássica. Mas é, também, linguagem popular, vulgar, gíria, neologismo. E novo-no-velho. Nem prosa, nem poesia. É texto. É quase um romance, mas não é. Quase um enredo. Quase um monólogo. E cartesanato. E René Descartes (1596-1650) nos trópicos, na América do Sul, do Sal, do Sol.

Descartes significa pensar direito, correto, a fina flor do mundo culto ocidental. Descartes poderia ter vindo ao Brasil, durante a colonização holandesa. Paulo Leminski o pôs em Recife, exatamente no zoológico ali criado pelos holandeses. Como se comportaria o pai da filosofia moderna no pá-tro-pi?

Catatau trata da experiência de Descartes no Brasil, mas não é um relato. É criação verbal, composição, arte, poesia. Não é um texto discursivo — embora recorra à prosa discursiva. Esse livro é um "panorama de todas as flores da fala" — *panorama of all flores of speech* — como escreveu James Joyce no *Finnegans Wake*.

Mas, aqui, no Brasil, evidentemente, Descartes funde a cuca. Ele não consegue dar conta da nova realidade que o cerca. Além de volume grosso, coisa difícil de se entender, *Catatau* significa uma queda. Descartes — "sob o galho onde o bicho preguiça está" — vê índios (tupinambouls), a baía de Recife. Contempla e raciocina sobre a nova realidade. *Catatau* é a deglutição antropofágica da cultura europeia em um novo produto made in Brasil. É texto para exportação. Novo no sentido poundiano. Particularmente no sentido de Maiakowski, que disse: "Não há arte revolucionária sem forma revolucionária".

Catatau é alta informação. É cata ao Tao (Caminho). É pedra, é o fim. É, talvez, a maior obra de criação textual depois de Guimarães Rosa. Por sinal, é grande sertão e veredas. É tecnologia nacional. Uma babel de códigos. Uma obra de pensamento alto, também. Nova lógica. Nova linguagem. Uma viagem, uma aventura monstruosa. É texto levado às últimas consequências: do máximo de banalidade (redundância), que se revelam nas primeiras páginas do livro, até o máximo de informação. E um exemplo disso são as palavras-novas, não codificadas em dicionário, inventadas por Paulo Leminski. Eis algumas delas: repepetição, abra-quadrada, babelprazer, lampercebejo, contemporâncias, condecorâncias, o real não realgiu, monstruário, insatisfalatório, palhácio, metempsicoisas, luscofluxos, tristemunha, desmanchafazeres.

Descartes espera por Arciszewski, oficial de Visconde de Nassau, para que o tire da "via das dúvidas". O resultado é uma explosão sonoro-visual. Particularmente a difícil e subestimada arte do trocadilho é explorada a fundo.

Catatau é, portanto, delírio. Porém com rigor. Se um escritor vale pela criação de informação textual nova, Leminski será um gênio. Mas num país como esse, no qual abundam banalidades, não terá preço o esforço de oito anos que Paulo gastou para produzi-lo.

Catatau é a demonstração óbvia e inequívoca de como é falso e reacionário o argumento de que a vanguarda empobrece a criação. Eis aí a prova viva do que é fazer literatura hoje em dia, num mundo de códigos múltiplos, em que abundam os meios de comunicação e informação. Não tenho dúvidas de que Paulo retoma a linha evolutiva da literatura brasileira em matéria de texto grande, depois de Guimarães Rosa e Haroldo de Campos (com seu *Galáxias*), e, por que não, Oswald de Andrade.

A função máxima do escritor não é contar boas histórias discursivas ou então buscar nuanças simbólicas no jogo poético das palavras. O experimento com a linguagem — quando autenticamente feito — amplia a visão real que o leitor tem do mundo, lhe dá repertórios. O experimento cria novos instrumentos (tecnologia) de percepções. Isso me faz lembrar os porta-vozes da literatura nacional que sentem ojeriza pela vanguarda. A eles lembro que o Belo só pode ser visto na coisa conhecida. (Não é por acaso que as multinacionais investem mais nos seus departamentos de pesquisa).

A experiência, a investigação ajudam a restabelecer a verdade onde ela não existe. O desafio que a vanguarda autêntica coloca a cada um de nós é: como-saber-apreciar-um-produto-novo?

Paulo Leminski quer destronar a literatura. Mas de modo implacavelmente construtivo.

O Globo, Rio de Janeiro, 10/9/78.

UMA LEMINSKÍADA BARROCODÉLICA

Haroldo de Campos

*Paulo Leminski, o poeta curitibano morto recentemente, escreveu um livro muito citado e pouco lido, o "Catatau", onde ele conta a história de uma fictícia viagem de Descartes ao Brasil do século 18 e das Invasões Holandesas; neste ensaio, Haroldo de Campos analisa o livro de Leminski, comparando-o com a obra de João Ubaldo ***

O *Catatau*, de Paulo Leminski, está sendo relançado. Publicado em 1975, em Curitiba, por uma pequena editora, teve, por assim dizer, um êxito de câmera. O que se costuma chamar "sucesso de estima", junto a um pequeno circulo de aficcionados. A seu redor criou-se, como seria de esperar, a legenda negra da ilegibilidade. Para isso contribuiu o próprio autor, que, numa advertência inicial, proclamava: "Me nego a ministrar clareiras para a inteligência deste catatau que, por oito anos, agora, passou muito bem sem mapas. Virem-se". E houve quem se virasse, como prova a pequena mas expressiva "Fortuna crítica" que acompanha esta reedição, na qual se destaca, pelo detalhe analítico, o ensaio "Catatau: Cartesanato", de Antonio Risério. Mas o próprio Leminski, antes de ser fulminado pela cirrose prometéica que o roubou de nosso convívio, teve tempo de reconsiderar sua primeira atitude de desafio ao leitor. Preparou para a nova edição uma introdução ao livro, sob o título "Descordenadas artesianas", na qual abre o jogo e conta um pouco da história de sua história. "Por fim a cobra morde o próprio rabo", diz ele. E passa a referir que a "intuição básica" do *Catatau* lhe viera em 1966, enquanto ministrava uma aula sobre os Holandeses no Brasil, o estabelecimento de Maurício de Nassau em Pernambuco, apoiado em forte aparato naval e militar. Discorria sobre a urbanização do Recife; a Mauritzstad ("cidade de Maurício") na ilha de Antônio Vaz; o palácio de Vrijbrug, onde o príncipe invasor instalara sua corte ilustrada de artistas e sábios. Nesse cenário real, irrompe a ficção. Ocorreu-lhe uma hipótese (falsa, mas verossímil): que aconteceria se René Descartes, que servira a Nassau na Holanda, o filósofo Cartesius do "Discurso sobre o Método", o físico empenhado em dar uma explicação mecanicista, una e sistemática, ao Universo, tivesse acompanhado o conquistador em sua empreitada nos trópicos? "Hypotheses non fingo" ("Não elaboro hipóteses"), exclamou Newton, numa célebre refutação a Descartes, a quem não repugnava o raciocínio hipotético, desde que as deduções nele fundadas fossem convalidadas pela experiência. Leminski não concorda com Newton e vai elaborando sua hipótese ficcional elaborando nela através das duzentas e tantas páginas do "Catatau", confiado não tanto na experiência quanto no verbo... E eis Cartésio na Mauriciolândia, no parque do paço de Vrijburg, sob uma árvore folhuda, ele, o experto em Dioptria (refração da luz), com suas lentes e lunetas, observando a paisagem, as naus no porto e os bichos no zôo ou á solta. Ei-lo fumando marijuana ("tabaqueação de toupinambaoults") e fundindo a cuca na desmesura não geometrizável das formas vegetais e animais, quando uma preguiça lhe alveja o cocuruto com um disparo fecal, como fez o urubu como Macunaíma. "Ora, senhora preguiça, vai cagar na catapulta de Paris!", reclama o filósofo, embarcando, a gosto ou a contragosto, no seu sonho psicodélico. Melhor dizendo, barrocodélico, pois de um cometimento neobarroco, de um ensaio de liquefação do método e de proliferação das formas em enormidades de palavra, é que se trata.

A LENGALENGAGEM DO DELÍRIO

"Catatau", segundo o Caldas Aulete e o Aurélio, significa: "Discurso enfadonho e prolongado; discurseira, béstia." É sinônimo de "pancada" ou de "calhamaço". Reconcilia as noções contraditórias de "sujeito de pequena estatura" e "coisa grande e volumosa". Também quer dizer "catana" (espada curva), uma palavra que os portugueses importaram do Oriente (do japonês "Kataná"). "Ir num catatau" é o mesmo que "falar sozinho", como "meter a catana" equivale a "dizer mal de outrem". Dessa polissemia está bem cônscio Leminski, que arrola várias dessas acepções em sua introdução. De todas elas parece ter tirado partido, literal ou metafórico, no que chama uma "ego-trip": sua delirante "lengalengagem". Pois tanto o narrador, Cartesius, o pensador puro exedido pelo absurdo tropical, como seu "alter ego", parceiro ambíguo e depositário da explicação do texto, o artimanhoso Artyschewsky (figura inspirada na de um herético fidalgo polonês, general a serviço de Nassau), ambos tem muito a ver com o próprio Leminski. são registros complementares de sua voz escritural. "O *Catatau* — argumenta Leminski — "é a história de uma espera. O personagem (Cartésio) espera um explicador (Artyschewsky). Espera redundância. O leitor espera uma explicação. Espera redundância, tal como o personagem (isomorfismo leitor/personagem). Mas só recebe informações novas. Tal como Cartésio."

O verdadeiro protagonista do texto, no entanto, é Occam (Ogum,Oxum, Egum, Ogan), uma espécie de monstro semiótico", inflado e voraz como Orca, a baleia assassina, e pouco disposto a submeter-se à disciplina metódica de seu homônimo. O monge-filósofo Guilherme de Occam (1280-1349), cuja navalha afiada se proponha rasourar toda e qualquer entidade inútil, hipoteticamente complexa e não avalizada pela experiência. Ao invés, é da paralógica, do paradoxo, das associações de som e sentido, das frases feitas e desfeitas, dos contágios pseudo-etimológicos, dos jogos polilingues, que se alimenta o Occam do *Catatau*. Um insaciável abantesma grafomaníaco, que reduz ao absurdo o discurso metódico no tacho fumegante do trópico.

Sérgio Buarque de Holanda, em *Raízes do Brasil*, refere uma curiosa explicação antropológica para o insucesso da poderosa empreitada holandesa em nossas terras. "Ao contrário do que sucedeu com os holandeses, o português entrou em contacto intimo e frequente com a população de cor. Mais do que nenhum outro povo da Europa, cedia com docilidade ao prestígio comunicativo dos costumes, da linguagem e das seitas dos indígenas e dos negros. Americanizava-se ou africanizava-se, conforme fosse preciso." E mestre Sérgio prossegue: "A própria língua portuguesa parece ter encontrado, em confronto com a holandesa, disposição particularmente simpática em muitos desses homens rudes. Aquela observação, formulada séculos depois por um Martius, de que, para nossos índios, os idiomas nórdicos apresentam dificuldades fonéticas praticamente insuperáveis, ao passo que o português, como o castelhano, lhes é muito mais acessível, puderam fazê-la bem cedo os invasores." Mestiçagem. Miscigenação de corpos e línguas. Eis o dispositivo que teria animado a "guerra de guerrilhas" contra a qual o exército orgulhoso e bem aparelhado da Nova Holanda acabou por deixar-se abater. Leminski tenta demonstrar isso na linguagem. Ou como ele mesmo resume: "O *Catatau* é o fracasso da lógica cartesiana branca no calor, o fracasso do leitor em entendê-lo, emblema do fracasso do projeto batavo, branco, no trópico."

UMA FEIRA LIVRE MACARRÔNICA

As influências nessa "Leminskíada", como eu aqui a batizo, são muitas. Algumas óbvias. Como Joyce. Mais que o do *Ulisses*, o do *Finnegans Wake*, ou *Finicius Revém*, já fragmentariamente abrasileirado por Augusto de Campos e por mim na antologia *Panaroma* (1962). Nada a estranhar, diga-se de passagem, nessa aclimatização do fineganês joyceano ao brasilírico português. Basta dizer que é o mesmo Sérgio Buarque, em *Visão do Paraíso*, que registra a presença das peregrinações de São Brandal e da paradisíaca ilha Brasil, High Brazil ou O'Brazil, em trechos da obra máxima do irlandês ecumênico. Evidente, também, é o contributo do *Grande Sertão* rosiano: modos de dizer, circunlóquios, cadências. Mas outros condimentos são igualmente importantes no sarapatel leminskiano. O sermonário barroco de um Vieira, por exemplo, cujo estilo engenhoso, a contrapelo do "bom senso" cartesiano, foi tão bem estudado por A. J. Saraiva ("No discurso engenhoso, as palavras não são representantes mas seres autônomos, que como matéria podem ser recortados para formar outros, e têm em si relações que lembram muito mais os elementos da composição musical...") O latim escolástico e latinório das tertúlias coimbrãs também não lhe são estranhos. Este último deu em nossa literatura as abstrusas composições burlescas da "Macarrônea Latino-Portuguesa", à imitação do beneditino Folengo. Sobretudo, porém, me parece presente, na prosa travada de armadilhas de Leminski, um livro inseminador, a *Feira dos Anexins*, do seiscentista d. Francisco Manoel de Melo. Essa obra, Alexandre Herculano reputava-a um verdadeiro manual para os escritores do "gênero cômico". Trata-se de um fascinante repertório de metáforas e locuções populares. Dividido em três seções, com subtítulos como "Em metáfora de cabelos", "de texta", "de olhos" etc., tem coisas desabusadas como esta: "Isso de olho trazeiro, não me cheira; porque os malvistos tem cinco olhos: e os que enxergam bem, como os olhos que tem na cara, terão três: mas ter no traseiro um olho, e outro no rosto, é ser Polifemo a torto e a direito." A função do provérbio, como o principal recurso de engendramento e articulação do livro, já foi aliás salientada por Régis Bonvincino ("Com quantos paus se faz um 'Catatau'", artigo de 1979).

Uma coisa, porém, é certa. Quaisquer que sejam as extravagâncias, anomalias ou disrupções do projeto leminskiano, trata-se, fundamentalmente de um projeto de prosa. Um projeto ambicioso, levado minuciosamente à consecução, no qual a poesia (para falar como Walter Benjamin) é apenas o método (não-cartesiano) da prosa. Uma prosa que pende mais para o significante do que para o significado, mas que regurgita de vontade fabuladora, de apetência épica, de estratagemas retóricos de dilação narrativa. A poesia, ao contrário, ainda quando se sirva da prosa como "excipiente", parece dar-se melhor com a imagem, com a visão, com o epifânico. É uma distinção tendêcial, ressalve-se, não categórica. As fronteiras são móveis, podendo tornar-se mais e mais rarefeitas.

O bardo Ubaldo e o rapsodo Leminski

Escrevendo sobre o *Catatau*, me veio à mente um paralelo que poderá parecer surpreendente para alguns, mas que, para mim, se impõe. Trata-se de *Viva o Povo Brasileiro* (1984), de João Ubaldo. Obras que não tem nada a ver uma com a outra e tem tudo. Não falo aqui de influências (nem caberia). Tudo as separa e tudo as aproxima. O compacto, complexo, às vezes tautológico livro-limite de Leminski e o desmedido, exorbitante, caudaloso romance-rio de Ubaldo. O sucesso de estima de um. O sucesso de público de outro. O significado, a mensagem prometida e sonegada pelo enigmático exegeta Artyschewsky, é a vocação latente de Paulo Leminski, ostensivo romancista do significante, da materialidade do signo. O significante, a elaboração verbal, o gozo da palavra, o "prazer do texto", eis, talvez a mais profunda pulsão escritural de João Ubaldo, fabulista do significado, atento, por um lado, à intriga, à função narratológica (da qual Jorge Amado, o contador de mil-e-uma histórias, é manipulador exímio); por outro, propenso a interrogar o "quem" da linguagem, como o Rosa da prosa ensinou. Veja-se, por exemplo, o esplêndido capítulo 14 da gesta ubáldica. Datado do "Acampamento de Tuiuti,

24 de maio de 1866", nele se relata o embate entre os soldados brasileiros e o exército paraguaio, narrado agora em termos de refrega homérica, com apurados giros estilísticos, substituindo-se os deuses do panteão grego pelas divindades do céu iorubá, com seus vistosos atributos e nomes sonoros. Mas, sobretudo, considere-se o começo cinematográfico de *Viva o Povo*, quando a "primeira encarnação" do Alferes José Francisco Brandão Galvão, em pé, na brisa da Ponta das Baleias, está prestes a receber contra o peito e a cabeça as bolinhas de pedra ou ferro disparadas pelas bombardetas da frota portuguesa, quase entrada na Baía de Todos os Santos. Coteje-se esse início com outro lance panorâmico, este racontado em primeira pessoa pelo Descartes tropicalista do *Catatau*: "Ergo sum, aliás, Ego sum Renatus Cartesius, cá perdido, aqui presente, neste labirinto de enganos deleitáveis, — vejo o mar, vejo a baía e vejo as naus. Vejo mais (...) Do parque do príncipe, a lentes de luneta, CONTEMPLO A CONSIDERAR O CAIS, O MAR, AS NUVENS, OS ENIGMAS E OS PRODÍGIOS DE BRASÍLIA." Destaque-se, agora, o final, soberbo, de "Viva o Povo". O alegórico "Poleiro das Almas", suspenso no espaço cósmico, "vibrando de tantas asas agitadas e tantos sonhos brandidos ao vento indiferente do Universo"; as "alminhas brasileirinhas, tão pequetitinhas que faziam pena", decididas a descer, lutar de novo, enquanto o sudeste bate, cai a chuva "em bagas grossas e ritmadas" e, como ninguém olha para cima, ninguém vê "o Espírito do Homem, erradio mas cheio de esperança, vagando sobre as águas sem luz da grande baía." Compare-se esse final com aquele outro, intensíssimo, do *Catatau* (onde ecoa o apelo extremo de Joyce ao leitor, no *Finnegans*: "...torturas tântalas, e há alguém que me entenda?"): "É esta terra: é um descuido, um acerca, um engano da natura, um desvario, um desvio que só não vendo. Doença do mundo. E a doença doendo, eu aqui com lentes, esperando e aspirando. Vai me ver com outros olhos ou com os olhos dos outros? AUMENTO o telescópio: na subida, lá vem. E como ARTYSCHEWSKY / Sãojoãobatavista / Vêm bêbado, Artyshewsky bêbado... Bêbado como polaco que é. Bêbado, quem me compreenderá?".

Não por acaso, nos dois livros, a antropofagia é tematizada como processo simbólico. Na irreverente devoração canibal, a História Brasílica (num caso), senão o próprio "logos" do Ocidente para aqui transplantado (no outro), são objeto de trituração. Digesto indigesto. Por um lado, o "caboco" Capiroba, guloso da carne macia e branquinha dos holandeses, criação rabelaisiana do bardo Ubaldo. Por outro, o monstro Occam, ogre filológico, mastigador de textos, papaletras e papa-línguas, fantamasgoria sígnica do rapsodo Leminski. Por cima das muitas diferenças de concepção e de fatura, esse vínculo vogaríamos é mais um elo emblemático que os liga.

Publicado originalmente no jornal *Folha de S. Paulo*,
caderno "Letras", p. G4, 2 set. 1989.

CATATAU:
UM GABINETE DE RARIDADES

Maurício Arruda Mendonça

Acredito que Leminski tinha uma certa urgência de que o projeto *Catatau* (Curitiba, Ed. do Autor, 1975) ganhasse os leitores. Para quem levara de 66 a 74 redigindo uma obra ambiciosa, havia o imperativo natural de comunicar e difundir imediatamente seu trabalho. Em decorrência disso, o poeta forneceu algumas informações que "pegaram" e ainda hoje permanecem como as únicas pistas de leitura e interpretação do romance-ideia *Catatau*.

De fato há pouca coisa sendo dita ou pensada a respeito do *Catatau*, apesar do romance ser considerado uma das mais ousadas experimentações narrativas das últimas duas décadas. Porém, após a publicação das cartas de Leminski a Régis Bonvicino, tornou-se possível arriscar uma leitura diferente do romance. Principalmente porque Leminski diz numa das cartas não crer "que o *Catatau* possa ser entendido ou explicado à luz do planopiloto", referindo--se ao paradigma teórico do Plano Piloto da Poesia Concreta — movimento ao qual a obra é costumeiramente associada.

Uma proposta diferente de leitura do *Catatau* deve levar em consideração não só os aspectos formais da obra — sua ligação com as contribuições da Semiótica, do Estruturalismo, ou mesmo da linguagem radical de James Joyce e Haroldo de Campos —, mas, também, levar em conta o *Catatau* "obradobra": uma intrincada tessitura de sentidos que entrelaça História, Filosofia, Ciência e Literatura, discutindo as imagens do pensamento dos séculos XIV, XV, e XVII de modo elegante e sofisticado.

ROMANCE-IDEIA

A ideia de René Descartes (1596-1650) visitando o Brasil como integrante da comitiva de sábios e artistas do Conde Maurício de Nassau é a hipótese apresentada por Leminski. Sentado debaixo de uma árvore do jardim botânico do palácio de Nassau em Recife, o filósofo tenta aplicar seu "Penso, logo existo" ao Brasil, tendo nas mãos uma luneta e um cachimbo com erva narcótica. Descartes vai se embriagando com a fauna e a flora *brasilis*. Tudo é *ex-oticum*: vem de fora, estranho, estrangeiro. Ele espera, impaciente, o estrategista do exército da Companhia das Índias Ocidentais, o polonês Artyczewski, a fim de que lhe explique *aquele* Brasil. O livro é esta longa espera, que se revelará frustrante para o filósofo: Artyczewski chega à última linha do romance totalmente bêbado e incapaz de explicar qualquer coisa logicamente.

A interpretação mais imediata do livro é que Leminski procura demonstrar como a "lógica" cartesiana falha ao tentar ser transplantado para os trópicos. Mas, pergunta-se, como se exterioriza esta lógica falhando? À primeira vista, pela desordem da linguagem, mas não é o bastante. Isto embasa apenas o virtuosismo semântico e sintático da obra, não a sua proposta epistemológica, digamos.

Melhor seria pensar que a linguagem de Descartes está gaguejando, tendendo ao absurdo pela incapacidade de conceituar uma nova realidade que o provoca. Não é Brasil *versus* Lógica, mas Percepção *versus* Conceito. Se Descartes enlouquece com a erva é porque ele se submete a um plano de imanência extremamente vasto e fluido, como a imensa terra de um *Mundus Novus*. A droga — entendida como uma inserção ritual e dionisíaca na realidade — faz com que se torne impossível a unificação de um "Eu", uma *concordia facultatum*, conveniente à observação científica: "...arranjem um outro eu mesmo que eu não dou mais para ser o próprio."

A RAZÃO DO IMAGINÁRIO

Num nível mais profundo, percebe-se que Leminski está ilustrando o processo de desrazão que atinge Descartes. Isto é, o seu personagem conceitual Renatus Cartesius, pai da Razão, do Bom Senso e das oposições entre Pensamento e Sentidos. Em decorrência disso, o poeta curitibano articula uma traiçoeira subversão do *cogito*: "Duvido se existo, quem sou eu se este tamanduá existe?"

Ora, Leminski sabe que o *cogito* é essencialmente um *dubito*. Pensar é a condição de existir. Não podemos duvidar que pensamos, pois duvidamos por que pensamos. Não existir é estar impossibilitado de pensar. Portanto, o personagem não existe perante a evidência de um animal incatalogável, já que, para René Descartes, pensar é desconfiar dos sentidos, é dividir, excluir, ordenar, selecionar. Enfim, espancar ceticamente com a Dúvida Metódica todo o emaranhado de semelhanças, de similitudes que embasavam o pensamento contemplativo de origem tomista, que ainda nutria — via Escolástica — as mentalidades do século XVI.

Não é por mero acaso que, especificamente no bestiário do romance (da página 1 à 23), aparece o imaginário do viajante francês André Thévet. O uso das figuras e descrições do tucano e do bicho preguiça, por exemplo, demonstram a falência do olhar contemplativo. Thévet não questiona as causas e a razão das diferenças dos seres exóticos do Brasil, ele crê que isso seja matéria da Divina Providência. A natureza então se manifesta na forma de seres e monstros fantásticos. O preguiça teria cara de criança e choraria como tal. Como vive muito tempo nas árvores, Thévet acredita que ele "vive de vento". Estas imagens declaram a impossibilidade de abarcar um animal desconhecido por um plano de referências e de tábuas ordenadoras de semelhanças. O viajante cria "analogias parciais que suprimem a integridade da coisa observada", como diz Ana Maria de Moraes Beluzzo.

Ora, ao fazer uso do imaginário dos viajantes anteriores à invasão holandesa para sondar a natureza brasileira, Cartesius parece delirar e vacilar como um louco, negando as realidades corpóreas experimentadas por seus sentidos. Mas a aparente contradição — um Descartes anacrônico que se vale das ideias do século XVI em pleno século XVII — possui uma explicação: é que o *Catatau* se dobra e desdobra temporalmente. Movimento que é radicalizado quando do irrompimento de um monstro escolástico do século XVI: William of Ockham ou Occam.

A VINGANÇA DE OCCAM

Mais do que monstro semiótico, ele é um personagem que não existe, uma entidade que se manifesta como desarranjador do texto. Neste aspecto, muitos têm apontado os surgimentos de Occam como instantes privilegiados da obra, nos quais Leminski cria trocadilhos joyceanos ou "palavras-valise" à Lewis Carroll. Insistimos novamente em que as implicações são um pouco mais profundas do que os efeitos de superfície da "cilada" *Catatau*.

O que Occam faz é questionar e cobrar essa contradição de Descartes, tanto no livro como na História da Filosofia. As navalhas de Occam são seus conceitos, seus "heréticos e pestilentos comentários" que foram detonados pela Inquisição. Um desses conceitos — que aparece clara e coerentemente no *Catatau* — é *haecceitas* ou Estidade (de "isto" ou "isso"), que ajudou Occam a declarar que os Universais de Tomás de Aquino são destituídos de realidade ontológica e que nada mais são do que nomes ou palavras. Assim Occam pode separar os domínios da Filosofia e do empirismo nascente dos domínios da Teologia — justamente o contrário do que fez Descartes ao guindar o pensamento e a razão novamente a Deus, retornando a certas concepções metafísicas de Aquino.

Por mais complexo que possa parecer, tudo isso repercute no pensamento e nos humores de Descartes. De uma forma simples, nós vemos o conceito de Estidade operando já na página 6, numa série de "issos": "Nunca viu isso aí e pensou que não era nada". Pois bem, "aí" é o nome indígena do bicho preguiça e também é advérbio que comunica a ideia de lugar, de espaço geométrico. "Isso" remete ao *hace* de Occam, a todos os seres individuais e particulares que existem na natureza e que podem ser manipulados pela experiência livre do homem, através dos sentidos. Aqui Occam se choca com Descartes, porque para o francês o pensamento é autônomo e não depende dos sentidos.

Portanto, Leminski instaura uma perturbadora locução histórico-filosófica, porque, em última análise, Cartesius afirma que este aí que se oferece à experiência dos sentidos seja nada. Assim, o fato de Occam contradizer e enlouquecer o texto e a fala de Descartes, é resultado de seu projeto estratégico de minar conceitualmente as regiões do *Catatau*. Já que o monstro Occam se manterá escondido entre a "Sala da Realidade" (p. 47) e o "Gabinete de Evidenciação" (p. 125), de onde sairá para que seus homens tomem posição definitivamente contra Cartesius na página 194.

Publicado no jornal *OccaM*, mai. 1996, p. 3

CATATAU NO AR

Paulo de Toledo

Com o período ditatorial iniciado com o golpe de 1964, inicia-se o que já se chamou de "modernização conservadora" e, com ela houve a consolidação da TV como forma quase hegemônica de difusão cultural no Brasil. (Renato Franco, em seu livro *I. P. do Romance Pós-64: A Festa*, no qual o *Catatau* não é sequer citado, comenta sobre essa hegemonia televisiva).

Para combater essa nova mídia, alguns (a maioria) escritores brasileiros apelaram para a prosa naturalista, influenciada pelo jornalismo (muitos escritores do período eram jornalistas) e outros, já na década de 70, utilizaram algumas técnicas de vanguarda do início do século, sendo que as principais dessas técnicas foram a montagem e a fragmentação (Franco, 1998). Essas técnicas foram influenciadas, por sua vez, pelo layout do jornal, que desde Mallarmé fascinava poetas e escritores.

A utilização dessas técnicas pelos escritores brasileiros em plena década de 70, mostra um certo "atraso de vanguarda", apesar de alguns desses escritores terem logrado algum êxito em seus livros.

Diferentemente desses escritores, que utilizaram a técnica da fragmentação, mas mantiveram uma ordem narrativa, ordem essa apenas embaralhada (como cartas, que, mesmo embaralhadas, sabemos que constituem uma ordem), Leminski, no *Catatau*, põe a ordem abaixo. A narrativa só tem começo e fim ("As formas não são delimitadas para cima ou para baixo de modo exato como antes: em lugar de um início claro e de uma conclusão precisa, temos um começo hesitante e uma conclusão impossível". Wölfflin, 1989, p. 69), porém, como a Matemática ensina, entre 0 e 1 há infinitos números. Entre a primeira e a última letra do *Catatau* há infinitas leituras. Daí o excesso e a abertura.

Nesse aspecto, o *Catatau* é superior a todos os romances (políticos) do período militar ("Isto porque o romance de ficção corresponde, em sua expressão tradicional, ao modo habitual, mecanizado, geralmente razoável e funcional, de mover-se entre os eventos reais, conferindo significados unívocos às coisas. Enquanto que somente no romance experimental se encontra a decisão de dissociar os nexos habituais, com base nos quais se interpreta a vida, não para encontrar uma não-vida, mas para experimentar a vida sob novas perspectivas, aquém das convenções esclerosadas". Eco, 1968, p. 196).

O *Catatau* enfrentou a hegemonia da TV com uma linguagem que correspondia estruturalmente à linguagem televisiva.

A obra leminskiana não imita a forma-jornal cubista da fragmentação. *Catatau* é o mosaico televisivo, não-linear:

> "Pois o mosaico não é contínuo, uniforme, repetitivo. É descontínuo, assimétrico, não-linear — como a tatuimagem da TV". (McLuhan, 1995, p. 375)

O *Catatau* não tem um fio narrativo. Como toda forma barroca, ele não tem centro e, por isso mesmo, o centro está em toda parte. A não existência de um centro supõe uma não-hierarquia. Como o mosaico televisivo, o *Catatau* possui uma sintaxe aberta que exige do leitor uma maior participação, fazendo com que ele preencha os intervalos.

> "A imagem da TV exige que a cada instante, 'fechemos' os espaços da trama por meio de uma participação convulsiva e sensorial que é profundamente cinética e tátil, porque a tatilidade é a inter-relação dos sentidos, mais do que o contato isolado da pele e do objeto". (McLuhan, 1995, p.352)

Essa exigência de participação faz da obra de Leminski, pedagogicamente falando ("Perguntamo-nos então se arte contemporânea, acostumando-se a contínua ruptura dos modelos e dos esquemas — escolhendo para modelo e esquema a efemeridade dos modelos e dos esquemas e a necessidade de seu revezamento, não somente de obra para obra, mas dentro de uma mesma obra — não poderia representar um instrumento pedagógico com funções libertadoras; e nesse caso seu discurso iria além do nível do gosto e das estruturas estéticas, para inserir-se num contexto mais amplo, e indicar ao homem moderno uma possibilidade de recuperação e autonomia". Eco, 1968, p. 148), uma das mais radicalmente libertadoras (e subversivas) já escritas em nosso país, pois força o leitor a questionar sua própria forma de "ler" o mundo, já tão narcotizado/embotado pelos *mass media*.

> "O princípio do embotamento vem à tona com a tecnologia elétrica, ou com qualquer outra. Temos de entorpecer nosso sistema nervoso central quando ele é exposto e

projetado para fora: caso contrário, perecemos. A idade da angústia e dos meios elétricos é também a idade da inconsciência e da apatia. Em compensação, e surpreendentemente, é também a idade da consciência do inconsciente". (McLuhan, 1995, p. 65)

Voltando a falar da semelhança estrutural entre o *Catatau* e a TV (cataTaV), pensamos que o "romance-rir" de Leminski parece não a TV dos anos 60/70, quando foi escrito, mas a TV dos nossos dias, com as miríades de canais via cabo e satélite. Como essa TV, o *Catatau* parece constituído de vários canais (também no sentido linguístico). Na obra, esses canais são representados pelos vários "temas" espalhados (desordenadamente) pelo livro: Descartes e sua ciência, Deus, Brasil seiscentista, Zenão, Bashô, Pérsia, *et coetera* e tal. ("Se ao encobrimento parcial se acrescenta uma *composição complicada* e uma *multidão infinita de formas e motivos, em que o detalhe, por maior que seja, perde completamente o significado no efeito da massa*, temos então os elementos necessários para a impressão daquela riqueza inebriante, característica do Barroco." Wölfflin, 1989, p. 78) Também como na TV, esses temas/canais são interpenetrados, isto é, cada um desses temas dialoga com outros dentro do texto/textura. Cada canal/tema é como um fio da textura que se entrelaça com outro fio, oferecendo ao fruidor possibilidades quase infinitas de interpretação.

> "(...) no universo científico moderno, assim como na construção ou na pintura barrocas, as partes aparecem todas dotadas de igual valor e autoridade, e tudo aspira a dilatar-se até o infinito, não encontrando limites ou freios em nenhuma regra ideal do mundo, mas participando de uma geral aspiração à descoberta e ao contato sempre renovado com a realidade". (Eco, 1968, p. 55)

Esse diálogo polifônico entre os temas nos faz lembrar dos comerciais de TV (Leminski foi publicitário) em que uma peça de Vivaldi é fundo musical para a venda de desodorante feminino. Apenas que, no *Catatau*, à diferença dos comerciais, a relação dialógica não se dá de forma "séria". No comercial, Vivaldi serve para oferecer ao produto um *status* elevado. No *Catatau*, todos os temas são postos do avesso, ou seja, são carnavalizados, parodiados. O *Catatau* derruba todo *status*. O *Catatau* é um *status* quiproquó.

Catatau no ar — antena hiperbólica da raça.

Bibliografia
ECO, Umberto. *Obra Aberta*. São Paulo: Perspectiva, 1968.
FRANCO, Renato. *Itinerário Político do Romance Pós-64: A Festa*. São Paulo: UNESP,1998.
MCLUHAN, Marshall. *Os Meios de Comunicação Como Extensões do Homem*. São Paulo: Cultrix, 1995.
WÖLFFLIN, Heinrich. *Renascença e Barroco*. São Paulo: Perspectiva, 1989.

CATATAU:
O ESTANDARTE DA INSUBORDINAÇÃO

Paulo de Toledo

M. Bakhtin em seu célebre trabalho *Problemas da Poética de Dostoiévski* afirma a respeito do autor de *O Idiota*:

> Em essência, todas as particularidades da menipeia (com as respectivas modificações e complexificações) encontramos em Dostoiévski. [Bakhtin, 1981, p. 104]

Acreditamos que, como Dostoiévski, Paulo Leminski seja um legítimo representante da tradição da literatura carnavalizada[1], mais especificamente do gênero "sátira menipeia", assim como este é definido pelo teórico russo.

A obra leminskiana que encarna (porque está na carne da obra) o gênero menipeia com maior amplitude e profundidade é o *Catatau*. Sobre esta obra podemos afirmar o mesmo que Bakhtin diz com relação a uma das obras dostoievskianas:

> nessa obra de Dostoiévski, o gênero da menipeia continua a viver sua plena vida de gênero, pois o viver do gênero consiste em renascer e renovar-se permanentemente em obras originais. [Bakhtin, 1981, p. 122]

Por acreditarmos na filiação do *Catatau* com a tradição do gênero menipeia, não nos alongaremos procurando as afinidades entre a obra de Leminski e as principais características da menipeia arroladas por Bakhtin na obra já citada. Para as intenções do presente trabalho, utilizaremos apenas uma das "particularidades fundamentais" da menipeia, segundo Bakhtin: a *publicística*.

A *publicística* é definida pelo autor russo como "uma espécie de gênero jornalístico da Antiguidade, que enfoca em tom mordaz a atualidade ideológica". [Bakhtin, 1981, p. 102]

No *Catatau*, a "atualidade ideológica" a ser satirizada em "tom mordaz" divide-se em dois planos temporais: a) o presente da narrativa, ou seja, o Brasil holandês, século XVII; b) o presente do escritor, ou seja, o Brasil da ditadura militar, iniciada com o golpe de 1964.

(Lembremos que, segundo o próprio Leminski, o *Catatau* foi escrito entre 1966 e 1975, portanto em pleno período ditatorial).

A satirização do domínio holandês na Recife seiscentista é facilmente verificada ao longo de todo o catatau leminskiano. Nassau, Marcgravf, Post, Eckhout e todos os sábios que vieram a serviço da Companhia das Índias Ocidentais são, no *Catatau*, alvo da verve carnavalizada de Leminski. O esforço intelectual de Nassau & Companhia em enquadrar a realidade tropical em seus esquemas é virado do avesso, carnavalescamente rebaixado.

Citaremos a seguir um trecho da obra leminskiana que pensamos ilustrar com exatidão o posicionamento crítico do narrador com relação ao empreendimento batavo, posicionamento esse carregado de humor carnavalesco, mostrando como os trópicos desnortearam os sábios do Norte e seus (pré)conceitos.

> Cairás, torre de Vrijburg, de grande ruína. (...) E essa torre de Babel do orgulho de Marcgravf e Spix, pedra sobre pedra não ficará, o mato virá sobre a pedra e a pedra à espera da treva fica podre e vira hera a pedra que era... (...) as tábuas de eclipses de Marcgravf não entram em acordo com as de Grauswinkel; Japikse pensa que é macaco o aí que Rovlox diz fruto dos coitos danados de toupinamboults e tamanduás; (...) Viveiro? Isso está tudo morto! Por eles, as árvores já nasciam com o nome em latim na casca, os animais com o nome na testa (...) O relógio do sol aqui é cera derretendo rejeitando a honra de marcar as horas, o esterco do preguiça nos soterra na areia movediça... Até aqui, Marcgravf; sed ego contra: Grauswinkel, Rovlox, Spix, vosso reino não é deste mundo, vossa pátria não é Germânia nem Bavária. Teu reino é o reino animal, rei — o leão; teu reino vegetal, rainha — a rosa; teu reino é o reino mineral, rei — o ouro! Despenca a torre com sua coroa de sextantes e astrolábios até o último burgo de casas. [Leminski, 1989, p. 34/35]

A imagem da queda da "torre de Vrijburg" (referência à torre construída por Maurício de Nassau que funcionava, entre outras coisas, como observatório astronômico) representa, na obra leminskiana, três coisas:

> 1. A derrota e consequente expulsão dos holandeses do Brasil;
> 2. O fracasso da lógica, da filosofia e da tecnologia europeias na tentativa de organizar a realidade de nosso tórrido torrão (apesar da visão privilegiada da "torre");
> 3. Em nossa opinião, a queda da torre simboliza, principalmente, a derrota da linguagem ocidental regida pela hierarquia hipotática e pela contiguidade[2]. Derrota essa promovida pela força da "estrutura paramórfica" do *Catatau*, no qual reina Anarcos e sua não-hierarquia paratática. *Catatau*, portanto, é o reino das similaridades, da Analógica[3], onde a lógica aristotélico-cartesiana não serve para entender "batavina" ("Se o Brasil fosse holandês, ninguém mais entendia batavina." [Leminski, 1989, p. 88]).

Voltando ao plano temporal relativo ao presente do escritor, acreditamos que o contexto histórico, ou seja, o Brasil da ditadura militar, está retratado com uma originalidade jamais alcançada por nenhum outro escritor brasileiro. Esta originalidade deve-se à forma "cômico-séria", carnavalizada, com que Leminski aborda a questão do domínio militar. Diferentemente da maioria dos romances políticos que tiveram como tema o Brasil da ditadura, mas tratavam esse tema dogmaticamente, apresentando apenas uma visão politizada e ideologicamente sectária do fenômeno, o *Catatau*, através do riso destronador (provindo da força criativa das ruas), realiza, em nossa opinião, o mesmo feito de Rabelais, ou seja, registra o que há de caduco, de vetusto na hierarquia vigente. Estas palavras de

Bakhtin a respeito de Rabelais podem ilustrar bem nossa ideia sobre como a obra leminskiana retrata o período da repressão militar.

> Todo *caráter determinado e acabado*, acessível à época, era em certa medida *cômico*, pois era, afinal, *limitado*. O riso era alegre, porque toda *determinação* limitada (e portanto todo acabamento) dava origem, ao morrer e decompor-se, a *novas possibilidades*. [Bakhtin, 1996, p. 400]

As "novas possibilidades" encontradas no *Catatau* vão das formais até as ideológicas (afinal, não há arte revolucionária sem forma revolucionária).

A "crítica mordaz" ao governo militar realizada pelo autor de *Caprichos & Relaxos* pode ser identificada facilmente. Segundo nossa opinião, o fato de os dois protagonistas serem militares (Descartes era um oficial no exército de Nassau e Artischewsky era um coronel mercenário a serviço da Companhia) já configura uma forma de "rebaixar" a classe governante do Brasil da época. Afinal, além de serem "amantes" (o homossexualismo é mais uma forma de degradar o caráter "sério" dos personagens), Cartésio ainda é mostrado como um tolo drogado (fuma maconha) e Artischewsky chega ao final do livro "bêbado como polaco que é" [Leminski, 1989, p. 206]. Na verdade, poderíamos dizer que esses personagens são caracterizados de modo a formar, como diria Bakhtin, um típico "par cômico" carnavalesco.

Podemos comentar também a oposição *guerra-festa* construída no *Catatau* como mais uma maneira de rebaixar a classe dominante representada pelos militares. A *guerra* corresponde ao mundo repressivo da ditadura, enquanto a *festa* representa o mundo alegre da utopia e da liberdade, o mundo do carnaval. Sobre a função da festa na cultura da Renascença, comenta Bakhtin:

> A festa marcava de alguma forma uma interrupção provisória de todo o sistema oficial, com suas interdições e barreiras hierárquicas. [Bakhtin, 1996, p. 77]

Leminski derruba as barreiras com sua festa de arromba da linguagem e, como um Rei Momo (rei do excesso barroco, gordura textual), abre seu carnaval para possibilitar a criação de uma nova ordem, livre da repressão hierárquica.

> Cheguei tarde na guerra, já era festa e eu com armas. [Leminski, 1989, p. 83]

Este "eu com armas" é Cartésio encarnando a oficialidade militar truculenta, sendo ridicularizada pelo humor da linguagem festiva leminskiana. (O armamento filosófico cartesiano, no *Catatau*, é bala de "festim").

> Na guerra — o necessário, na festa — o luxo nesse cenário. [Leminski, 1989, p. 49]

Aqui o carnaval (o luxo) junta-se com o barroco "desnecessário" da linguagem excessiva para destronar o "necessário" da linguagem oficial e dogmática. *Catatau* é um campo de batalha da linguagem. Na obra de Leminski, a mistura da língua das ruas (o provérbio, o grafite, o slogan, a publicidade etc.) com a língua "literária" cria uma assimetria subversiva: a língua "normativa" cede diante do poder de fogo revolucionário da linguagem catatauesca. Novamente, Bakhtin:

> As línguas são concepções do mundo, não abstratas, mas concretas, sociais, atravessadas pelo sistema das apreciações, inseparáveis da prática corrente e da luta de classes. Por isso, cada objeto, cada noção, cada ponto de vista, cada apreciação, cada entoação, encontra-se no ponto de intersecção das fronteiras das línguas-concepções do mundo, é englobado numa luta ideológica encarniçada. Nessas condições excepcionais, torna-se impossível qualquer dogmatismo linguístico e verbal, qualquer ingenuidade verbal. [Bakhtin, 1996, p. 415]

Enfim, Leminski, com o *Catatau*, dá sua "festa jubilosa da língua" (N. Perlongher) para mostrar que há algo de novo no *front* literário brasileiro.

Além da avacalhação com os protagonistas "milicos" (CART & ART) e do tema da *guerra-festa*, encontramos trechos explícitos de subversão excessiva ao regime de exceção. A Ditadura, no *Catatau*, é mostrada pelo que há nela de risível, de ridículo e, para tanto, Leminski usa de todo um arsenal tipicamente carnavalesco: paródias, degradações, trocadilhos, inversões, satirizações etc.

Vejamos alguns exemplos dentre os muitos encontrados.

> Bombas relógio, emissas intra geneticam catenam a explodir a seu bel prazo produzindo mudas: traga o afilhado da Fortuna! E traga fazendo continência! [Leminski, 1989, p. 127]

Neste trecho, retrata-se o período militar e a violência da tortura e dos atentados a bomba. Porém, o horror da violência do regime é ridicularizado pelo efeito cômico sugerido pela cena de um torturado ("afilhado da Fortuna") sendo trazido a um militar/policial e este exigindo que o torturado venha "fazendo continência". Como afirma Bakhtin, "o riso supõe que o medo foi dominado" e que "jamais o poder, a violência, a autoridade empregam a linguagem do riso" [Bakhtin, 1996, p. 78].

> O riso deve desembaraçar a alegre verdade sobre o mundo das capas da mentira sinistra que a mascaram, tecidas pela seriedade que engendra o medo, o sofrimento e a violência. [Bakhtin, 1996, p. 150]

É esta "linguagem do riso" a arma leminskiana contra a repressão armada: FUN X GUN.

A utopia e a noção de "tempo alegre", também características da concepção carnavalesca da realidade[4], aparece no *Catatau* como mais uma das formas de combate ao governo repressivo.

> Um dia isto será apenas capítulo na história da repressão escrita numa catacumba das cidades futuras por netos, de renato não feitos, recebendo todo esse eco. O cão do lado de cada palavreado isca os pelos do pegador de arrepio, pau de sebo onde ninguém sobe de surpresa. [Leminski, 1989, p. 128]

Enquanto o "tempo alegre" é explicitado no "Um dia" que inicia a primeira frase, sugerindo que a repressão "um dia" será apenas mais uma história (que saiu por uma porta) para se contar a nossos netos, o "pau de sebo onde ninguém quer subir" sugere o pau-de-arara, instrumento de tortura muito utilizado no período militar.

Algumas vezes, também, o destronamento dos ditadores é feito através de um simples trocadilho anagramático.

> Recruta não retruca (...) [Leminski, 1989, p. 131]

> Ao desertor, os desertos! [Leminski, 1989, p. 133]

Em outros momentos, Leminski desenvolve, através de uma linguagem intencionalmente redundante (porém altamente informativa), o horror dos torturantes inquéritos policialescos.

> Inquérito, fagulha inquieta: ver. (...) Pelos poros, procurando um porão para passar, e pelo muito que lhe perguntam respondeu que sim afirmativamente dando a entender por sons e ademanes que tal ato praticara e por mais não dizer foi-lhe perguntado e quantas vezes e ele respondeu também por sons e ademanes que não sabia dizer ao certo quantas vezes tal ato praticara e assim o entendemos todos que não sabia quantas vezes tal ato praticara e sabia que tal ato praticara pois com palavras e ademanes respondera que sim e afirmativamente e disse sim e não negou negativamente mas declarou ter tal ato praticado e não sabia quantas vezes e respondeu sim positivamente e assim o entendemos todos pelo muito claro de seus sons e ademanes. [Leminski, 1989, p. 133]

O "aporismo" (referência a Drummond?) do interrogado ("procurando um porão" — porão = poro grande), que procura escapar do torturante interrogatório, afirmando qualquer coisa que lhe mandarem, é construído através de uma narrativa que gira em torno de si mesma, altamente redundante em seu léxico e sintaxe, que mimetiza o tautológico discurso do torturado na sua quase loucura.

As sessões de tortura são tratadas outra vez com humor rabelaisiano no trecho abaixo.

> Maltratado que nem cavalo de exu, apanha mais que cachorro de bugre, mais bem apanhado que arara caída do pau! [Leminski, 1989, p. 134]

O pau-de-arara agora é identificado mais explicitamente ("arara caída do pau!"). Já o humor é conseguido através da criação de imagens absurdas contendo animais sendo maltratados ("cavalo de exu", "cachorro de bugre" e "arara"), numa linguagem que soa o falar do povo em dia de feira ou em pleno carnaval. A tortura, máquina repressiva, é desmontada pelo humor, pela eterna inventividade provinda do povo e de seu riso poderosamente subversivo.

O "tema" da tortura surge mais uma vez, no excerto seguinte, construído através de uma linguagem franca, próxima da linguagem oral, desobediente das convenções e etiquetas verbais, além de carregada de humor:

> Me enfiam um trabuco goelas abaixo, confesso tudo e ainda reclamam do sotaque! [Leminski, 1989, p. 156]

Novamente, no trecho a seguir, a violência da ditadura é tratada de forma cômica.

> Uma das especialidades da nossa cozinha local é a mais deslavada ausência de tempero: pau, e pau lhe damos, quebrou, pagou! [Leminski, 1989, p. 184]

Nossa "cozinha local", com seu destempero do tipo "bateu, levou", é revelada em toda a sua truculência no trecho acima, no qual a linguagem, próxima do registro oral e cheia de vocábulos gírios, remete-nos ao falar das ruas, onde Leminski (polaco com um pé na cozinha) foi buscar os ingredientes para o seu macarrônico *Catatau*. (A imagem dessa "cozinha" catatauesca lembra-nos os comentários de Bakhtin sobre as imagens rabelaisianas das batalhas, as quais, graças ao espírito carnavalesco da narrativa, transformam-se em "alegre festim"[5]).

Para finalizar com nossos exemplos sobre a presença do tema da Ditadura no *Catatau*, citamos um último e exemplar excerto, no qual a denúncia dos assassinatos de milhares de brasileiros durante o governo militar é realizada de forma extremamente inovadora e, principalmente, com uma dicção puramente carnavalesca.

> Fiquei muito sentido! Todo um quarteirão de mortos! [Leminski, 1989, p. 169]

O "sentido" ambíguo, sugerindo o "Sentido!" militar e também o sentimento, a dor, do eu que narra, é uma clara forma de "degradação paródica" (Bakhtin) dos militares. Por sua vez, o "quarteirão de mortos" leva-nos, através de uma associação de formas, a ler no *quarte*irão o *quarte*l militar, lugar que, no governo de exceção, servia de campo de extermínio de "subversivos".

Finalmente, agora que já procuramos demonstrar a proximidade do *Catatau* com a tradição da literatura carnavalizada, e a função da carnavalização catatauesca para o destronamento das classes dominantes (militares e holandeses) e da linguagem dominante (ocidental, "séria", hipotática), cabe-nos perguntar por que essa obra leminskiana ainda é tão mal aceita nos meios literários oficiais e, principalmente, por que os estudiosos do chamado "romance político" brasileiro deixam essa obra à margem, quando ela, mais do que qualquer outra, mostra-se como a mais subversiva prosa que já teve como tema a ditadura militar iniciada em 1964? Provavelmente, a resposta à última pergunta seja: no *Catatau*, os temas (e o tema da Ditadura, no *Catatau*, é apenas um entre muitos) são escamoteados por grossas camadas de linguagem inventiva, o que acaba exigindo um esforço de escafandrista ou de mineiro para que sejam alcançados os tesouros ocultos, as preciosas pérolas irregulares lapidadas pelo gênio leminskiano.

Contra a preguiça e a mesmice das academias brasileiras (acumulam-se teses sobre Machado e Rosa nas empoeiradas estantes universitárias), citamos Eco:

> Perguntamo-nos então se a arte contemporânea, acostumando-se à contínua ruptura dos modelos e dos esquemas — escolhendo para modelo e esquema a efemeridade dos modelos e dos esquemas e a necessidade de seu revezamento, não somente de obra para obra, mas dentro de uma mesma obra — não poderia representar um instrumento pedagógico com funções libertadoras; e nesse caso seu discurso iria além do nível do gosto e das estruturas estéticas, para inserir-se num contexto mais amplo, e indicar ao homem moderno uma possibilidade de recuperação e autonomia. [Eco, 1968, p. 148]

Logo, contra a alienação e a narcose (vide McLuhan) produzidas pelos *mass media* e pelos padrões (globais?) de gosto instituídos pelas academias jurássicas brasileiras, e também contra qualquer forma de opressão (seja política ou de linguagem), *Catatau* foi e continua sendo um "instrumento pedagógico com funções libertadoras", subversor da paralisia cerebral reinante nestes tempos de *pensamento único* em nossos tristes (en)trópicos.

NOTAS

"O carnaval propriamente dito (repetimos, no sentido de um conjunto de todas as variadas festividades de tipo carnavalesco) não é, evidentemente, um fenômeno literário. É uma forma *sincrética de espetáculo* de caráter ritual, muito complexa, variada, que, sob base carnavalesca geral, apresenta diversos matizes e variações dependendo da diferença de épocas, povos e festejos particulares. O carnaval criou toda uma linguagem de formas concreto-sensoriais simbólicas, entre grandes e complexas ações de massas e gestos carnavalescos. Essa linguagem exprime de maneira diversificada e, pode-se dizer, bem articulada (como toda linguagem) uma cosmovisão carnavalesca una (porém complexa), que lhe penetra todas as formas. Tal linguagem não pode ser traduzida com o menor grau de plenitude e adequação para a linguagem verbal, especialmente para a linguagem dos conceitos abstratos, no entanto, é suscetível de certa transposição para a linguagem cognata, por caráter concretamente sensorial, das imagens artísticas, ou seja, para a linguagem da literatura. É a essa transposição do carnaval para a linguagem da literatura que chamamos *carnavalização da literatura*". [Bakhtin, 1981, p. 105]

[2] "O chamado 'logocentrismo' seria uma outra denominação para a associação por contiguidade. Quando a palavra é tomada como código central, nós somos levados a crer que todos os signos só adquirem 'sentido' quando traduzidos em 'palavrês', em código verbal. A mente racional, consequentemente, é aquela que opera por contiguidade. Quando tratam de analogia, as mentes chamadas 'científicas' tornam-se muito cautelosas: a analogia é um caminho perigoso para ser perseguido, é quase... não-científico". [Pignatari, 1979, 106]

[3] "Foi Paul Valéry, parece-me, quem pela primeira vez chamou a atenção para a necessidade de uma ANALÓGICA — não apenas uma analogia". [Pignatari, 1979, 108]

[4] "Com todas as suas imagens, cenas, obscenidades, imprecações afirmativas, o carnaval representa o drama da imortalidade e da indestrutibilidade do povo. Nesse universo, a sensação da imortalidade do povo associa-se à de relatividade do poder existente e da verdade dominante". [Bakhtin, 1996, p. 223]

[5] Sobre as imagens da cozinha e do banquete em Rabelais, ver Bakhtin, 1996, cap. 3, p. 171.

REFERÊNCIAS BIBLIOGRÁFICAS

BAKHTIN, Mikhail Bakhtin. *Problemas da Poética de Dostoiévski*. Rio de Janeiro: Forense-Universitária, 1981.

BAKHTIN, Mikhail Bakhtin. *A Cultura Popular na Idade Média e no Renascimento: o contexto de François Rabelais*. São Paulo-Brasília, 1996.

ECO, Umberto. *Obra Aberta*. São Paulo: Perspectiva, 1968.

LEMINSKI, Paulo. *Catatau*. Porto Alegre: Sulina, 1989.

PIGNATARI, Décio. *Semiótica & Literatura. Icônico e Verbal. Oriente e Ocidente*. São Paulo: Cortez & Moraes, 1979.

CADASTRO
ILUMI*N*URAS

Para receber informações
sobre nossos lançamentos e
promoções envie e-mail para:

cadastro@iluminuras.com.br

A *Iluminuras* dedica suas publicações à memória
de sua sócia Beatriz Costa [1957-2020] e a de
seu pai Alcides Jorge Costa [1925-2016].